經濟部技術處112年度專案計畫

2023資訊軟體暨服務產業年鑑

中華民國112年9月30日

序

　　回顧 2023 年資訊軟體產業，國際保護主義、貿易戰、債務和地緣政治對全球資通訊產業影響猶在，AI 和 ESG 議題持續發酵，有助於資訊產業的成長。

　　隨著全球 ESG 政策和供應鏈永續要求的推動，臺灣企業持續投資於相關的 IT 產品和服務。這包括碳排放監控、區塊鏈追溯和綠色金融等方向，助力企業達到永續發展目標。生成式 AI 為臺灣資通訊硬體和資訊服務產業帶來新的發展方向。這種技術在智慧製造、智慧醫療等領域已初步採用，並將進一步促使企業採用 AI，降低成本並推廣至更多行業。此外，大型語言模型的計算需求也將推動雲端服務的增長。

　　數位韌性和資安治理已成為公司治理的核心部分，金管會和證交所在臺灣持續強調上市櫃公司的資安規範，並隨著技術發展，企業越來越重視 IT 架構的資安防護。這促使對資訊安全軟硬體和資料災難備援的需求不斷增加，同時也強調了供應鏈的資安問題，「軟體物料清單」（SBOM）的概念正在形成。

　　在全球市場變動和數位轉型浪潮中，如何結合市場需求發展跨領域的軟體應用，並配合政府創新政策以提升臺灣的資訊服務和軟體產業競爭力，成為當前產業發展的關鍵挑戰。在經濟部產業技術司的長期支持與指導下，《2023 資訊軟體暨服務產業年鑑》順利出版。本年鑑探討全球與臺灣資訊服務暨軟體市場的發展現況與動態，剖析最新資訊軟體產業發展概況與趨勢，對政府研擬產業政策、企業組織策略規劃及學界進行產業研究，皆有所助益，也期盼能透過資訊軟體與應用服務，協助臺灣各產業和政府部門發展數位轉型的創新模式。

財團法人資訊工業策進會　執行長

中華民國 112 年 9 月

編者的話

　　《2023 資訊軟體暨服務產業年鑑》主要收錄臺灣 2022 年到 2023 年資訊服務暨軟體市場發展現況與動態。本年鑑邀請資訊服務與軟體產業相關領域之多位專業產業分析師共同撰寫，內容不但涵蓋全球與臺灣資訊服務與軟體市場的發展現況、廠商動態等，亦包含市場趨勢與規模預估，以及產業關鍵議題探討。期盼本年鑑中的資訊能提供給資訊服務業者、政府單位，以及學術機構等，作為擬訂決策或進行學術研究時的參考工具書。

　　本年鑑除了彙整及分析整體資訊服務與軟體市場動態之外，亦針對領域進行觀測及發展動態追蹤，以強化年鑑內容豐富度。除此之外，亦加入氣候科技、綠色金融、Web 3.0、生成式 AI、元宇宙、超級自動化、數位韌性等新興科技應用之熱門議題，期能反映近期資訊服務與軟體市場的關注焦點。年鑑內容總共分為五章，茲將各章之內容重點分述如下：

　　第一章：總體經濟暨產業關聯指標。本章內容包含全球與臺灣經濟發展指標與產業關聯重要指標兩大區塊，俾使讀者能掌握近年總體經濟表現狀況與主要地區資訊服務與軟體市場之發展。

　　第二章：資訊軟體暨服務市場總覽。本章分述全球與臺灣資訊軟體與服務市場發展現況，包括各主要地區之市場動態、行業別市場規模、主要業別資訊應用現況，以及品牌大廠動態等，讓讀者快速掌握資訊服務與軟體市場的發展脈動。

　　第三章：資訊軟體暨服務市場個論。本章探討全球與臺灣系統整合、資訊委外、資訊安全、雲端服務等資訊服務領域，除了分析市場趨勢、產業動態，亦闡述該領域業務之未來發展狀況。

　　第四章：焦點議題探討。本章針對人工智慧、綠色金融、元宇宙等議題進行剖析，內容包括市場趨勢、資訊應用趨勢與服務模式

等，以提供讀者了解有關資訊服務新興議題。另外也針對資訊服務人才、ESG 數位轉型議題提供相關調查與分析，以供相關業者參考。

第五章：未來展望。本章針對資訊技術發展、產業發展趨勢、行業發展機會與展望，分別總結研究內容以供政府單位在制定產業政策時，以及相關業者在擬定企業決策時之參考。

本年鑑內容涉及之產業範疇甚廣，若有疏漏或偏頗之處，懇請讀者踴躍指教，俾使後續的年鑑內容更加適切與充實。

《2023 資訊軟體暨服務產業年鑑》編纂小組 謹誌

中華民國 112 年 9 月

目 錄

第一章　總體經濟暨產業關聯指標 1
　一、全球經濟發展指標 1
　二、產業關聯重要指標 7

第二章　資訊軟體暨服務市場總覽 13
　一、全球市場總覽 16
　二、臺灣市場總覽 25

第三章　資訊軟體暨服務市場個論 39
　一、系統整合 39
　二、資訊委外 53
　三、雲端服務 70
　四、資訊安全 81

第四章　焦點議題探討 93
　一、氣候科技發展趨勢 93
　二、綠色金融科技發展趨勢 99
　三、Web 3.0 發展趨勢 106
　四、工業元宇宙發展趨勢 112
　五、AI 轉型發展趨勢 122
　六、生成式 AI 發展趨勢 130
　七、超級自動化趨勢 140
　八、數位韌性發展趨勢 150

第五章　未來展望 161
　一、資訊服務市場展望 161
　二、資訊服務產業轉型 165
　三、資訊服務發展策略 168
　四、資訊服務展望 171

附錄 173
　一、中英文專有名詞對照表 173
　二、近年資訊軟體暨服務產業重要政策與計畫觀測 176
　三、資服業大廠動態 210
　四、參考資料 229

Table of Contents

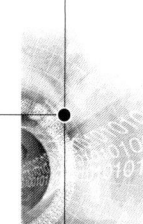

Chapter I　　Macroeconomic and Industrial Indicators 1
　　1. Global Economy Indicators 1
　　2. Key Industrial Indicators 7
Chapter II　　ICT Software and Service Market Overview 13
　　1. Global Market 16
　　2. Taiwan's Market 25
Chapter III　　Development of Global IT Software and Service Market Segments 39
　　1. System Integration 39
　　2. Information Outsourcing 53
　　3. Cloud Service 70
　　4. Information Security 81
Chapter IV　　Key Issues and Highlights 93
　　1. Climate Technology Development Trends 93
　　2. Green Fintech Development Trends 99
　　3. Web 3 Development Trends 106
　　4. Industrial Metaverse Development Trends 112
　　5. AI Transformation Development Trends 122
　　6. Generative AI Development Trends 130
　　7. Hyperautomation Development Trends 140
　　8. Digital Resilience Development Trends 150
Chapter V　　Future Outlook for the ICT Software and Service Industry 161

  1. Outlook for the Information Services Market 161

  2. Transformation of the Information Service Industry 165

  3. Development Strategies of Information Services 168

  4. Outlook for the Information Services Industry 171

Appendix 173

  1. List of Abbreviations……………………………………….....................173

  2. Summary of Key Policies and Plans of the IT Software and Service Industry………………………………………...176

  3. Development of Leading Brands in the ICT Software and Service Industry……………………………..210

  4. Reference…………………………………………..................................229

圖目錄

圖 2-1	全球資訊軟體暨服務市場規模	17
圖 2-2	全球資訊服務市場規模	18
圖 2-3	全球系統整合市場規模	19
圖 2-4	全球委外服務市場規模	20
圖 2-5	全球軟體市場規模	21
圖 2-6	臺灣資訊軟體暨服務產業產值	26
圖 2-7	臺灣資訊軟體暨服務產業次產業分析	27
圖 2-8	臺灣系統整合業產值	28
圖 2-9	臺灣系統整合業分析	29
圖 2-10	資料處理產業產值	30
圖 2-11	臺灣資料處理與資訊供應服務業分析	31
圖 2-12	臺灣軟體產業產值	32
圖 2-13	臺灣軟體設計產業產值	33
圖 2-14	臺灣軟體經銷產業產值	34
圖 2-15	臺灣軟體業分析	35
圖 2-16	臺灣資訊服務暨軟體產業結構	37
圖 3-1	強化學習的決策流程	65
圖 3-2	健康照護解決方案	66
圖 4-1	熱成像技術協助精準灌溉	97
圖 4-2	Doconomy 碳指數服務	102

圖 4-3	CEEZER 碳權交易平臺服務	103
圖 4-4	CanYa 人才媒合平臺	109
圖 4-5	blocksquare 房地產投資平臺	110
圖 4-6	NVIDIA Omniverse 平臺	114
圖 4-7	觸覺連體衣	115
圖 4-8	可口可樂發行的 NFT 收藏品	118
圖 4-9	健身運動沉浸式體驗	118
圖 4-10	人才招募元宇宙	119
圖 4-11	電商購物元宇宙	120
圖 4-12	AI Microsoft CoPilot 智慧助理	126
圖 4-13	家居賣場數位學生應用	127
圖 4-14	DeepMind Gato 多模態代理人程式	128
圖 4-15	Midjourney 生成的繪畫作品	132
圖 4-16	生成式 AI 助理教案協助	136
圖 4-17	生成式 AI 的醫療成像協助	136
圖 4-18	生成式 AI 對話農業協助	137
圖 4-19	企業流程服務聯結	145
圖 4-20	企業流程挖掘	146
圖 4-21	硬體設備資安風險檢測	157
圖 4-22	零信任架構的應用服務最小權限授權	158
圖 4-23	圖形化低程式碼設計資安威脅自動化管理	159
圖 5-1	資服業發展策略分析	169

表目錄

表 1-1	全球與主要地區經濟成長率	2
表 1-2	全球主要國家經濟成長率	3
表 1-3	全球主要國家消費者物價變動率	4
表 1-4	臺灣重要經濟數據統計	5
表 1-5	臺灣對主要貿易地區出口概況	6
表 1-6	臺灣工業生產指數	7
表 1-7	2020-2022 年全球數位競爭力排名前 20 名國家與名次變化	8
表 1-8	2016-2022 年全球電子化政府程度評比前 10 名國家	9
表 1-9	2018-2022 年臺灣資訊軟體暨服務業廠商家數	10
表 1-10	2018-2022 年臺灣資訊軟體暨服務業對 GDP 貢獻度	10
表 1-11	2018-2022 年臺灣資訊軟體暨服務業就業人數	11
表 1-12	2018-2022 年臺灣資訊服務暨軟體業勞動生產力	11
表 1-13	臺灣國際軟體競賽成績	12
表 2-1	資訊軟體暨服務市場主要分類與定義	14
表 2-2	資訊服務市場定義與範疇	14
表 2-3	資訊軟體市場定義與範疇	16
表 3-1	Accenture 2022-2023 年企業動態	44
表 3-2	近年人工智慧重要發展進程及未來發展預估	46
表 3-3	近年運算力重要發展進程及未來發展預估	47
表 3-4	企業數位轉型發展優先性	56

表 3-5	主要企業管理 ChatGPT 的態度以及做法	57
表 3-6	TCS 企業營運流程委外	61
表 3-7	企業採用雲端達成之減碳目標	72
表 3-8	資訊安全解決方案及市場滲透率	82
表 3-9	公開發行公司建立內部控制制度處理準則	85
表 4-1	生成式 AI 價值鏈	133
表 4-2	常見生成式 AI 應用類型	134

第一章 總體經濟暨產業關聯指標

一、全球經濟發展指標

（一）全球重要經濟數據

1. 經濟成長率（國內生產毛額變動率）

　　國內生產毛額（Gross Domestic Product, GDP）係指在單位時間內，國內生產之所有最終商品及勞務之市場價值總和。國內生產毛額之變動率不但呈現出該國當前經濟狀況，亦是衡量其發展水準的重要指標，因此一國之經濟成長率通常以國內生產毛額變動率表示。而將一經濟體或地區各國之國內生產毛額加總，並計算其變動率，即可得到該經濟體或地區之經濟成長率。

　　綜覽全球，經濟相較 2021 年衰退，2022 年以來經濟復甦坎坷。新冠肺炎（COVID-19）已邁入第三年，全球公共債務率仍持續飆升、主要經濟體為抑制通膨陸續升息、俄烏戰爭衝突，導致能源與原物料上漲，供應鏈因此受擾動，種種因素致使經濟成長低於預期。根據國際貨幣基金（International Monetary Fund, IMF）於 2023 年所發布的資料顯示，2022 年全球經濟成長率約 3.4%，2023 年預估 2.8% 及 2024 年的 3.0%。

　　觀察 2023 年各地區經濟表現，先進經濟體的經濟成長下降至 1.3%，相較於 2022 減少 1.4%；在新興市場與經濟體中，經濟成長幅度最少者屬歐元區，2023 年經濟成長率為 0.8%，比起 2022 年的 3.5%，表現較差；新興歐洲國家方面，2023 年經濟成長率為 1.2%，與 2022 相比，增加 0.4%。

　　回顧 2023 年，全球經濟表現仍屬衰退，成長幅度較 2022 年的 3.4% 不樂觀。從經濟體來看，先進經濟體的經濟表現在 2022 年為 2.7%，在 2023 年的經濟成長率為 1.3%；亞洲開發中國家 2023 年經

濟成長率則為5.3%，高於2022年的4.4%。新興市場與經濟體的成長主要來自於沙烏地阿拉伯及中東與中亞。

而拉美及加勒比海地區較22年的經濟成長率衰退。拉美及加勒比海地區的成長率下降至1.6%；中國大陸地區成長率由2022年的3%成長至2023年的5.2%。而俄羅斯由於地緣政治與戰爭因素，經濟成長情形最為不穩定，2023年經濟成長為0.7%；2022年中國大陸地區沿海省市疫情爆發，封控措施導致供應鏈受阻延宕，拖累其經濟成長。

表1-1 全球與主要地區經濟成長率

區域／年	2021	2022	2023(e)	2024(f)
全球	6.0%	3.4%	2.8%	3.0%
先進經濟體	5.2%	2.7%	1.3%	1.4%
歐元區	5.2%	3.5%	0.8%	1.4%
新興市場與經濟體	6.6%	4.0%	3.9%	4.2%
新興歐洲	6.8%	0.8%	1.2%	2.5%
亞洲開發中國家	7.2%	4.4%	5.3%	5.1%
拉美及加勒比海	6.9%	4.0%	1.6%	2.2%
中國大陸	8.4%	3%	5.2%	4.5%
中華民國	6.5%	2.5%	2.1%	2.6%
俄羅斯	5.6%	-2.1%	0.7%	1.3%

資料來源：IMF、資策會MIC經濟部ITIS研究團隊整理，2023年9月

在歐美國家方面，美國2022年經濟成長率在2.1%，相較於2021年表現下降許多，而英國在2022年經濟成長率由7.2%下降至3.0%。

亞洲國家方面，中國大陸與日本推出多項政策刺激經濟成長，但隨著貿易戰的開展，關稅壁壘和出口禁令影響國際貿易的運行連帶影響經濟成長率。隨著新冠疫情的控制趨穩，日本雖飽受疫情之苦，經濟成長率僅些微下降至1.1%。

總結來說，2022年全球各區經濟成長普遍衰退許多，但成長率仍為正成長之情勢。由IMF情報資料預估，2023年美國經濟成長率將小幅下降至1.6%，歐元區將達0.8%，英國將達-0.3%，日本將達

1.1%。新興國家部分，2023年將達3.9%，亞洲開發中國家將小幅度回升至5.3%。

新冠肺炎的疫情嚴重威脅全球經濟發展，全球金融環境緊縮可能會造成經濟的動盪，同時引發地緣政治的緊張局勢對其他國家產生重大的負面擴散作用。隨著疫情受到控制，各國邊境陸續解封、產業復工、線上共享軟體、數位轉型等新商業模式的興起。即便如此，金融波動、地緣政治、氣候變遷等因素，使得2023年的經濟成長是否回升，仍難以掌控。

表1-2 全球主要國家經濟成長率

國別／年	2021	2022	2023(e)	2024(f)	2025(f)
美國	5.9%	2.1%	1.6%	1.1%	1.8%
日本	2.1%	1.1%	1.3%	1.0%	0.6%
德國	2.6%	1.8%	-0.1%	1.1%	2.0%
法國	6.8%	2.6%	0.7%	1.3%	1.9%
英國	7.6%	4.0%	-0.3%	1.0%	2.2%
韓國	4.1%	2.6%	1.5%	2.4%	2.3%
新加坡	8.9%	3.6%	1.5%	2.1%	2.5%
香港	6.4%	-3.5%	3.5%	3.1%	2.9%
中國大陸	8.4%	3.0%	5.2%	4.5%	4.1%

資料來源：IMF，資策會MIC經濟部ITIS研究團隊整理，2023年9月

2. 消費者物價變動率

消費者物價指數（Consumer Price Index, CPI）乃是衡量通貨膨脹的主要指標，反映與居民生活有關的產品及勞務價格之物價變動情形。一般而言，當變動率高於2.5%則表示國家面臨通膨壓力。大部分國家通常將消費者物價變動率控制在1~2%，至多5%內，以達到刺激經濟發展的效果。

綜觀全球主要國家2022年消費者物價變動率，絕大多數有通膨疑慮，英國通膨率大幅上升至9.1%，而美國CPI依舊偏高，為8.0%。整體而言，主要國家的通膨有逐步上升的情況。展望2023年，大部分國家通膨情況能夠趨於和緩。

表 1-3　全球主要國家消費者物價變動率

國別／年	2021	2022	2023	2024(f)	2025(f)
美國	4.7%	8.0%	4.5%	2.3%	2.1%
日本	-0.2%	2.5%	2.7%	2.2%	1.6%
德國	3.2%	8.7%	6.2%	3.1%	2.3%
法國	2.1%	5.9%	5.0%	2.5%	2.1%
英國	2.6%	9.1%	6.8%	3.0%	1.8%
韓國	2.5%	5.1%	3.5%	2.3%	2.0%
新加坡	2.3%	6.1%	4.5%	3.5%	2.5%
香港	1.6%	1.9%	2.7%	2.4%	2.4%
中國大陸	0.9%	1.9%	6.2%	2.2%	2.2%

資料來源：IMF，資策會 MIC 經濟部 ITIS 研究團隊整理，2023 年 9 月

（二）臺灣重要經濟數據

2022 年臺灣經濟成長 6.45% 來到 2.45%，由於臺灣屬小型且高度開放的經濟體，對外貿易依存度高，容易受到國際景氣影響，且出口高度集中於電子資通訊產品，受到單一產業景氣影響亦較大。根據經濟研究院報告指出，由於全球經濟終端需求依然疲軟，國際貿易萎靡，積體電路及資通產品需求轉緩，記憶體價格持續走低，電子零組件、資通訊與視聽產品出口年增率仍維持負成長，使得臺灣經濟成長率下降至 2.45%。

在消費者物價指數（CPI）變動率方面，2022 年消費者物價指數變動率為 2.95%，較 2021 年的 1.97% 增加 0.98%。根據主計總處分析，此主要因為商品和服務價格成長所致。

第一章　總體經濟暨產業關聯指標

表 1-4　臺灣重要經濟數據統計

項目／年	2018	2019	2020	2021	2022
經濟成長率	2.63%	2.64%	3.11%	6.45%	2.45%
國內生產毛額（GDP）（百萬美元）	608,186	611,451	711,079	707,215	790,728
出口總值（百萬美元）	335,908	329,330	345,210	446,371	479,442
消費者物價（CPI）變動率	1.35%	0.56%	-0.23%	1.97%	2.95%
躉售物價（WPI）變動率	3.63%	-2.26%	-7.79%	9.44%	主計處自112年1月起停編

資料來源：行政院主計處，資策會MIC經濟部ITIS研究團隊整理，2023年9月

　　在2022年的國際貿易環境中，臺灣的出口總額相較於去年有所上升，達到近年來的最高水平。這主要是因為中美貿易衝突導致全球貿易疲軟，加上歐洲、美國和日本等先進國家的經濟表現不佳，以及新興市場增長放緩，都讓臺灣的出口增長受到限制。儘管如此，由於全球轉單效應和雲端運算、物聯網等新興技術對半導體的需求增加，仍然為臺灣的出口帶來一定的推動力。

　　回顧2022年，臺灣的出口呈現上升。在各個貿易區域中，對亞洲和歐洲的出口幅度有所上升，而對美洲的出口則大幅提升。這主要是因為亞洲地區的出口主要來自中國，歐洲則是受到主要經濟體疲軟的影響，而對美國的出口增加主要是受到中美貿易戰轉單效應的推動。

表 1-5　臺灣對主要貿易地區出口概況

單位：仟美元

國別／年	2018	2019	2020	2021	2022
亞洲地區	240,832,172	232,025,022	247,557,620	315,539,500	330,564,173
歐洲地區	31,277,632	29,775,996	28,166,204	38,484,236	41,101,735
北美洲	42,030,102	48,651,805	52,721,852	68,695,825	78,351,987
中美洲	3,340,014	3,609,725	3,345,020	4,636,533	5,865,584
南美洲	2,749,248	2,326,698	2,126,606	3,097,001	2,821,053
中東	5,955,462	5,270,802	4,720,354	5,618,326	6,474,263
非洲	2,106,411	2,117,012	1,704,216	2,222,056	3,024,955
大洋洲	4,234,865	4,009,841	3,951,512	5,841,210	9,053,310
總計	334,007,338	329,335,646	345,210,707	446,371,191	479,441,773

資料來源：財政部，資策會 MIC 經濟部 ITIS 研究團隊整理，2023 年 9 月

在工業生產指數方面，以 2018 年為基期，2022 年工業生產指數為 98.35，較 2021 年減少，工業生產動能呈現下降的的情況。

在資訊通訊產業方面，主因受美中貿易摩擦影響，伺服器、網通設備零件廠商提高國內產能因應國際訂單的轉單，同時關鍵零組件如 MLCC 受到缺貨的影響表現相對較佳。

隨著美中貿易摩擦升級，全球經濟成長動能放緩，將影響消費性電子的需求，間接將抑制臺灣製造業生產動能，而雲端運算、資料中心、人工智慧、物聯網、車用電子、金融科技等新興科技應用持續擴展，可望把注我國製造業生產動能。

展望 2023 年，根據主計總處預測，經濟成長率相較於 2022 年數字大幅度將下修至 2.04%，為近幾年最低水準。當前國際市場上存在許多潛在的風險與挑戰，包括美中走向保護主義、貿易戰的擴散效應、債務與地緣政治、各國貨幣政策等經濟議題等，都可能對臺灣的經貿活動產生衝擊。中國大陸供應鏈自主化戰略、兩岸政治關係則可能對臺灣造成國際出口之替代排擠效應、人才流失等足以動搖國本之問

題，為此臺灣需審慎以對，進行產業升級的同時運用策略智慧因應國際情勢變動，以掌握先機、再創榮景。

表 1-6　臺灣工業生產指數

項目／年	2018	2019	2020	2021	2022
工業生產指數	79.38	80.14	87.16	100.00	98.35
礦業及土石採取業	85.74	83.83	96.32	100.00	98.85
製造業	78.35	79.16	86.52	100.00	98.21
電力及燃煤供應業	94.08	94.16	95.78	100.00	100.64
用水供應業	100.60	101.11	102.50	100.00	101.34

資料來源：行政院主計處，資策會 MIC 經濟部 ITIS 研究團隊整理，2023 年 9 月

二、產業關聯重要指標

（一）國際重要資訊指標

1. IMD 全球數位競爭力排名

長期以來，瑞士洛桑國際管理學院（International Institute for Management Development, IMD）每年所發布的全球數位競爭力評比報告不僅受到國際重視，亦是重要參考指標。有鑑於資通訊科技發展與應用，常被視為提升國家競爭力的關鍵，洛桑國際管理學院著手建置一評估架構，以完整的分析構面與指標來衡量各國之「數位競爭力」（World Digital Competitiveness Ranking, DCR）。DCR 的分析架構大致分為三大面向，（1）知識指數（Knowledge）：評估項目包括人才、教育訓練與科技知識的滲透度；（2）科技指數（Technology）：評估項目包括管制框架、科技資本相關以及科技的可用性；（3）未來準備狀態（Future Readiness）：評估項目包括科技採用態度、商務靈活性與資訊科技整合性。目前 IMD 的全球數位競爭力排名可謂全球最具代表性的國家資通訊競爭力指標。

根據 2023 年發布之 2022 年評比結果，丹麥的數位競爭力在全球 143 個國家中排名第 1，位居領先地位。其次為下降一名的美國，第 3 名則維持為瑞典、第 4 名由新加坡拿下，相較去年上升一個名

次。臺灣此次表現仍有進步空間,排名第 11,較 2021 年下降三個名次,顯示臺灣於提升國家資通訊競爭力仍有成長空間。

表 1-7　2020-2022 年全球數位競爭力排名前 20 名國家與名次變化

國家／年	2020 年名次	2021 年名次	2022 年名次	2022 年分數	名次變化
美國	1	1	2	99.81	▼1
香港	5	2	9	94.36	▼7
瑞典	4	3	3	99.81	-
丹麥	3	4	1	100	▲3
新加坡	2	5	4	99.48	▲1
瑞士	6	6	5	98.23	▲1
荷蘭	7	7	6	97.85	▲1
臺灣	11	8	11	94.11	▼3
挪威	9	9	12	93.23	▼3
阿拉伯聯合大公國	14	10	13	91.42	▼3
芬蘭	10	11	7	96.60	▲4
韓國	8	12	8	95.20	▲4
加拿大	12	13	10	94.15	▲3
英國	13	14	16	86.45	▼2
中國大陸	16	15	17	86.42	▼2
奧地利	17	16	18	85.35	▼2
以色列	19	17	15	87.37	▲2
德國	18	18	19	85.17	▼1
愛爾蘭	20	19	24	79.16	▼5
澳洲	15	20	14	87.89	▲6

資料來源：IMD,資策會 MIC 經濟部 ITIS 研究團隊整理,2023 年 9 月

2. Waseda 電子化政府評比

　　電子化政府（e-Government）的發展程度可反映出一國公共行政服務的便利性,並透露出國家資訊素養的高低。為了評估各國政府電

子化程度，日本早稻田大學（Waseda University）近十年與亞太經濟合作會議（Asia-Pacific Economic Cooperation, APEC）合作發展相關評比指標，對各國電子化政府的推動情形作出完整評比，並為各國政府電子化程度評分。

　　根據2023年發布的評比結果，2022年丹麥持續位於第1，評分達93.80；紐西蘭的電子化政府第2，評分達92.60；加拿大位居第3，評分達91.77；新加坡與美國分別占據第4名與第5名，評分分別為91.62及91.04；臺灣則提升至第9名，評分為85.33，保持全球前10名之列，顯示近年臺灣投入於發展國家資訊素養與電子化政府的努力有所顯著。

表1-8　2016-2022年全球電子化政府程度評比前10名國家

名次	2016	2017	2018	2019/20	2021	2022	評分
1	新加坡	新加坡	丹麥	美國	丹麥	丹麥	93.80
2	美國	丹麥	新加坡	丹麥	新加坡	紐西蘭	92.60
3	丹麥	美國	英國	新加坡	英國	加拿大	91.77
4	韓國	日本	愛沙尼亞	英國	美國	新加坡	91.62
5	日本	愛沙尼亞	美國	愛沙尼亞	加拿大	美國	91.04
6	愛沙尼亞	加拿大	韓國	澳洲	愛沙尼亞	英國	86.76
7	加拿大	紐西蘭	日本	日本	紐西蘭	韓國	86.58
8	澳洲	韓國	瑞典	加拿大	南韓	愛沙尼亞	85.58
9	紐西蘭	英國	臺灣	韓國	日本	臺灣	85.33
10	英國、臺灣	臺灣	澳洲	瑞典	臺灣	日本	85.27

資料來源：Waseda University、International Academy of CIO，資策會MIC經濟部ITIS研究團隊整理，2023年9月

（二）國際重要資訊指標

1. 廠商家數

根據財政部統計處之營利事業家數資料顯示，2021 年符合資策會 MIC 資訊服務暨軟體廠商家數約 15,560 家。2022 年，在數位轉型需求升溫、新興科技應用逐漸成熟的情況下，人工智慧（Artificial Intelligence, AI）、金融科技（Financial Technology, FinTech）及物聯網（Internet of Things, IoT）等應用場景和產品加速落地，持續推升臺灣整體資訊服務暨軟體廠商家數成長，2022 年臺灣整體資訊服務暨軟體廠商家數達 16,022 家。

表 1-9　2018-2022 年臺灣資訊軟體暨服務業廠商家數

	2018	2019	2020	2021	2022
廠商家數（家）	12,680	13,520	14,620	15,560	16,020

資料來源：資策會 MIC 經濟部 ITIS 研究團隊，2023 年 9 月

2. 對 GDP 的貢獻度

近年臺灣資訊及通訊服務業業者整體營收表現呈現小幅下降，綜觀 2018 年至 2022 年臺灣資訊服務暨軟體產業對我國 GDP 貢獻度，從 2.68%稍微回升至 2.69%，但在企業數位轉型需求、資訊安全、新科技應用場景的系統需求驅動下，2023 年資訊服務暨軟體產業對臺灣 GDP 貢獻度可望進一步提升。

表 1-10　2018-2022 年臺灣資訊軟體暨服務業對 GDP 貢獻度

	2018	2019	2020	2021	2022(e)
對 GDP 貢獻度（%）	2.68%	2.74%	2.68%	2.54%	2.69%

資料來源：資策會 MIC 經濟部 ITIS 研究團隊，2023 年 9 月

3. 就業人數

2022 年臺灣資訊服務暨軟體產業部分業者營收持續成長，由於人工智慧、金融科技與雲端服務市場動能持續延燒，加之數位轉型需求持續發酵，有助於提高資訊服務暨軟體廠商招募新員工的意願。此外，隨著行動應用軟體與手機遊戲、手機影音等風潮興起，吸引不少新創公司、團體加入軟體開發行列，政府擴大培育軟體人才亦促成 2022 年資訊服務暨軟體產業就業人數上升，2022 年臺灣資訊服務暨軟體產業就業人數達 27 萬人。

表 1-11　2018-2022 年臺灣資訊軟體暨服務業就業人數

	2018	2019	2020	2021	2022
就業人數（萬人）	25.8	26.2	26.6	26.6	27

資料來源：資策會 MIC 經濟部 ITIS 研究團隊，2023 年 9 月

4. 勞動生產力

此處勞動生產力指的是臺灣資訊服務暨軟體業生產總額除以就業人數所得到的資料，而生產總額則是以臺灣資訊服務暨軟體產業的總營收（產值）為計算基準。據估計，近年的勞動生產力逐步走升，至 2022 年約達新臺幣 281 萬元，預估 2023 年將進一步攀升。

表 1-12　2018-2022 年臺灣資訊服務暨軟體業勞動生產力

	2018	2019	2020	2021	2022
勞動生產力（仟元）	2,267	2,336	2,633	2,658	2,817

資料來源：資策會 MIC 經濟部 ITIS 研究團隊，2023 年 9 月

除此之外，即便歷經疫情影響，臺灣於該期間仍積極參於各項國際軟體競賽，於多項國際軟體比賽中嶄露頭角，拿下優秀成績。

表 1-13　臺灣國際軟體競賽成績

國際軟體比賽	比賽介紹	臺灣表現
AWS DeepRacer	由 AWS 所舉辦的電動車自動駕駛比賽，該賽事由開發者為 AWS 的專用電動車撰寫程式進行比賽	2019 年季軍 2020 年冠、季軍 2022 年冠、亞、季軍
KDD Cup	為全球知名的巨量資料與資料探勘比賽	2011、2012、2016 皆為冠軍
ICPC	為國際大學生軟體設計競賽，每年各國均會派代表隊參賽	2016 起皆在 20 名內 2020 年全球第 5 名
DEF CON CTF	為全球最大形的資訊安全奪旗錦標賽事	2019 年亞軍 2020 年季軍 2022 年決賽第九名
International Olympiad in Informatics	國際資訊奧林匹亞賽事	2017 年第五名 2019 年第六名 2020 年第六名 2021 年第五名 2022 年第四名

資料來源：各賽事，資策會 MIC 經濟部 ITIS 研究團隊整理，2023 年 9 月

第二章　資訊軟體暨服務市場總覽

　　隨著資訊科技的快速演進與迭代，資訊軟體暨服務市場扮演舉足輕重的角色。依據產品功能與服務提供的模式，資訊軟體與服務的市場可區分為資訊服務與資訊軟體兩大類，每一個類別都有其獨特的特點和功能。

　　資訊服務為資訊科技領域中的一個重要部分，涵蓋向用戶提供專業基礎架構服務、開發部署服務、商業流程服務、顧問諮詢服務、軟體支援服務和硬體維運服務等全方位服務。這一類別的主要收益來自於服務提供的價值，而不僅是產品本身。它突破傳統的產品銷售模式，強調的是客戶的整體解決方案和長期合作關係。

　　資訊軟體則主要集中在提供用戶所需的軟體產品。這包括企業用戶使用的應用軟體、資訊安全、資料庫、開發工具等，以及消費者使用的生產力、遊戲、行動應用、影音工具、系統軟體、應用軟體和工具軟體等。這一部分強調的是產品的功能和性能，以及如何滿足特定用戶的需求。

　　資訊服務市場的定義和範疇可根據服務模式來進一步細分。例如，系統整合部分主要專注於為企業用戶提供資訊系統的基礎架構、開發部署、商業流程等開發與建置服務，亦涵蓋針對企業的財務管理、風險管理和企業策略管理等經營層面提供的商業顧問諮詢，以及與資訊科技或資訊系統相關的系統顧問諮詢；資料處理則是指資訊服務供應商以契約形式，協助企業進行資料備份、回覆、資料重複備份和網站代管等業務，包括入口網站經營、資料處理、主機和網站代管、雲端服務等。

　　這些資訊服務和軟體領域的劃分不僅為企業和消費者提供多元的選擇，還使他們能夠根據自身的特定需求選擇最適合的解決方案。在不斷發展和變化的市場環境中，這些服務和產品將持續演進，以滿足日新月異的需求。

簡言之，資訊軟體暨服務市場的多樣化和不斷創新反映現今科技社會的複雜性和動態性。從基礎架構到資料處理，從企業應用到消費者工具，其涵蓋幾乎所有的科技領域，並為不同類型的用戶提供了量身訂做的解決方案。在這一背景下，了解和適應這一市場的多樣性和複雜性將是任何企業和個人成功的關鍵因素。

表 2-1 資訊軟體暨服務市場主要分類與定義

市場	區隔	次區隔
資訊服務	系統整合	根據使用者需求，提供具專案特性之客製化資訊服務，其範疇包括從前端規劃、設計、執行、專案管理到後續顧問諮詢服務及資訊系統整合服務等。此類服務通常為專案形式進行，具高客製化特性，包含不同平臺與技術整合，並透過合約定義專案範疇與規格
資訊服務	委外與雲端服務	資訊服務廠商以契約簽訂形式，協助企業進行資料備份、回覆、資料重複備份及網站代管等業務，包含入口網站經營、資料處理、主機及網站代管、雲端服務等
資訊軟體	軟體設計	涵蓋企業與大眾應用之相關應用軟體設計、修改、測試等服務，應用於金融、醫療、流通業等行業，例如商業智慧、企業資源規劃（ERP）、顧客關係管理（CRM）、資訊安全等
資訊軟體	軟體經銷	從事作業系統軟體、應用軟體、套裝軟體與遊戲軟體之銷售與相關軟體的教育訓練，並協助客戶與消費者能夠使用其代理銷售的軟體

資料來源：資策會 MIC 經濟部 ITIS 研究團隊，2023 年 9 月

表 2-2 資訊服務市場定義與範疇

資訊服務	次區隔	定義與範疇
系統整合	系統設計	提供用戶對於資訊系統之需求分析與功能設計服務
系統整合	系統建置	依據資訊系統規格，提供系統之實作、測試、修改或汰換等服務
系統整合	顧問諮詢	提供用戶對於資訊系統之導入評估與諮詢服務
系統整合	其他服務	從事上述以外之電腦系統設計服務，如電腦災害復原處理、軟體安裝等
資料處理	網站經營	利用搜尋引擎，以便網際網路資訊搜尋之網站經營，例如定期提供更新內容之媒體網站、網路搜尋服務等
資料處理	資料處理及主機代管	從事以電腦及其附屬設備，代客處理資料之行業，例如雲端服務、資料登錄、網站代管及應用系統服務

資料來源：資策會 MIC 經濟部 ITIS 研究團隊，2023 年 9 月

第二章　資訊軟體暨服務市場總覽

　　資訊軟體市場的複雜性和多樣性表現在其兩大主要區域：軟體設計和軟體經銷。軟體設計不僅是技術的深度挖掘，亦涵蓋企業和大眾應用的全方位考量，包括相關應用軟體的設計、修改、測試等服務。這些服務廣泛應用於金融、醫療、流通等行業，並具有多元化的實施方式，例如商業智慧、企業資源規劃（ERP）、顧客關係管理（CRM）、資訊安全等。

　　與軟體設計相輔相成的是軟體經銷，這一方面涉及作業系統軟體、應用軟體、套裝軟體和遊戲軟體的銷售。但更重要的是，軟體經銷亦包括相關軟體的教育訓練，協助客戶和消費者能夠更有效地使用其代理銷售的軟體。

　　軟體指的是安裝和運行在資通訊裝置中的程式，用以操控硬體功能，處理企業、大眾或系統所需資訊。在軟體產品市場的定義與範疇中，可以看到三個明顯的區隔：企業解決方案、大眾套裝軟體和嵌入式軟體。

　　企業解決方案集中於支援企業用戶的資訊系統基礎架構、開發部署和商業流程等需求。例如，商用軟體通常安裝在伺服器主機上，提供企業所需的各類應用方案，覆蓋行業別軟體、企業資源規劃、客戶關係管理、產品研發等範疇；資訊安全軟體則主要提供資訊或系統的讀取、儲存和傳輸的安全防護，以及基於資訊安全產品所提供的加值應用服務，這其中包括防毒、入侵偵測、加解密等功能。

　　資料庫系統和開發工具則分別提供資料或文件的儲存、搜尋和管理，以及程式設計、撰寫、測試等工具軟體。大眾套裝軟體主要針對消費者，包括生產力軟體和遊戲軟體。這些軟體分別能提升工作效率（如文書處理、簡報製作等）、提供娛樂（如電腦遊戲和掌上遊樂等）；行動應用 App 則是新時代的產物，它們被安裝在手機和平板中，用戶可以透過網路下載和付費使用。

表 2-3 資訊軟體市場定義與範疇

資訊軟體	次區隔	定義與範疇
軟體設計	程式設計	從事電腦軟體之設計、修改、測試及維護
	網頁設計	提供網頁設計之服務
軟體經銷	遊戲軟體	線上遊戲網站經營
	軟體經銷	包括非遊戲軟體經銷，如作業系統軟體、應用軟體、套裝軟體等經銷

資料來源：資策會 MIC 經濟部 ITIS 研究團隊整理，2023 年 9 月

一、全球市場總覽

根據先前闡述的資訊軟體與服務市場的具體定義和範疇，本節將深入分析全球市場的規模與演變趨勢，並進一步探討全球領先的資訊服務和軟體企業的發展動向。

（一）市場趨勢

全球資訊軟體與服務市場在近年中展現強勢的增長趨勢，根據市場預測，這一市場的規模從 2021 年的 18,036 億美元，有望在 2025 年達到 20,980 億美元。在這段期間內，年均複合成長率將達到 4.3%，反映此產業的穩定成長和潛在機會。

第二章 資訊軟體暨服務市場總覽

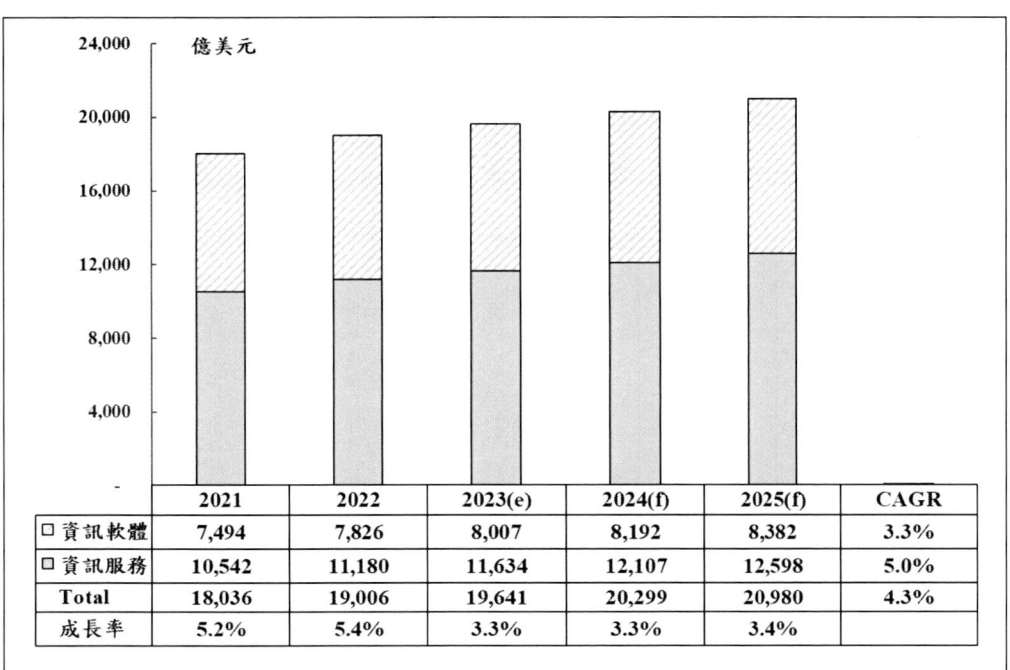

資料來源：資策會MIC 經濟部ITIS 研究團隊，2023年9月

圖 2-1 全球資訊軟體暨服務市場規模

1. 資訊服務市場規模

全球資訊服務市場的規模在當前的政經局勢波動中依然展現穩定的成長，這一成長可歸因於主要市場中的政府和企業對業務持續發展的需求及近年數位轉型的推動。隨著資訊科技基礎設施的建立和資訊服務需求的提升，全球資訊服務市場呈現穩健增長。

新興資通訊應用的發展也助推全球資訊服務市場的規模，特別是雲端運算和巨量資料應用繼續在市場中扮演核心角色，而物聯網的應用則有望成為下一個重要的成長引擎。預期全球資訊服務市場的規模將從2022年的11,180億美元成長到2025年的12,620億美元，期間年均複合成長率達5%，這一趨勢揭示業界的活躍機遇和未來的成長潛力。

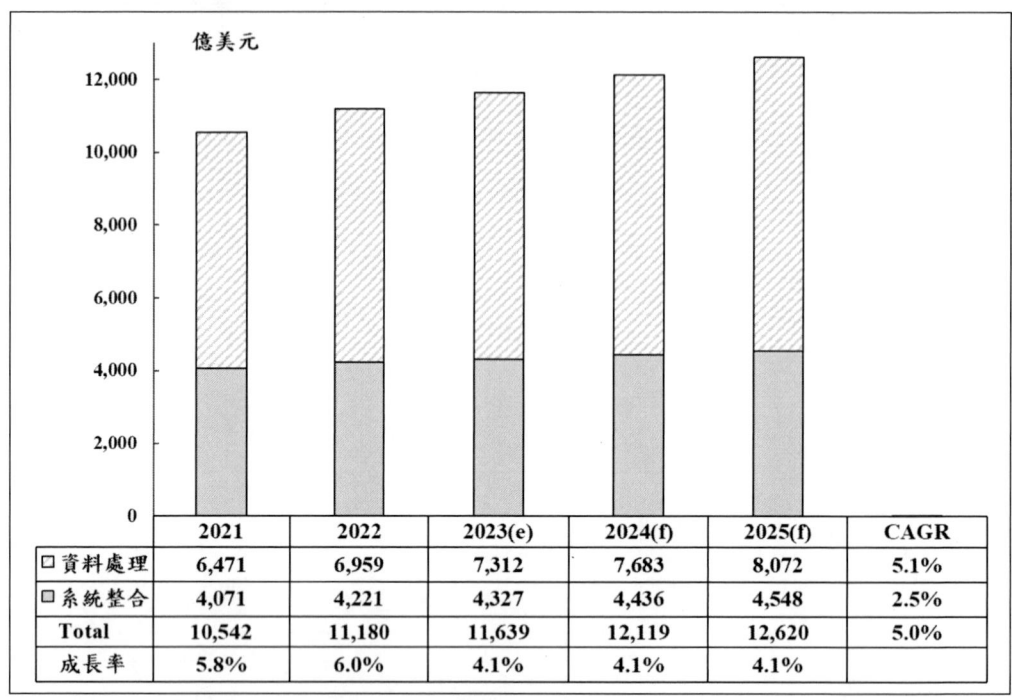

資料來源:資策會 MIC 經濟部 ITIS 研究團隊,2023 年 9 月

圖 2-2 全球資訊服務市場規模

(1) 系統整合市場規模

系統整合市場方面,在各種新興應用與服務驅動下,企業數位轉型預估將影響未來數年系統整合市場發展,整體系統整合市場走向亦逐漸由提供單一軟硬體科技的建置服務,轉為協助企業達成數位轉型的整體科技規劃服務。全球系統整合市場將由 2021 年的 4,071 美元成長至 2025 年的 4,555 億美元,年複合成長率為 4.3%,呈現平穩成長趨勢。其中各分項之複合成長率,以顧問諮詢最高,其次為系統設計,再來是系統建置。

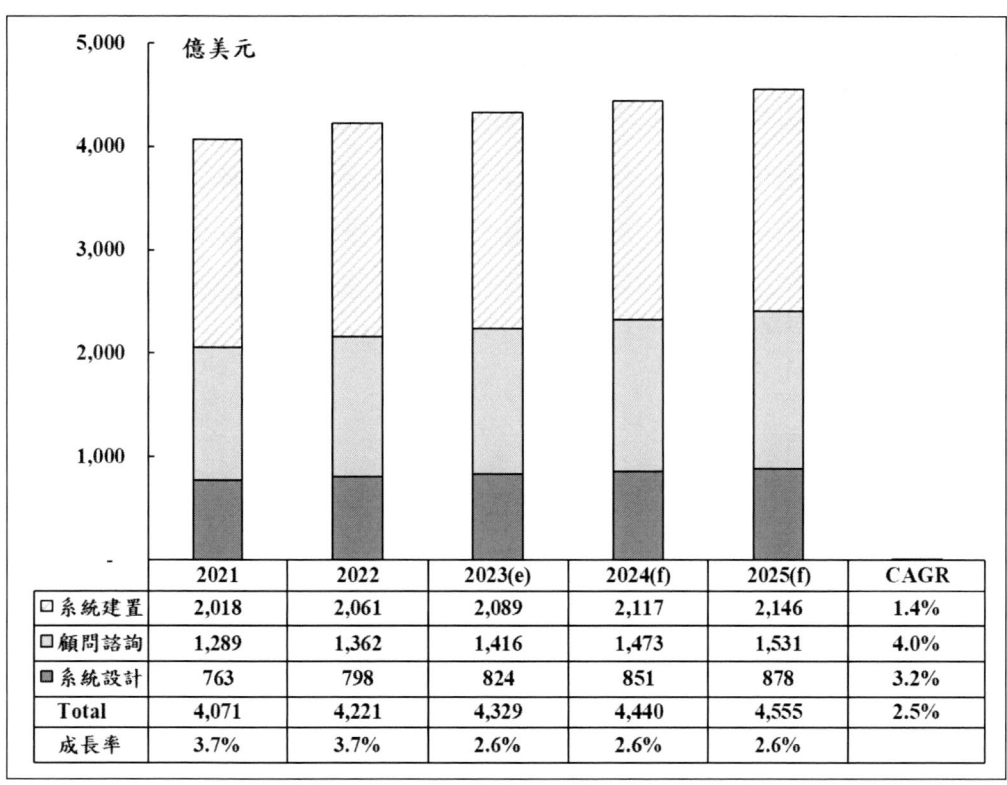

資料來源：資策會 MIC 經濟部 ITIS 研究團隊，2023 年 9 月

圖 2-3 全球系統整合市場規模

(2) 資料處理市場規模

全球資料處理市場，包括委外和雲端兩大領域，正處於一個瞬息萬變的時代。隨著雲端服務不斷擴張和創新，企業對此一新興技術的接受程度也逐漸提高。此趨勢預計將逐漸取代傳統的基礎建設和應用軟體委外服務，塑造資料處理市場的新面貌。

根據最新的估計，全球資料處理市場規模將從 2021 年的 6,471 億美元，驚人增長至 2025 年的 8,277 億美元，展示年複合成長率 5.1% 的穩定發展潛力。

這一成長反映雲端技術在全球範圍內的快速擴展和主流化趨勢，也凸顯企業在追求更靈活、更可擴展的技術解決方案的戰略轉變。資料處理的未來，無疑將繼續由雲端驅動，開創更多創新和機會。

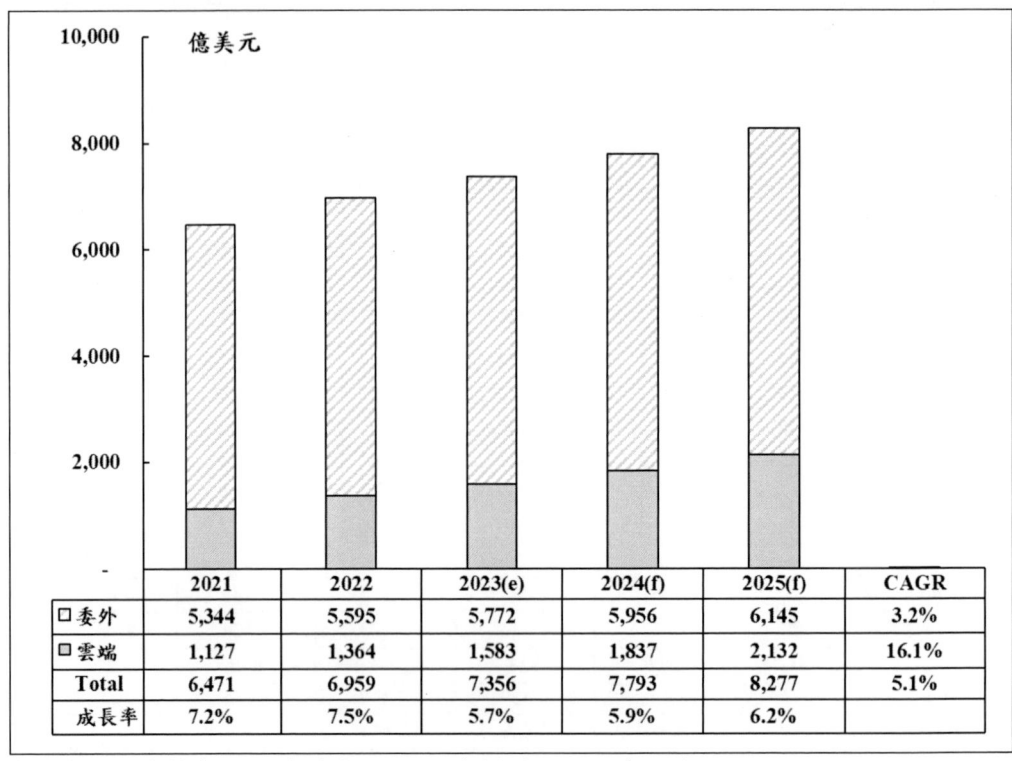

資料來源：資策會 MIC 經濟部 ITIS 研究團隊，2023 年 9 月

圖 2-4 全球委外服務市場規模

2. 軟體市場規模

在全球軟體市場的多元格局中，一個新的發展風貌正在逐漸形成。隨著雲端服務的飛速進展，傳統企業解決方案的需求成長可能逐漸趨緩，卻開啟新的市場機遇。

在這個變動的市場中，大眾套裝軟體正透過行動應用軟體的快速創新和推陳出新，持續實現高幅度的成長。這不僅反映消費者需求的變化，也凸顯技術的不斷進步。同時，隨著物聯網的應用日益廣泛，各種感測裝置與智慧聯網的中介軟體需求也在升溫。這一新興領域的規模成長預計將持續擴大，推動全球軟體市場向前邁進。

綜合以上因素，預估全球軟體市場規模將由 2021 年的 7,494 億美元躍升至 2025 年的 8,568 億美元，展示年複合成長率 2.3%的強勁發展趨勢。這一成長不僅反映市場的活躍和多樣性，更揭示新技術和創新應用在塑造未來軟體產業發展方向上的核心作用。

第二章 資訊軟體暨服務市場總覽

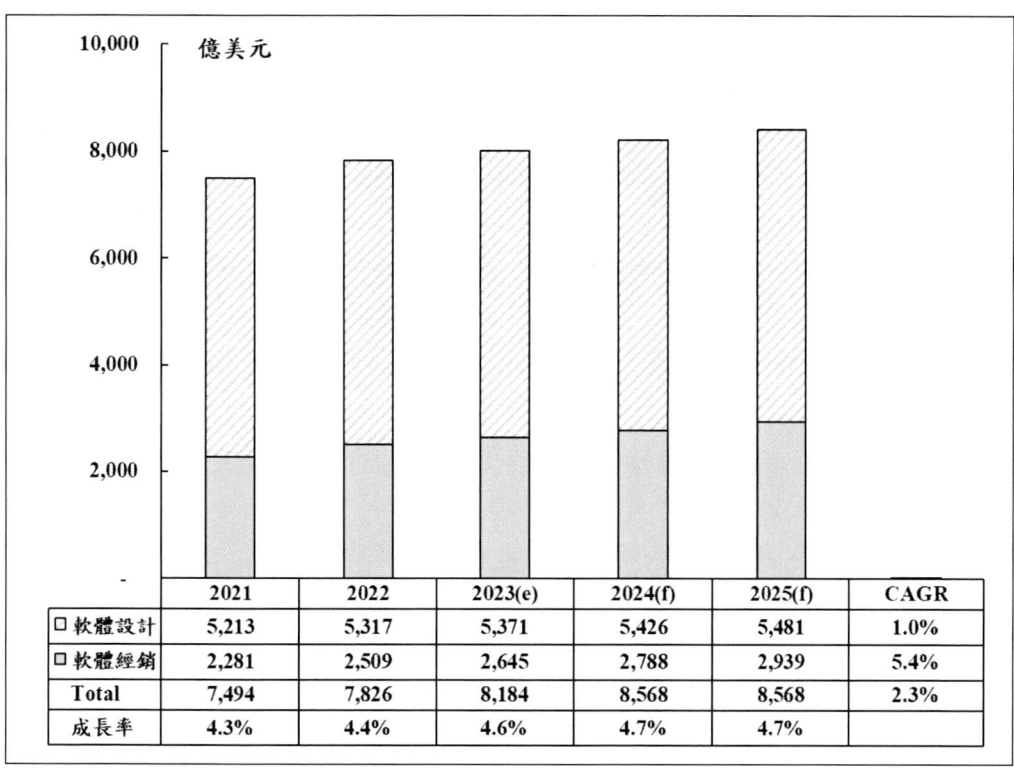

資料來源：資策會 MIC 經濟部 ITIS 研究團隊，2023 年 9 月

圖 2-5 全球軟體市場規模

（二）大廠動態

1. HPE

Hewlett Packard Enterprise Company（HPE）總部位於美國德克薩斯州斯普林，前身為惠普公司的企業級產品部門，2015 年 11 月由惠普公司中拆分成立。主要業務是為大型企業與中小型企業，針對雲端及伺服器等設備，為企業用戶提供電腦硬體製造與軟體服務。HPE 的產品組合極為豐富，涵蓋雲端服務、計算技術、高效能計算、人工智慧、智慧邊緣、軟體和儲存等領域。

2023 年 5 月 2 日，HPE 宣布推出新的網路即服務（NaaS）功能，讓客戶和通路夥伴在 HPE GreenLake 平臺上以按月付費的訂閱方式取得、部署和管理服務。透過次世代 HPE Aruba Networking Central（雲端原生網路管理解決方案）幫助企業組織的 IT 團隊簡化網路管理流程，並提升 IT 營運敏捷性。

2023年4月11日，HPE宣布推出檔案儲存、災難復原與備份還原服務，幫助客戶消除資料孤島、降低成本和複雜性，並提升效能。新的服務可為資料密集型工作負載提供可橫向擴充的企業級效能，而功能更廣泛的備份服務，則為關鍵任務的儲存提供優異的成本效益。

2023年8月16日，HPE宣布與亞馬遜網路服務（AWS）擴大合作，以簡化企業在HPE GreenLake與AWS上開發與管理應用程式和工作負載，簡化企業的混合雲轉型。HPE指出，新服務結合HPE既有的混合雲諮詢、遷移和現代化服務，在AWS上提供支援邊緣至雲端轉型的服務，包括雲端應用程式遷移、雲端經濟效益分析、DevOps策略、網路管理、資料保護與災難復原，為客戶提供一致、可靠的混合雲體驗。

2. Microsoft

微軟（Microsoft）為源自美國的跨國科技公司，於1975年由比爾‧蓋茲與保羅‧艾倫創立，總部位於美國華盛頓州的雷蒙，與Amazon、Apple、Google、Meta並列為五大科技巨擘。其以研發、製造、授權及提供廣泛的電腦軟體服務為主要業務，最著名且暢銷的產品是Microsoft Windows作業系統及Microsoft Office辦公軟體，其它子公司如Xbox遊戲業務等也都十分地著名。

2022年1月18日，Microsoft計畫以687億美元現金收購動視暴雪及其旗下所有工作室，並將會把其現有及未來所有遊戲加入Xbox旗下的Xbox Game Pass訂閱制服務；Microsoft同時也宣布Xbox Game Pass所有版本的訂閱人數正式突破2,500萬人。

2023年3月10日，Microsoft宣布將ChatGPT納入Azure OpenAI服務的行列，透過這項協同服務，使用者將能夠接觸和利用最先進的AI模型。這些模型包括Dall-E 2、GPT-3.5、Codex，以及其他由Azure OpenAI服務支持的大型語言模型。

2023年8月19日，Meta推出大型語言模型Llama 2，此語言模型將免費提供研究和商業用途。Meta並選定Microsoft為Llama商用

的合作夥伴，在 Azure AI 模型目錄中上線，開發人員可運用 Microsoft Azure 構建並利用其雲端原生工具開發內容過濾與安全功能。

3. IBM

　　國際商業機器公司（IBM）為美國一家跨國科技公司及諮詢公司，總部位於紐約州阿蒙克市，其主要客戶為政府和企業。IBM 生產、銷售電腦硬體及軟體，且為系統架構和網路代管提供諮詢服務。依照 IBM 揭露財報，2022 年第 4 季收入為 167 億美元。

　　2023 年 4 月 IBM 發表 2022 年企業永續報告書，名為「IBM 影響力」報告，呈現該公司在環境保護、社會公平與企業治理方面的持續努力。IBM 於 2022 年啟用 IBM 影響力（IBM Impact）架構，也是 IBM 的 ESG 策略；該架構由「環境影響力」、「社會影響力」及「道德影響力」三大支柱組成，說明 IBM 建立永續、公平、企業治理等方面的策略與階段成果。

　　2023 年 8 月，IBM 宣布將 Meta 的 70 億參數模型 Llama 2 託管在其企業級 AI 和資料平臺 watsonx.ai 工作室，為選定客戶和合作夥伴提供早期服務。此舉加強 IBM 與 Meta 在開放創新領域的合作，並推動 IBM 在 AI 領域的策略，包括提供第三方和自家 AI 模型；Llama 2 的未來可用性將是 IBM 生成式 AI 路線圖上的重要里程碑。

4. Oracle

　　甲骨文股份有限公司（Oracle）於 2005 年在特拉華州註冊成立，其提供解決企業資訊科技環境的產品和服務，包括應用程式和基礎設施產品，這些產品和服務透過各種靈活且可互操作的 IT 部署模型在全球範圍內提供。這些模型包括內部部署、基於雲的部署和混合部署，如客戶提供的 Oracle Cloud。其為客戶提供選擇和靈活性，並促進最適合客戶需求的產品、服務和部署組合，其客戶包括許多規模的企業、政府機構、教育機構和經銷商。

　　2023 年 3 月甲骨文公司擴大與 NVIDIA 的合作，在全新的 Oracle Cloud Infrastructure（OCI）Supercluster 上執行策略性 NVIDIA AI 應用程式。NVIDIA 選擇 OCI 作為其超大規模雲端供應商，提供大規

模的 AI 超級運算服務 NVIDIA DGX Cloud。此外，NVIDIA 亦在 OCI 上執行其新的生成式 AI 雲端服務 NVIDIA AI Foundations，該服務透過 OCI 上的 DGX Cloud 提供；而甲骨文公司在 Oracle Cloud 中提供整合式應用程式套件及安全的自治式基礎架構。

2023 年 8 月甲骨文 Oracle 雲基礎設施（OCI）為美國國防部（DoD）引入新的安全雲端計算架構（SCCA）。該解決方案透過使用雲原生服務框架，有助於使任務關鍵型工作負載的安全合規性和雲採用變得更容易、更快速且更具成本效益。

5. SAP

SAP 為一家創立於 1972 年並設立總部於德國沃爾多夫的公司，作為歐洲最大的軟體企業和全球領先的商業應用、企業資源規劃（ERP）解決方案及獨立軟體供應商，已經在全球企業應用軟體市場取得超過三成的市占率。

2022 年 12 月 13 日，SAP 臺灣宣布食品龍頭品牌新東陽導入 RISE with SAP，並以 SAP Business Suite 4 SAP HANA Cloud 雲端 ERP 解決方案消除系統孤島，有效串聯營運的各個端點資料，使決策更具依據。透過精心的流程重塑，新東陽成功提升營運效率，降低成本與風險，並以資料驅動超過半個世紀的品牌，實現數位轉型的願景。

2023 年 5 月 3 日，SAP 臺灣與金屬工業研究發展中心、中華系統整合股份有限公司攜手合作，推出名為「扣件雲 3.0－CBAM 企業碳管理平臺服務（簡稱扣件雲 3.0）」的創新解決方案。這個方案旨在協助扣件產業完善碳盤查，並應對碳邊境調整機制（CBAM）的規範。通過一站式的碳管理平臺，企業能夠與國際規範接軌，規劃永續未來，並開創全球綠色商機。

2023 年 8 月 16 日，SAP 臺灣再次發表重要消息，宣布中國信託商業銀行成為 SAP MBC（Multi-Bank Connectivity）解決方案在臺首家金融合作夥伴。雙方還聯手推出「銀企直連串接金融解決方案」，此方案允許企業可透過 SAP ERP 的 MBC 解決方案，直接使用中信銀行提供的各項金融服務。未來企業財務人員能夠即時與中國信託網路銀行對接，每一筆財務和交易資料都可在 ERP 介面中清晰呈現，

從而大幅提高企業的日常財務管理效率，並迅速實現財務數位轉型的價值。

6. Salesforce

Salesforce 為一家於 1999 年 3 月創立的領先客戶關係管理（CRM）軟體服務供應商，以其創新的隨需應用客戶關係管理（On-demand CRM）解決方案而聞名。透過 sforce 客戶／服務整合平臺，Salesforce 的產品家族（如 Salesforce.com 和 Supportforce.com）不僅允許客戶定製並整合其產品，亦能夠根據各自需求創建特定的應用軟體，這一解決方案讓用戶避開購買硬體、開發軟體等前期投資及後端管理的複雜問題。

近年來，Salesforce 積極進軍 AI 領域，陸續推出多樣的解決方案和功能。2023 年 8 月，推出名為 Einstein Studio 的創新服務，允許用戶使用自己的 AI 模型（Bring Your Own Model, BYOM）部署自定 AI 模型。此解決方案強調其功能，讓企業在 Salesforce 平臺上運行銷售、服務、行銷、商業活動和 IT 應用系統，透過他們自行部署的 AI 模型進一步獲得 AI 與資料投資的價值。

2023 年 3 月，Salesforce 推出針對 CRM 的首個生成式 AI 技術，名為 Einstein GPT。6 月又推出針對自家 CRM 平臺的企業級生成式 AI 雲服務，名為 Salesforce AI Cloud。該 AI 雲以其專門為 CRM 設計的大型語言模型（Large Language Model, LLM）Einstein 為核心，並整合資料雲（Data Cloud）、資料視覺化分析平臺 Tableau、API 平臺 MuleSoft 和工作流程平臺 Flow。此生成性 AI 服務可供行銷、業務、電商部門或開發人員使用，透過 AI 助理輸入指令，協助完成各種任務。無論是為業務人員撰寫訂製的電子郵件、生成個人化行銷訊息、在電商網站上產生個人化推薦、協助顧客完成購物流程，還是產生客服回答的內容或撰寫客服紀錄摘要，甚至為開發人員撰寫程式或找出 bug，Salesforce AI 雲都能夠提供卓越的支援。

二、臺灣市場總覽

依據前述的資訊軟體暨服務市場定義與範疇，以下將分析臺灣市場

規模與發展趨勢，並剖析臺灣資訊軟體暨服務產業結構及現況。

（一）市場趨勢

臺灣的資訊軟體與服務產業正處於一個充滿活力和創新的時期，預估產值將從2023年的新臺幣4,623億元攀升至2025年的5,620億元，展現出令人矚目的成長趨勢，成長的關鍵推動力在於系統整合和資料處理業務的不斷擴展。隨著企業對多元化的電腦硬軟體設備、網路安全方案、儲存伺服器系統，以及人工智慧導入的需求逐漸增加，整個產業得到強勁的成長動力。

同時，電商平臺也積極開拓多元行銷策略和異業合作機會，帶來更豐富的市場空間，加上雲端資料處理和備份系統服務的需求逐漸增加，整體資訊服務的產值因而取得穩健的成長。在這些因素共同作用下，促使資訊服務產業繼續蓬勃發展，並進一步強化整體資服產值的成長動能。此趨勢不僅展現臺灣在全球資訊科技領域的競爭力，更描繪出一個充滿機會和挑戰的未來景象。

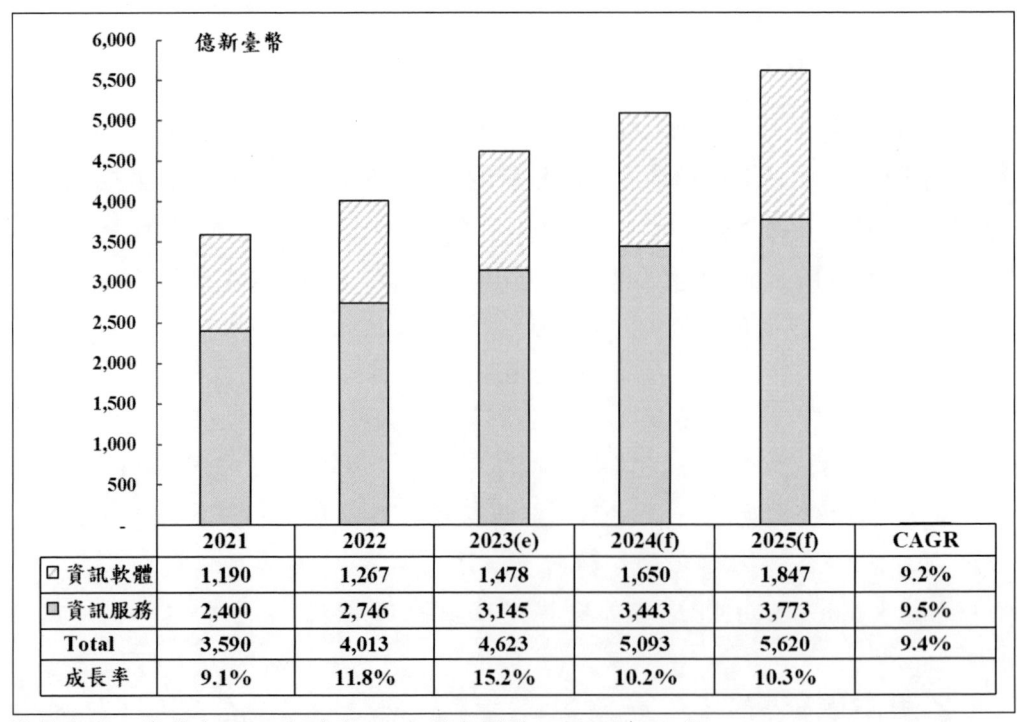

億新臺幣	2021	2022	2023(e)	2024(f)	2025(f)	CAGR
資訊軟體	1,190	1,267	1,478	1,650	1,847	9.2%
資訊服務	2,400	2,746	3,145	3,443	3,773	9.5%
Total	3,590	4,013	4,623	5,093	5,620	9.4%
成長率	9.1%	11.8%	15.2%	10.2%	10.3%	

資料來源：資策會MIC經濟部ITIS研究團隊，2023年9月

圖2-6 臺灣資訊軟體暨服務產業產值

第二章　資訊軟體暨服務市場總覽

1. 發展趨勢分析

　　2023 年資訊產業技術的發展成為全球焦點，特別集中在 5G 基礎建設與商業策略、物聯網的邊緣運算革新、人工智慧的技術精進與實際應用推廣。這些先進技術的結合不僅開拓新的應用場景，也塑造新的商業模式。

　　這波創新浪潮也逐漸擴散到多個產業，例如製造業、金融業、零售業、醫療業等領域。不僅推動各領域的發展，也引發顧問諮詢服務的需求。

　　展望 2023 至 2025 年的未來趨勢，預估產值將以年複合成長率 8%的速度不斷攀升，其中系統整合與資料處理將占據近 7 成。此強勁增長主要受到雲端服務、人工智慧、金融科技、資訊安全、雲端服務應用等熱門議題的推動，以及科技化解決方案的普及和成熟。這些因素共同推動資訊產業的綜合產值不斷增加，展示一個充滿活力和機會的市場前景。

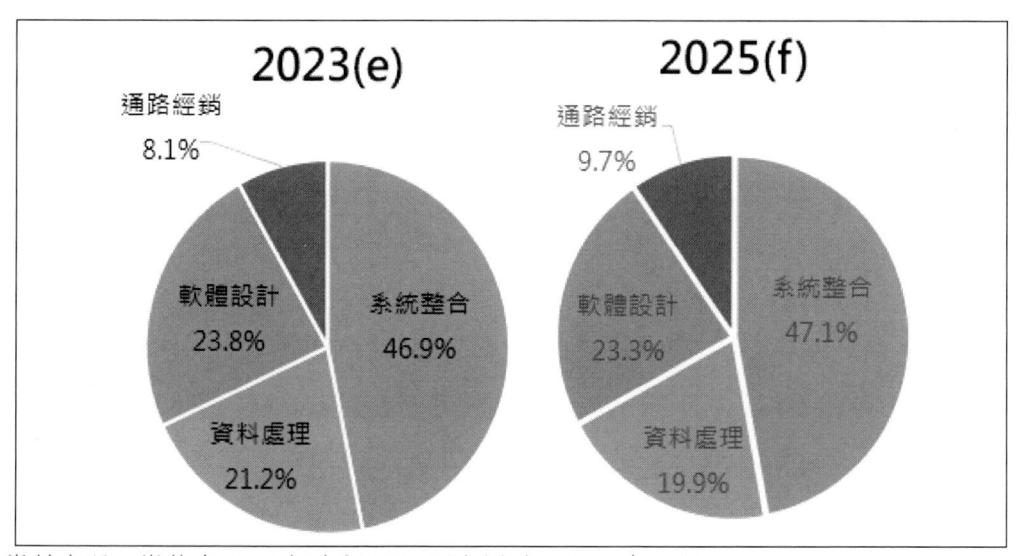

資料來源：資策會 MIC 經濟部 ITIS 研究團隊，2023 年 9 月

圖 2-7 臺灣資訊軟體暨服務產業次產業分析

(1) 系統整合產業趨勢分析

　　系統整合市場主要由大型企業的需求所推動，這些大型企業在

全球市場布局的過程中，不斷擴充資通訊軟硬體；或因應週期性需求更新和替換既有資訊系統；或是通過企業和部門間的整併調整資訊解決方案的投資應用。

近年來，臺灣的系統整合市場展現平穩的成長。除了智慧製造議題逐漸浮出水面外，隨著企業積極投入數位轉型，資訊安全議題也逐漸受到重視，這些因素預計將成為未來系統整合市場的主要成長動力。

臺灣的系統整合產值預計將從 2023 年的新臺幣 2,164 億元成長至 2025 年的 2,650 億元。推動成長的主要因素包括系統規劃、分析、設計和建置等專案，以及資訊安全、災害恢復、設備管理、技術諮詢等需求。值得一提的是，疫情已加速企業的數位轉型步伐，5G、雲端、人工智慧等前端科技也進一步推動系統整合產值的提升。

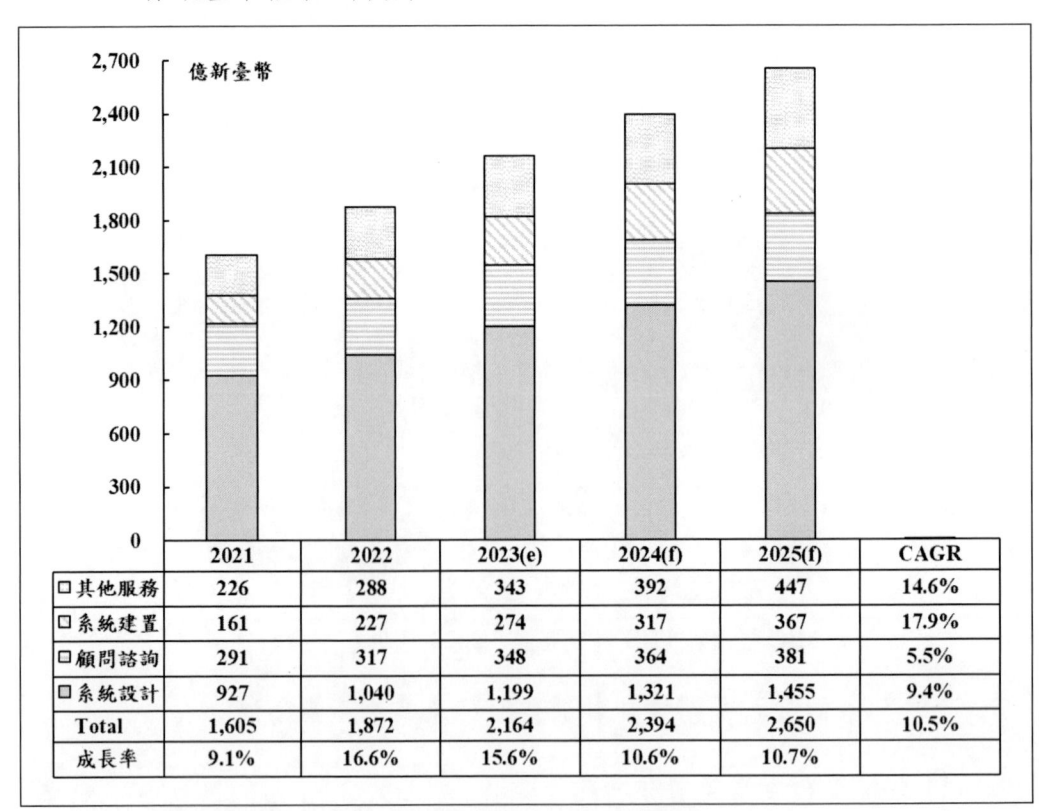

	2021	2022	2023(e)	2024(f)	2025(f)	CAGR
其他服務	226	288	343	392	447	14.6%
系統建置	161	227	274	317	367	17.9%
顧問諮詢	291	317	348	364	381	5.5%
系統設計	927	1,040	1,199	1,321	1,455	9.4%
Total	1,605	1,872	2,164	2,394	2,650	10.5%
成長率	9.1%	16.6%	15.6%	10.6%	10.7%	

資料來源：資策會 MIC 經濟部 ITIS 研究團隊，2023 年 9 月

圖 2-8 臺灣系統整合業產值

在系統整合行業裡，系統設計、設備管理和技術諮詢這些元素共占整體系統整合業的 7 成。值得注意的是，2023 年與 2022 年相比，其他電腦相關服務增加 1%，而系統整合建置增加 1%。

從更宏觀的角度來看，2023 年系統整合建置相較於 2022 年有所成長，主要驅動力量來自於系統整合建置和其他電腦相關服務，包括中小企業應用及數位金融服務應用等。

此外，隨著各行各業積極投入數位轉型，IT 需求的急劇成長也進一步推動系統整合業的產值成長，展現此行業在未來可能的發展潛力和市場機會。

次產業	2021	2022	2023（e）	2024（f）
其他電腦相關服務	14%	15% ↑	16%	16%
電腦設備管理及資訊技術諮詢	18%	17% ↓	16%	15%
系統規劃、分析及設計	58%	56% ↓	55%	55%
系統整合建置	10%	12% ↑	13%	13%

資料來源：資策會 MIC 經濟部 ITIS 研究團隊，2023 年 9 月

圖 2-9 臺灣系統整合業分析

(2) 資料處理業趨勢分析

在資料處理服務市場的領域，主要業務焦點集中在資訊管理的外包和系統維護支援。流程管理外包方面，則以客服中心的服務外包和金融帳單管理的外包為主。此外，程式開發代工普遍選擇由外包供應商派駐專業開發人員至企業現場的協作模式。

展望未來，預計資料處理和資訊供應服務業的產值將從 2023 年的新臺幣 977 長至 2025 年的 1,121 億元。值得注意的是，資料處理、主機及網站代管這幾個部分占整體系統整合產值超過 8 成，而推動這一趨勢的主要力量來自主機代管、異地備援和雲端運算業務的不斷壯大。

此外，新興科技領域如人生成式 AI、雲服務資料生態系、淨零碳排、超級自動化、工業元宇宙等，以及由資料驅動產生的各類 IT 需求，也是促使資料處理服務市場產值持續上升的重要因素。這一市場趨勢不僅凸顯資料處理服務的核心地位，也揭示業界在應對未來挑戰和把握機會方面的多元潛力。

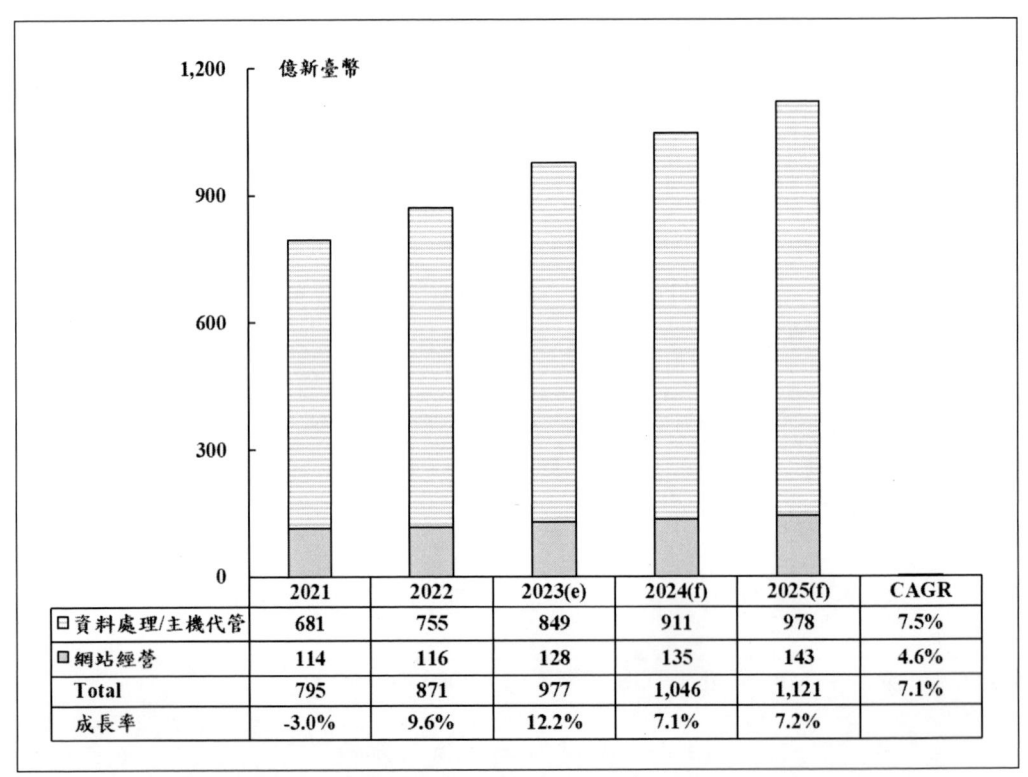

億新臺幣	2021	2022	2023(e)	2024(f)	2025(f)	CAGR
資料處理/主機代管	681	755	849	911	978	7.5%
網站經營	114	116	128	135	143	4.6%
Total	795	871	977	1,046	1,121	7.1%
成長率	-3.0%	9.6%	12.2%	7.1%	7.2%	

資料來源：資策會 MIC 經濟部 ITIS 研究團隊，2023 年 9 月

圖 2-10 資料處理產業產值

在資料處理與資訊供應服務業的領域裡，資料處理及主機代管的服務占整體產值超過 8 成。

這一持續成長的動力主要來自於雲端、委外和主機網站代管等服務的拓展。特別是在新冠疫情改變企業的營運模式之後，愈來愈多公司開始採用「在家工作、遠端協作」的方式取代傳統的辦公室上班模式。此外，隨著企業資料的即時分析需求不斷增加，對資料處理的需求也越來越迫切。

資料分析、人工智慧、機器學習(ML)等先進技術的大量應用，

更開始在企業運作中發揮重要作用。這些趨勢不僅彰顯資料處理與資訊供應服務在現今商業環境中的核心地位，也揭示這一產業在未來有著廣闊的發展空間和潛力。

次產業	2021	2022	2023（e）	2024（f）
資料處理、主機及網站代管	86%	87% ↑	87%	87%
網站經營	14%	13% ↓	13%	13%

資料來源：資策會 MIC 經濟部 ITIS 研究團隊，2020 年 3 月

圖 2-11 臺灣資料處理與資訊供應服務業分析

2. 資訊軟體市場規模

在軟體市場的領域裡，雲端運算、資料服務、行動應用、遊戲軟體和智慧型裝置等技術應用依然主導著臺灣軟體市場的未來走向。預計資訊軟體業的產值將由 2023 年的新臺幣 1,477 億元成長至 2025 年的 1,847 億元。

這一成長的主要推動力來自非遊戲軟體的設計、修改、測試和維護工作，其中包括作業系統和各類應用程式的開發。此外，隨著雲端、人工智慧、5G 和遠距等先進技術的相互融合和發展，新技術不斷成熟，也促使企業加速數位轉型的步伐。

在虛實整合、顧客導向、多元技術融合和智動化等四個重要背景因素的推動下，軟體應用和服務正逐步展開全新的格局。這些因素不僅反映軟體業的創新潛能和競爭力，也顯示這一產業在未來有著廣大的發展空間和機遇。軟體的重要性和影響力在今後將進一步增強，並引領著臺灣資訊技術產業的方向。

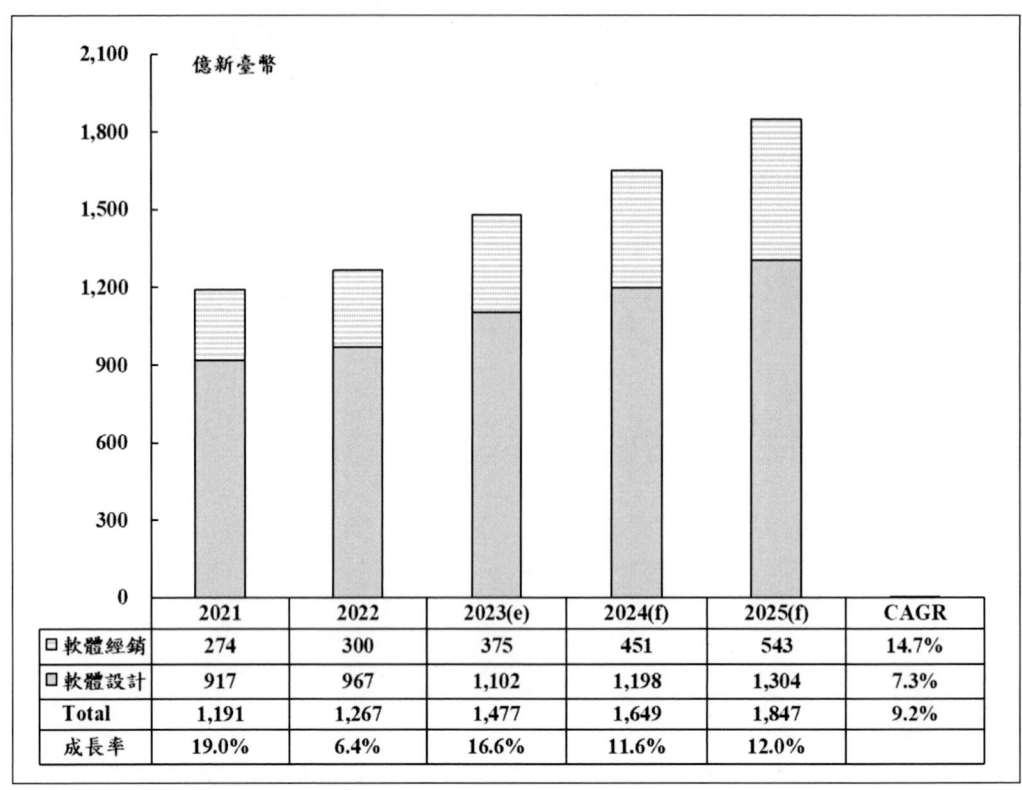

	2021	2022	2023(e)	2024(f)	2025(f)	CAGR
軟體經銷	274	300	375	451	543	14.7%
軟體設計	917	967	1,102	1,198	1,304	7.3%
Total	1,191	1,267	1,477	1,649	1,847	9.2%
成長率	19.0%	6.4%	16.6%	11.6%	12.0%	

資料來源：資策會MIC經濟部ITIS研究團隊，2023年9月

圖 2-12 臺灣軟體產業產值

(1) 軟體設計產業分析

臺灣的軟體設計市場主要受到大型企業的持續需求推動，這些需求包括資訊系統的持續擴建和升級，以及由週期性需求所引起的原有資訊系統的更新或替換等。在這個背景下，各個軟體市場呈現不同的趨勢：

- 應用軟體：雖然受到智慧製造和MES建置的熱絡影響，由於ERP等傳統應用的不振，整體市場短期內成長機會有限。

- 資訊安全：隨著聯網裝置的出貨量提升和物聯網應用的擴展，市場持續升溫。

- 資料庫：受益於巨量資料應用和雲端運算的發展，其表現優於其他軟體市場。

● 開發工具：虛擬化應用和商業分析成為主要焦點。

展望未來幾年，臺灣軟體設計產業的市值預計將從 2023 年的新臺幣 1,101 億元攀升至 2025 年的 1,303 億元。值得注意的是，電腦軟體設計將佔據該產業總產值的逾九成。這一成長趨勢主要受到程式開發、修正、測試和維護等核心業務的推動。

此外，隨著 Web 3.0 技術、雲端平臺、容器化技術和 DevOps 實踐等先進開發手段日趨成熟和普及，以及遠距工作和商業活動帶來的資訊服務需求增加，臺灣的軟體設計產業將面臨更多的市場需求。

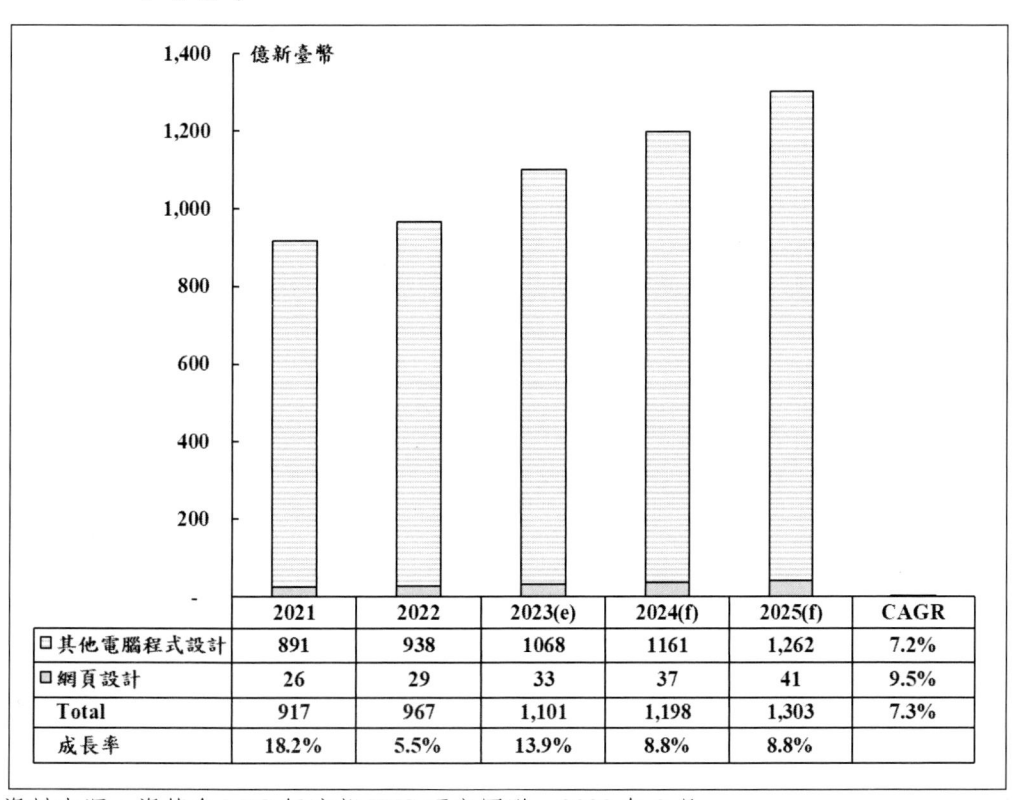

	2021	2022	2023(e)	2024(f)	2025(f)	CAGR
其他電腦程式設計	891	938	1068	1161	1,262	7.2%
網頁設計	26	29	33	37	41	9.5%
Total	917	967	1,101	1,198	1,303	7.3%
成長率		18.2%	5.5%	13.9%	8.8%	8.8%

資料來源：資策會 MIC 經濟部 ITIS 研究團隊，2023 年 9 月

圖 2-13 臺灣軟體設計產業產值

(2) 軟體經銷產業

臺灣的軟體經銷市場多樣化，但主要集中在商用軟體和遊戲軟體兩個範疇。隨著行動裝置和相關應用的普及，消費者的使用

習慣正在迅速轉變。行動應用不僅成為企業與消費者互動的主要渠道，亦帶動整個市場規模的穩定成長。

臺灣的軟體經銷產值預計將從 2023 年的新臺幣 375 億元成長至 2025 年的 542 億元。在這一市場中，遊戲軟體占據主導地位，占整體通路經銷業產值的超過 8 成。

然而，除了遊戲軟體之外，軟體經銷市場亦涵蓋其他各種軟體出版領域，包括非遊戲軟體出版，例如作業系統軟體、應用軟體、套裝軟體等。這些領域雖然相對較小，但仍在市場中占有一席之地，反映臺灣軟體經銷市場的多元化和成熟度

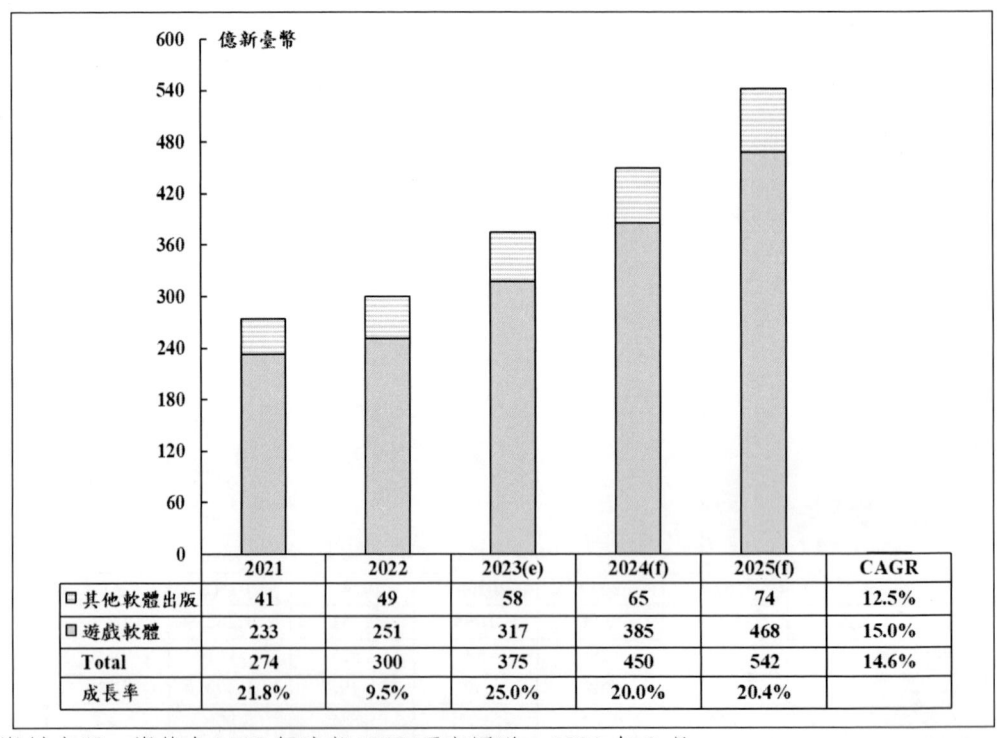

	2021	2022	2023(e)	2024(f)	2025(f)	CAGR
其他軟體出版	41	49	58	65	74	12.5%
遊戲軟體	233	251	317	385	468	15.0%
Total	274	300	375	450	542	14.6%
成長率	21.8%	9.5%	25.0%	20.0%	20.4%	

資料來源：資策會 MIC 經濟部 ITIS 研究團隊，2023 年 9 月

圖 2-14 臺灣軟體經銷產業產值

在臺灣的軟體產業中，程式設計的產值占近 8 成，展示其在整個產業中的主導地位。然而，從 2022 到 2023 年，程式設計的比例略有下降，而網頁設計和遊戲軟體則基本持平。值得注意的是，遊戲軟體則有所成長，此發展趨勢主要得益於遊戲軟體、商用軟體、辦公室應用軟體等領域的穩定需求。

除此之外，雲端應用軟體和資安防護解決方案，例如生產力軟體、流程管理、知識管理、客戶關係管理（CRM）、會計系統等，也成為推動企業數位轉型的重要力量。

此現象揭示臺灣軟體產業的多樣性和靈活性，不僅在傳統領域保持競爭力，亦積極擁抱新興技術和解決方案，以滿足不斷變化的市場需求。

次產業	2021	2022	2023 (e)	2024 (f)
程式設計	75%	74% ↓	72%	70%
網頁設計	2%	2%	2%	2%
軟體出版	3%	4% ↑	4%	4%
遊戲軟體	20%	20%	21%	23%

資料來源：資策會 MIC 經濟部 ITIS 研究團隊，2023 年 9 月

圖 2-15 臺灣軟體業分析

整體資訊服務產值的成長得益於雲端、5G、物聯網和資安等先進應用的推動。這些技術不僅促使企業 IT 架構的擴展和升級，也帶來民間商機和不同行業的創新應用。

系統整合方面，其成長動力來源於系統的規劃、分析、設計和建置等各類專案，以及資訊安全、災害復原、設備管理和技術諮詢等需求。新冠肺炎疫情更加速企業數位轉型的步伐，5G、雲端和人工智慧等科技亦推動系統整合和創新應用的增長。

至於資料處理產值的支撐，則主要來自主機代管、異地備援和雲端運算業務的蓬勃發展。新興的生成式 AI、機器學習大語言模型以及由資料驅動的各類 IT 需求，都是促使產值上升的關鍵因素。

資訊軟體設計業的產值成長則主要來自於軟體的程式設計、修改、測試和維護等業務。隨著 Web 技術、雲端架構、容器技術、DevOps 流程等新興開發技術和方法的成熟和普及，防疫需求所引發的遠距商機也助長市場需求。此外，像公文管理、薪資管理、知識管理、CRM、

會計系統等雲端應用軟體和資安防護解決方案，也成為企業數位轉型的關鍵推動力量，進一步推高資訊軟體業的產值。

（二）產業結構

觀察臺灣資訊服務和軟體產業的整體結構和現狀，可發現整體產業是由本土業者和外商共同構成的競合局面。整個產業的各個層面說明如下：

1. 產業價值鏈上游

本土的軟體產品供應商雖然不及外商的強勢，但由於專注於臺灣國內市場的深耕多年，已經成為許多中小企業所喜愛和信賴的選擇。

2. 產業價值鏈中游

本土代理商擁有通路的優勢，能夠代理和銷售本土和外商的軟體產品和資訊服務。透過這種方式，成功創造了利潤和價值。

3. 軟體產業價值鏈的下游

下游主要由資訊服務商和加值經銷商（Value Added Reseller, VAR）構成，這是大部分臺灣軟體業者的經營模式。這些公司的主力通常是系統整合商，根據用戶的具體需求提供軟硬體、資通訊和整合解決方案的服務。這些解決方案往往包括一系列的系統規劃和建置，旨在實現最佳化、客製化和持續的支援維運。

這樣的產業結構揭示臺灣本土業者如何在不同的價值鏈層面上與外商競爭和合作，並展示其在滿足國內需求、利用通路優勢和提供整合解決方案方面的能力。這也反映臺灣資訊服務和軟體產業的多樣性和靈活性，以及對於國內市場的深入理解和服務。

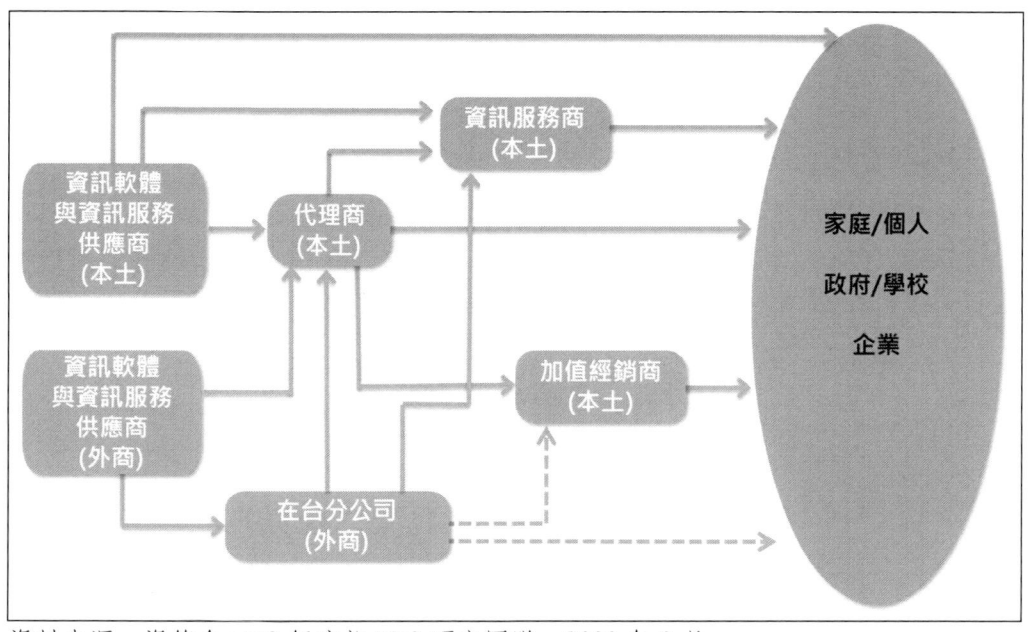

資料來源：資策會 MIC 經濟部 ITIS 研究團隊，2023 年 9 月

圖 2-16 臺灣資訊服務暨軟體產業結構

在臺灣的軟體市場中，使用者的範圍廣泛，包括企業、政府和個人。以下分析使用者在選擇軟體時的主要考量因素和市場的整體情況：

1. 使用者的選擇因素

   (1) 價格和產品功能：使用者通常會根據價格、產品的功能、市場占有率及軟硬體系統的靈活性來評估和選擇合適的軟體。

   (2) 廠商的信譽和能力：除了產品本身的特點外，使用者也會審慎考量廠商的知名度和評價、營運規模和穩定性、專業顧問的能力和經驗、客製化的服務能力，以及技術支援的能力和服務品質。

2. 市場的整體現況

   臺灣的資訊軟體和服務產業已有穩固的基礎。各個廠商在自己的領域中積累豐富的長期經驗和專業知識，能夠精確地掌握和提供符合使用者需求的解決方案。

然而，由於產業的進入門檻相對較低，這也導致大量小型廠商的出現。加上這些廠商往往集中在少數利基市場，形成一個小而分散的產業結構。

這樣的市場格局揭示臺灣軟體產業的多樣性和競爭性，但也暗示未來可能需要更多的整合和專業化，以促進整個產業的健康和持續發展。

第三章 資訊軟體暨服務市場個論

一、系統整合

軟體系統整合市場係指將不同的系統及軟體應用串聯的服務，讓多個不同的次系統能夠以單一完整的體系運作，在系統整合的過程中，確保所有的次系統的功能都能在單一體系下彼此串聯相容。

系統整合資訊服務廠商協助企業進行資訊科技的評估、建置、管理、最佳化等作為，管理他們的資訊科技基礎設施，這些服務包含牽涉到專案導向的商業顧問、科技顧問、軟硬體系統設計與建置，以及期約導向的資訊委外、軟硬體維護等服務，系統整合業者利用各種套裝軟硬體、整合與顧問服務等資訊科技與服務，將資訊系統所需之要素彙整，協助企業達到各種營運策略與目的。

1. 顧問諮詢

    面對數位轉型的複雜性及與組織策略的整合困難，讓數位轉型的顧問諮詢服務持續成長，全球大型的數位轉型顧問資訊業者包括：Accenture、Cognizant、PwC、Capgemini、KPMG 等，顧問諮詢廠商在各產業的領域知識及顧問的方法論、科技應用經驗等，皆應具備其價值。

2. 系統設計與建置

    與顧問諮詢業者的模式不同，系統設計與建置業者專精在資訊科技系統建置與導入，重點在於科技上的專精及系統整合的能力，透過結合跨領域、跨技術的合作夥伴，協助企業完成系統導入、異質系統整合，近年亦積極與顧問諮詢業者、電信業者、資訊安全、人工智慧等相關領域的業者合作，協助客戶將新興科技導入在企業運營上，主要的業者包含 IBM、CSC、NTT DATA、Dell 等。

（一）全球系統整合市場趨勢

　　系統整合市場因為企業數位轉型的發展而持續成長，近年隨著永續的議題及人工智慧的應用快速發展，仰賴系統整合業者串聯企業內部系統整合，並透過系統顧問服務，協助企業達成策略規劃，以達成營運目標。

1. 人工智慧整合至企業營運

　　人工智慧應用相當多元，且具有相當的投資門檻及產業特性，多數的業者在人工智慧的布局上，處於嘗試及輔助的階段，但觸及核心業務時，仍在摸索如何透過人工智慧提高營運的價值。企業在資訊系統的投資及升級上，為避免人力及各種資源的浪費，經常以階段性的投入。系統整合業者能夠協助企業依據營運的需求規劃在人工智慧導入的優先性，並透過系統整合的服務整合至既有的系統架構中，以符合企業的營運目標。

　　此外，企業在人工智慧的投資上經常著重在營運效率及報酬率的提升，缺乏較為長遠的系統導入策略規劃及資訊安全防護，系統整合業者透過顧問諮詢及系統導入規劃的服務，提供在資料安全的管理政策與安全防護，並確保企業人工智慧應用所使用的資料在蒐集、使用、授權以及儲存的過程中，能夠符合政策規範的流程及防護基礎，避免敏感性資料使用的爭議，並降低違反產業資安法規的風險。

　　隨著生成式AI獲得大量的關注，可預見未來有更多應用的潛力，不僅是降低語言的複雜度，也讓機器能夠學習上下文、推斷語意，並產生創造力。針對特殊應用亦能夠快速修正模型、處理不同的任務，生成式AI在根本上對於生產力及創造力的提升上有正向的影響。

　　生成式AI及大型語言模型的應用上，企業僅須透過API即可串聯，並透過資訊人員針對實際使用的需求進行調整，但若要提高生成式人工智慧的應用價值，企業需要在欲訓練的模型上有更大幅度的調整，增加客製化的程度。系統整合業者在協助企業導入生成式AI時，著重在模型的調整，確保其在採用人工智慧的過程中能夠符合實際的需求。

2. 淨零碳排透明度提升仰賴企業內外部資訊整合服務

隨著永續及環保議題受到更多的關注，愈來愈多企業增加在永續及零碳排相關的行動及投資，為符合聯合國永續發展目標（Sustainable Development Goals, SDGs），展開多項節能減碳的專案。對於企業而言，與永續計畫的投資、法規遵循、企業營運表現高度相關，企業在進行永續相關的活動時，亦期望能夠具體化永續行動的價值及對企業營運的影響，其中多方的資訊串聯及自動化流程將推動系統整合服務的市場。

企業需要仰賴數位工具增加組織內部及外部各種永續行為的透明度與資訊整合，才能進行進一步的資料蒐集及分析，逐步規劃企業在淨零永續的策略。系統整合業者在異質系統的串接及整合，提高企業在永續成效透明度及簡化對外溝通的流程，系統整合業者不僅將企業內部散落在各處獨立的資訊系統進行盤點、整合，也需要與外部供應鏈資訊系統串接，解決傳統企業面臨資訊孤島的問題，系統整合在永續發展上協助企業串聯資料，亦讓企業能逐步達成永續的目標。

3. 軟體物料採購清單提高流程自動化需求

對於企業而言，軟體物料清單的管理需要耗費相當多的資源，包含產品開發前後的版本控管、漏洞的檢測、修補及溯源需求，系統整合業者協助企業建立自動化的專案管理及檢測服務，並在企業內部PLM、ERP等進行系統整合，將軟體物料清單與產品對接，確保企業掌握曝險程度及範圍。

系統整合業者主要為協助企業所需的數位化發展路徑進行數位轉型及發展，主要的市場受到各種法規、營運需求、市場趨勢、外部環境所影響，業者透過各種資訊系統及新興科技的導入，與企業的營運發展結合，提高客戶的產業競爭力。

(二) 臺灣系統整合市場趨勢

國內系統整合業者利用各種套裝軟體、硬體以及整合服務、顧問服務等資訊科技軟硬體與服務協助企業達到各種營運或策略目的，以下就臺灣在顧問諮詢、系統設計與建置市場趨勢說明。

1. 金融業

　　國內金融業者數位化發展已有多年的累積,近年亦積極朝向雲端發展,於 2019 年金管會發布「金融機構作業委託他人處理內部作業制度及程序辦法」,放寬金融業者業務上雲的規範,非銀行的重大業務可不必向主管機關申請,直接部署於境內之公有雲,加速金融業在數位轉型的步伐,有利於金融業與外部資訊業者合作。

　　金融業務雲端化能夠減少機房維護的成本,同時降低開發的時間及成本,未來將增加更多雲端的服務,成為國內金融業者的發展趨勢,業者在增加雲端應用的同時,亦將面對雲端系統與地端系統整合的挑戰。如何整合異質平臺的系統,涵蓋實體、虛擬、雲端環境的資料整合,以及透過日誌管理提高作業的可視化程度,讓營運團隊能夠藉由資訊系統輔助提高營運效率,簡化內部的流程與時間,系統整合需熟知產業的營運流程專業,並與業者共同合作客製化專屬的系統需求,創造更高的營運雲端化流程價值。

2. 醫療業

　　醫療產業的數位轉型發展有許多挑戰,由於產業內所掌握的病患資料屬於個人高敏感性的資料,在資料的使用及交換上需要相當完整的規範。臺灣政府近年積極推動醫療資訊交換標準,由國際健康資訊交換第七層協定協會發布,確保跨醫院及平臺的醫療資料能夠互通,醫療業者如何與新一代國際醫療交換標準(Fast Healthcare Interoperability Resources, FHIR),透過資訊科技提供給病患更好的醫療服務。國內系統整合業者基於 FHIR,推出符合醫療機構需求的智慧醫療相關解決方案,如整合自然語言處理、生成式 AI 及醫療院所的專業,提供健康助理讓病患使用,同時獲取醫療相關的知識,或是整合視訊系統、通訊系統及各式感測器,協助醫師進行遠距醫療,以照護偏鄉的病患等應用。這些應用皆需要跨醫院、跨平臺的資料系統串聯,將提高醫療院所在資訊系統的投資。

3. 製造業

國內製造業者多以國際市場為主，許多業者外銷至歐美等市場，需因應國際法規調整企業策略，隨著歐盟碳關稅的課徵範圍擴大，為在國際貿易市場上取得相對優勢，業者積極投入綠色能源、節能減碳等措施，數位科技的導入成為企業在減碳、碳盤查的發展目標。

在碳盤查上，製造業面臨龐大且複雜的生產價值鏈，相關文件分散在各種異質的系統及平臺上，需要大量的人工作業整理相關文件，相關系統的整合與串接成為提升營運效率的關鍵，企業缺乏符合規範的管理機制及自動化生成，如何透過系統降低碳盤查相關的人工作業成為重要的產業趨勢。在製造業減碳生產上，掌握各產品線及機臺的能耗、碳排放，蒐集相關資料後，找出高碳排的生產製程及產品，進一步調整相關的生產模式，降低生產過程對於環境的危害。

（三）國際大廠動態

1. Accenture

埃森哲（Accenture）為全球性的大型系統整合、顧問服務業者，在全球擁有將近 70 萬名員工，營運範圍橫跨 200 個地區及 50 個國家，在財富世界（Fortune Global）100 大企業中，有 89 家為其客戶，提供的服務包含永續服務、人工智慧、雲端、自動化、資訊安全等。Accenture 在公司擴展策略上積極透過併購與策略投資，增加營運規模及範疇，今年著重在永續科技、元宇宙、雲端服務、數位轉型等領域。

Accenture 在系統整合布局上，開始朝向高階決策者及內部員工的科技接受度上，推出 Technology Quotient（TQ）的概念，意指對於破壞性的科技技術掌握及理解程度，從前線員工到決策者，透過培訓及學習資源，提高對於新興科技的掌握程度，相關的概念也應用在人工智慧及雲端相關的服務上。

觀察近年 Accenture 併購及投資的動態，掌握其未來的布局及發展方向，以下整理 2022 年至 2023 年 Accenture 在資訊安全、雲端、供應鏈及永續等著墨較深的企業發展動態。

表 3-1　Accenture 2022-2023 年企業動態

年／月	類型	說明
2023／5	資訊安全	Accenture 投資以航太領域為主的零信任資訊安全公司 SpiderOak，結合零知識加密（No-Knowledge encryption）及分布式記帳本技術，增加航空領域的資訊安全防護
2023／5	雲端	Accenture 完成併購歐洲雲端及平臺服務的科技公司 Objectivity，加速 Accenture 在雲端優先的企業發展策略的數位轉型發展方向
2023／5	供應鏈及永續	Accenture 與資訊系統大廠 SAP 合作，透過沉浸式技術（AR／VR）協助客戶建立資產及存貨的透明度與可視性，提高客戶在物流、供應鏈、資產管理、採購的管理能力
2023／5	供應鏈及物流	Accenture 與智慧裝置製造商 TCL 共同合作，採用其 Blue Yonder 及 Accenture 的服務，協助進行供應鏈的轉型發展，避免物料短缺的狀況再次發生
2023／5	生成式AI	Accenture Venture 投資新創公司 Stardog，協助企業建構知識圖譜，讓企業在營運資料使用上更有彈性
2023／5	供應鏈及物流	Accenture 與 Microsoft 合作，透過其 Azure 供應鏈系統，協助企業進行存貨管理，提高營收及營運效率，亦協助企業在供應鏈的數位轉型發展
2023／5	供應鏈及物流	併購北歐 Einr AS 拓展 SAP 供應鏈及物流解決方案的能力，著重在提供消費性電子的客戶在供應鏈及物流管理的能力，加速從製造端到消費端的物流配送速度
2023／5	綠色及永續	Accenture 與 Cervest 合作，採用其氣候變遷風險的人工智慧預測及情資平臺，藉由不同的氣候情境模擬，協助企業進行因應措施的規劃，建立企業永續及韌性
2023／5	生成式AI	Accenture 與 Salesforce 合作，建構在客戶關係管理系統上的生成式人工智慧應用，採用 Salesforce 的 Einstein GPT，加速企業進行數位轉型，提高員工的生產力及客戶的體驗
2023／4	資訊安全	Accenture 與雲端資安大廠 Palo Alto Networks 合作，提供整合式的安全存取服務邊界解決方案 Prisma SASE，針對遠距工作及多雲環境需求的使用者所提供，協助企業建立資安防護
2023／4	資訊安全	Accenture 與 Google Cloud 的資訊安全解決，協助聯盛集團（Lendlease）建立人工智慧的網路偵測及回應解決方案
2023／4	數位學生	Accenture 投資數位學生業者 Virtonomy，提供醫療設備產業在數位學生的技術
2023／3	資訊安全	與後量子網路安全業者 QuSecure 合作，進行後量子密碼學的多軌道資料通訊測試，以因應未來的量子運算攻擊的加密方法

年／月	類型	說明
2023／3	綠色及永續	Accenture 併購印度人工智慧新創 Flutura，著重在製造業的供應鏈淨零碳排為目標，提供企業的資料分析平臺，分析及計算企業所生產出的碳資料
2023／2	資訊安全	Accenture 併購巴西的資訊安全公司 Morphus，Morphus 主要提供資安風險管理及資安威脅情資的服務
2023／2	元宇宙	Accenture 投資紐約布魯克林的新創 Looking Glass，建置全息影像平臺，讓 2D 的畫面能夠以 3D 呈現，提高客戶的數位體驗
2023／1	元宇宙	Accenture 投資立體成像業者 Forma Vision，能夠提供低成本的立體即時成像技術，提供給客戶更好的元宇宙體驗
2023／1	數位孿生	Accenture 投資數位孿生新創 Cosmo Technology，透過虛擬化的技術協助企業在降低成本、改善營運韌性及效率
2023／1	顧問服務	Accenture 併購金融顧問公司 SKS 集團，協助金融業的客戶強化其 SAP 及法遵要求的能力
2023／1	供應鏈及物流	Accenture 併購提供 Oracle 雲端服務的顧問公司 Inspirage，透過數位孿生及供應鏈管理的能力，協助企業強化其供應鏈的韌性，建立以產品中心的智慧化供應鏈網路
2022／12	沉浸式體驗	Accenture 投資沉浸式體驗運算 Mobeus Industries，建立視訊會議及通話的技術，提供高度沉浸式及互動性的視訊模式，包含聲音、影像及各種文件應用
2022／12	虛擬實境	Accenture 投資虛擬實境（Virtual Reality, VR）業者 BehaVR，該新創由牛津大學 Spin-out，透過 VR 技術治療心理疾病
2022／12	情資平臺	Accenture 併購顧問公司 Fiftyfive5，提高客戶情資能力，強化在 Accenture Song 的科技行銷能力
2022／11	人工智慧	Accenture 併購資料及人工智慧的日本新創 Albert，提供人工智慧的演演算法及服務為主，結合至 Accenture 的人工智慧服務中
2022／10	雲端	Accenture 併購北美顧問公司 Blackcomb，著重在金融保險業的服務，協助企業在雲端數位轉型的發展

資料來源：資策會 MIC 經濟部 ITIS 研究團隊，2023 年 9 月

依據 Accenture 於 2023 年所出版「2023 科技視野」（Technology Vision 2023），提出 2023 年科技趨勢以「數位身分」（Digital Identity）、「個人資料權」（Your data, my data, our data）、通用型人工智慧（Generalizing AI）、「運算力及科學」（Our forever frontier）四大主軸為主。

- 數位身分：數位身分將成為企業科技發展的重要關鍵，並重新規劃科技發展路徑，而這些身分識別不僅是「人」的身分，也包含各種「物件」的數位身分。新興的數位身分解決方案將帶給企業更多機會以及挑戰，企業開始思考如何運用在組織內運用這些數位身分。

- 個人資料權：當企業將各種類型的資料運用在營運中，資料生態系將會變得相當的透明，因此個人的資料權在未來將會是相當重要的資源。企業開始透過各種科技技術增加資料的透明度，設計這些資料的管理策略，包含生成、管理、共享這些資料。

- 通用型人工智慧：企業開始從建構自有的人工智慧轉變成和人工智慧共同發展，未來將會產生更多的人工智慧應用的範疇及可能性，企業需要去理解人工智慧的發展以及目前基礎模型的差異，建構人工智慧應用，尤其在日常工作輔助、語言翻譯、藝術創作、廣告行銷、語音助理的應用上，預計在近年將會面臨重大的轉變。

表 3-2 近年人工智慧重要發展進程及未來發展預估

年份	說明
2015 年	OpenAI 創立
2016 年	AlphaGo 擊敗世界圍棋冠軍
2020 年	OpenAI 訓練 ChatGPT-3，為生成式預訓練模型轉化器（Transformer），成為全球最為複雜的大型語言模型
2021 年	歐盟發布人工智慧法案（AI Act），為第一個關注人工智慧的法案，依據風險的類別將禁止、管制或允許各種人工智慧的應用
2021 年	史丹佛大學的人工智慧研究團隊發布文件，定義關於「基礎模型」（Foundation Model）用詞
2021 年	北京人工智慧研究院發布悟道 2.0（WuDao 2.0），為文字及圖像多模態模型，共 1.75 兆個參數
2022 年	一件由人工智慧生成的數位藝術品，獲得美國科羅拉多博覽會舉辦的 Fine Arts Exhibition 獎項
2022 年	OpenAI 釋出 ChatGPT，為高度複雜的聊天型機器人

年份	說明
2024 年（預估）	基於基礎模型的新世代虛擬助理將出現，將會增加更複雜的自然語言處理特色的虛擬助理採用比例
2024 年（預估）	將會出現基於基礎模型的新型態搜尋引擎，提供快速答覆服務，使用者能接收更加直接且全面的答案
2025 年（預估）	消費性電子公司將會採用基於基礎模型的真無線藍牙耳機，能夠近乎即時的翻譯超過 100 種語言
2027 年（預估）	著名的博物館將會舉辦由人工智慧生成的藝術品展覽
2029 年（預估）	30%的社群媒體廣告將會透過基礎模型自動化的生成
2030 年（預估）	75%的知識型工作者每天將會與基礎模型的應用、服務或是機構互動
2033 年（預估）	大學將會部署通用型的餐廳服務型機器人，完成餐廳內的日常工作，該機器人能夠滿足各種職務需求

資料來源：Accenture Technology Vision，資策會 MIC 經濟部 ITIS 研究團隊整理，2023 年 9 月

- 運算力及科學：經過數十年的數位科技及科學研究，運算力將會成為企業的重要發展路徑。未來隨著量子運算的發展，在各產業皆會出現突破性的應用，包含生物分解技術、電池研發、生物科技、資訊安全等，運算力及科學將會成為企業在規劃數位發展路徑的重要影響因素。

表 3-3 近年運算力重要發展進程及未來發展預估

年份	說明
2013 年	NASA、Google 及大學空間研究協會（Universities Space Research Association）購買 D-Wave 的量子運算電腦進行人工智慧與量子的研究
2020 年	計算生物學（Computional Immunology）及 mRNA 科技發展 COVID-19 疫苗，成為最為快速製造的疫苗
2022 年	DeepMind 從 AlphaFold 深度學習演算法中釋出超過 2 億個蛋白質結構預測
2025 年（預估）	新的量子運算演算法在固態電池製造上將會有突破性的研究
2026 年（預估）	在國家的永續發展推動之下，印度將會利用微生物混合物加速塑膠分解的效率
2027 年（預估）	透過量子運算，科學家將建立新的綠氫生產方法，提高 3 倍的全球的氫氣使用量

年份	說明
2030 年（預估）	超過 50%的新車銷售為電動車，20%搭載固態電池
2031 年（預估）	大型的農業公司將使用生成式 AI，發展新的菌種捕捉二氧化碳，並轉化成肥料的化合物
2032 年（預估）	量子時代來臨，傳統的基於 RSA 加密演算法的方式已經無法提供足夠的資安防護
2033 年（預估）	由美國 NASA 及私人研究機構所建立的全球首座太空站將會完成

資料來源：Accenture Technology Vision，資策會 MIC 經濟部 ITIS 研究團隊整理，2023 年 9 月

(1) 永續價值鏈服務

Accenture 提供完整的永續服務，包含完整的永續價值鏈管理，由於永續的價值鏈不僅只在企業本身，為符合顧客的永續要求，對於其供應鏈、產品設計、廠房、承包商、物流等，皆需要符合永續的要求，Accenture 在永續的價值鏈服務上，提供以下幾項服務：

- 智慧供應鏈網路：依據對於營運、社會、地權的影響，挑選其供應鏈網路。

- 永續產品及平臺：建構永續的產品策略及設計，透過產品開發平臺發展永續的商業模式。

- 道德採購：提供在地化、道德且廣泛的採購來源，基於 ESG 的標準進行能源採購策略規劃及供應鏈風險評估。

- 透明度及可視性：透過區塊鏈技術進行資料溯源及認證，在整體的價值鏈上皆可追蹤資料，確保透明度及可視性。

- 網路策略及規劃：提供委外服務，進行溫室企業排放最佳化，並提高管理單位的可視性。

- 廠房及計畫：提供溫度控制與能源管理的低碳策略，設計循環工廠並提供安全、互聯的工作環境解決方案。

- 物流：在物流上提供電動化車隊管理、路徑規劃及溫室氣

體排放最佳化。

- 科技：提供包含雲端、資料、自動化等各種技術，協助企業在永續相關的科技發展。

(2) 資訊安全服務

在資訊安全服務上，Accenture 提供完整的資訊安全委外的服務，協助企業擬訂資訊安全策略，以零信任資安（Zero Trust Security）為架構建構企業資訊安全防護，確保企業的資訊安全有足夠的韌性，提供進階的自動化分析及資安情資分享，並分別成立三大網路安全的情資中心：

- 美國休士頓網路安全中心：主要專注在工控系統（Operational Technology, OT）安全、工業控制系統（Industrial Control System, ICS）、資訊系統（Information Technology, IT）安全為主的資訊安全情資中心。

- 全球網路安全中心：依據各產業提供資訊安全委外服務，分別在澳洲、巴西、捷克、印度、以色列、義大利、日本、西班牙、美國等地區設立，提供 24 小時不間斷的資安威脅情資服務。

- 美國華盛頓 D.C.網路安全中心：整合全球各地的威脅情資及駭客攻擊模擬服務，並同時提供企業資安事件因應服務。

(3) 雲端及人工智慧服務

Accenture 以雲端優先作為系統整合的服務主軸，在雲端的生態系上提高資料的價值，透過雲端及人工智慧進行營運及工作流程的創新，同時提高客戶及員工的使用體驗，Accenture 的雲端及人工智慧服務包含以下四點：

- 生成式 AI：透過大型語言模型（Large Language Models, LLMs）及生成式 AI 進行企業的創新。

- 資料搬遷：協助企業將資料上雲，降低資料管理的成本及提升資料的價值。

- 資料平臺現代化：建立可信任及可重複使用的資料平臺，更快的獲取資料的洞見。

- 可規模化人工智慧及機器學習：建構可規模化的人工智慧，運用在市場預測及決策輔助上。

Accenture 與史丹佛大學的「以人為本的人工智慧」（Human Centered Artificial Intelligence, HAI）團隊合作，建立其生成式 AI 的能力，ChatGPT 的技術應用將會改變工作及營運流程，Accenture 提供生成式 AI 的服務，協助企業在流程創新及營運最佳化的人工智慧應用。企業流程創新透過 Accenture 的生成式 AI 驅動由上而下的企業創新轉型；營運最佳化加速企業的營運改善，改善生產力及降低成本，重新建構銷售、行銷、客戶服務、金融、人才招募、法規等方面的人工智慧解決方案。

（四）臺灣大廠動態

臺灣系統整合業者主要業務以代理國外硬體產品或軟體產品後為主，根據企業客戶的個別需求，提供系統安裝、系統維護、軟體客製、異質軟體整合乃至於發展適合本地市場、各種行業的整合性解決方案。因此，臺灣諸多資訊整合業者經常身兼國際大廠夥伴及產品服務代理商的角色，諸多國際資訊大廠在推展臺灣市場業務時，強調生態系整合，常以結盟、夥伴關係形式結合國內系統整合大廠共同開發國內市場，系統整合業者需要解決跨系統、跨架構的串接整合問題，提供給客戶完整的解決方案。國內系統整合業者發展主要動態包含：

1. ESG 永續

企業 ESG 包含環境永續、社會責任、以及公司治理三個面向，國內系統整合業者透過代理國外的硬體及軟體產品，協助企業提高組織的韌性，並確保企業永續發展。

(1) 企業碳排放管理：提供雲端碳管理系統分析企業碳排放源，依產業特性提供專業減碳顧問服務、減碳策略規劃，並協助進行第三方查證單位驗證，產出企業溫室氣體盤查報告。

(2) 用電管理：協助企業進行產電設備的健檢、控制各設備的能耗成本、汰換老舊耗能設備，讓企業能夠精準的掌握各設備及生產環節的能耗成本，並提高廠區的用電安全，包含用電異常監控及警示、契約容量管理、需量組成分析，並提供契約容量最佳化估算。

2. 資料管理

國內系統整合業者提供企業資料管理，包含資料備援、資料防洩服務、資料加密：

(1) ChatGPT 資料防洩：企業員工使用 ChatGPT 時，可能誤將敏感性的資料提供給 ChatGPT 進行人工智慧模型訓練的素材，導致企業資料外洩。國內系統整合業者利用資料安全管理軟體，透過單一管理入口限定企業的使用情境與企業內部的使用者，進行使用者權限管理，並整理資料外洩的監管紀錄，作為後續法律攻防及商業競爭的佐證。

(2) 資料加密：針對多雲的環境提供資料加密及金鑰管理，在虛擬機器及容器化的工作負載中，提供更深度的工作負載，防護在虛擬機器內各分需的加密金鑰。

(3) 資料備份：提供具備加密及弱點評估的資料備份軟體，透過人工智慧與機器學習白名單保護資料安全，適用於混合雲及地端的環境，在不同虛擬平臺上的虛擬機進行備份，抵禦勒索軟體的攻擊。

3. 雲端

國內系統整合業者支援主流的公有雲及雲端服務解決方案，搭配人工智慧提供雲端運算平臺，同時自建自有的雲端解決方案，協助企業雲端的數位轉型發展：

(1) 雲端部署：採用主流的公有雲及雲端服務業者雲端解決方案，協助企業部署雲端架構，結合應用程式開發、垂直產業領域專業及異質平臺整合經驗，協助企業部署雲端。

(2) 雲端管理：建立可視化的雲端管理平臺，掌握目前雲端服務的使用狀況、費用分析及帳務等資訊，協助企業管理與監控雲端的架構，並提供改善建議。

(3) 雲端授權管理：依據使用者不同的職務及工作指派不同的權限等級，可透過資料定義自動化指派的權限，降低因為人事變動所造成的資訊人員權限管理的負擔。

(4) 私有雲架設：採用雲端的架構建置彈性化的企業資料中心，透過軟體定義的方式簡化資訊資源和應用程式的部署，確保系統的效能及容量符合企業規模。

(5) 雲端安全：提供包含資料備份、權限管理、零信任微分割的資訊安全解決方案。

4. 資訊安全

國內系統整合業者結合國外專業的資訊安全軟體公司的產品與服務，提供進階的資訊安全解決方案：

(1) DevSecOps 安全：企業為了縮短產品開發的週期與時間，開始採用 DevOps 的開發管理工具，而 DevOps 的開發工具及開源軟體也需要資安管理工具提升安全性，國內系統整合業者協助企業導入 DevSecOps 平臺，加入程式碼、系統基礎架構安全，提供程式弱點掃描、開源軟體安全及授權合規掃描、微服務容器安全掃描及開源元件的漏洞監控，提升企業開發速度、品質、安全性。

(2) 微分割資安架構：協助企業部署零信任的資訊安全架構，透過微分割（Micro Segmentation）的方式，確保端點裝置被入侵時，限制該裝置權限，無法橫向移動到其他端點，避免資安危害進一步擴大。

(3) 終端裝置安全：針對端點的威脅偵測、調查及因應，透過人工智慧進行資安事件的分析，縮短偵測到威脅的回應時間，同時結合事件調查的需求，避免因過多的誤判事件導致錯誤的資安

決策,降低資安人員的負擔,也能夠避免端點資安的危害持續擴大。

(4) 威脅情資:透過系統整合業者與國外資安威脅情資的系統整合,能夠在新興威脅出現時,快速辨識及排除,並確保企業即時整合情資,能夠獲取更廣泛的威脅情報,增加企業防護能力。

(五)未來展望

目前國內系統整合業者多與國際資訊業者合作,提供垂直領域的產業顧問服務及系統整合客製化加值的技術與服務,隨著業者朝向雲端化發展,面臨更加複雜的系統串接、雲端／地端系統整合、公有雲及私有雲管理等問題,系統整合業者依據企業的營運目標及系統需求,提供系統客製及整合等服務。

企業的數位化程度提升,也衍生出資訊安全的議題,數位化發展增加企業遭受資安攻擊的機會,進一步提升在資訊安全系統顧問及規劃設計的需求,未來系統整合業者如何提供企業更加具備產業特性及資安法遵需求成為重要趨勢。

永續議題獲得大量的關注,企業為符合法規及消費者的期待,增加在永續相關行動的投入。系統整合業者在協助企業追求營運效率的同時,亦需考量如何協助企業在永續經營的發展,完整的永續及資訊方案規劃,增加系統設計及顧問服務的價值。

國內系統整合業者可結合國內垂直領域系統導入的成功經驗,持續深化特定應用場景的解決方案及技術能力,並與國內相關產業跨國的大型業者合作,推出產業的解決方案,以服務臺商為基礎,延伸至其當地的供應鏈及合作夥伴,結合國內資訊硬體及軟體人才等優勢,開發並深耕國際市場。

二、資訊委外

資訊委外指的是企業將資訊軟硬體的開發、維護與企業流程等業務,以一年以上的長期契約,委託資訊委外服務商代為處理,專業的外包服務(包括效益服務、軟體服務、雲端服務等)及合適的契約模式讓企業

更能夠專注於營運發展，達到資訊委外廠商及委託方雙贏的關係。傳統資訊委外包含服務商提供企業資訊軟、硬體的修改、程式開發、維護等服務的資訊管理委外（IT Outsourcing, ITO），及企業功能流程軟硬體與人力服務提供的企業流程管理委外（Business Process Outsourcing, BPO），亦有資訊委外廠商提供企業程式開發代工服務及系統維護支援服務。資訊委外為企業在進行資訊投資上相對彈性的方式，企業通常以第三方契約化的方式進行，透過委外的方式，企業能夠有效降低內部資訊人員的負擔，對企業而言，將部分資訊及流程委外能夠降低企業經營的成本。

1. 資訊管理委外

傳統資訊委外包含服務商針對客戶擁有的資訊軟硬體設備提供資訊系統日常營運的管理，諸如電腦的軟體安裝、版權管理的資訊管理委外。臺灣在傳統資訊管理委外市場方面，過去主要以實體主機代管服務為大宗，由自有資料中心或租用資料中心的一類或二類電信業者，提供企業主機設備置放、連接、遠端管理維護的服務。

近年企業資訊環境逐漸走向虛擬化與雲端架構，免去前期的建置成本，具有較靈活的擴充彈性且部署快速的特性，導致傳統資訊管理委外的市場規模逐漸縮減，加上因應雲端技術的演進及單位網路頻寬的價位降低，受到許多國外大型業者分食，企業對傳統資訊委外業務的需求朝向雲端服務移轉。

臺灣目前資訊委外市場以金融業、製造業、電信業為大宗，資訊委外服務市場受到雲端服務興起的影響，不少企業採用雲端運算處理公司業務，對於未能提供雲端運算的業者而言，將抑制其發展。雲端能夠讓企業更有彈性的選擇服務，受到企業的青睞。

2. 企業流程委外

企業流程管理委外將業務處理流程、人力、電腦系統均委託給企業流程管理委外業者；臺灣最為常見的流程管理委外為客服中心委外、信用卡處理流程委外、帳單列印委外等。企業流程委外管理由於企業經營環境日趨複雜，持續聚焦本業、切割非核心業務或營業活動，成為企業保持競爭能力的一帖良方。

臺灣在企業流程委外需求方面，對於金融業務相關的委外而言，具備在地化需求的特質，如行銷中心、各類帳單等，均涉及金融法規對於資料落地的限制，較無跨國競爭的問題，流程委外廠商提供信用卡資料輸入、徵信、信用評等、紅利點數處理等服務。

對於客服中心委外而言，臺灣企業在面臨勞動力成本逐步走揚的情況下，將直接驅動委外客服中心業務的成長，但臺灣經營客服中心的成本逐漸提高，可能為境外客服中心委外服務業者分食，而不少業者將部分客服服務轉移至社群媒體上，透過聊天機器人回覆客戶問題，也有效降低人力成本的需求。

對於供應鏈流程委外而言，供應鏈流程委外則有運輸、倉儲、產品回收維修等物流活動的委外市場，在臺灣製造業回流、企業自建物流不敷成本之情況下，將逐步釋放出來，有助於增進供應鏈流程委外的市場規模。

臺灣目前流程委外以政府機構、金融業、服務業的需求為大宗，企業透過自動化技術、業務流程專業化、智慧化的工具輔助，以加速企業營運流程的效率。近年隨著社群媒體的興起，透過社群更貼近消費者，作為企業在產品開發或客戶服務上的重要工具，因此相關的委外服務市場快速成長。

（一）國際資訊委外市場趨勢

資訊委外透過外部的資訊供應商提供各種營運活動，獲取資訊委外業者專業化的服務，相較於自建資訊團隊更加節省成本及時間，讓企業能夠專注在本業的經營上。隨著科技及技術的發展，資訊委外業者能夠提供各種規模的企業愈加多元的服務，常見的資訊委外包含應用程式開發、維修及維運、資料中心營運、資料庫管理、資訊安全服務等。

根據 Deloitte 於 2023 年所做的「網路未來調查（Future of Cyber 2023）」，統計全球超過一千位大型企業決策者在企業數位化發展的規劃及觀點，這些企業分布於美洲（35%）、亞太（25%）、歐洲及中東（40%），且規模超過一千名員工及 5 億美元的年營收。結果顯示全

球企業的數位轉型優先性包含雲端、資料分析、營運科技／工業控制系統、人工智慧／認知式運算、5G 網路，相較於 2021 年的調查，「雲端」成為企業在數位轉型的優先選項，主要的優先性變動不大，僅「新型 ERP 系統或 ERP 系統升級」順序掉出前五名，取而代之新增加「5G 網路」。

表 3-4 企業數位轉型發展優先性

優先性	2022 年以前	2023 年
1	資料分析	雲端
2	雲端	資料分析
3	新型 ERP 系統或 ERP 系統升級	OT 或工業控制系統
4	OT 或工業控制系統	人工智慧及認知式運算
5	人工智慧及認知式運算	5G 網路

資料來源：Deloitte Futute of Cyber 2023，資策會 MIC 經濟部 ITIS 研究團隊整理，2023 年 9 月

1. 人工智慧

「網路未來調查」的結果顯示，相較於 2022 年，人工智慧在企業的數位轉型重要性提升一個名次。根據 Gartner 統計，2023 年全球人工智慧半導體營收，相較於 2022 年提升 20.3%，人工智慧成為企業在資訊投資上的重要項目，在資訊系統上人工智慧能夠執行更多人類日常的工作，或是改善使用者體驗。相較於自建人工智慧相當耗費時間及人力，許多企業選擇透過資訊委外的方式，委託人工智慧專家的協助，建立企業的人工智慧能力。

人工智慧從過去互動式人工智慧與外部環境產生互動，依據輸入的資訊提供可預測的結果，如 IBM 的 Deep Blue 人工智慧，曾經在過去擊敗西洋棋的世界冠軍。發展成模擬人腦類神經網路進行運算，其人工智慧環境在有限的記憶體內自動化訓練及升級人工智慧模型，如自動駕駛的汽車則採用該模型。未來的人工智慧發展，透過機器的能力去理解、修正行為。最終發展至擁有自我意識的人工智慧，當人工智慧獲取自我的心智及情緒時，將需要人類進一步管控。

表 3-5 主要企業管理 ChatGPT 的態度以及做法

日期	企業	管理方法
2023／5	三星電子（Samsung Electronic）	禁止使用公司電腦、平板、手機使用生成式 AI 的工具
2023／5	蘋果（Apple）	要求員工不要使用 GitHub 平臺上的 Copilot 人工智慧助理協助編寫程式
2023／3	高盛（Goldman Sachs）	企業內部測試使用生成式 AI 的工具輔助內部員工進行程式碼的開法及測試
2023／2	摩根大通（JPMorgan Chase & Co.,）	禁止員工在辦公室使用 ChatGPT 系統
2023／2	亞馬遜（Amazon）	禁止員工將機密資訊（包含程式碼）與 ChatGPT 分享

資料來源：資策會 MIC 經濟部 ITIS 研究團隊，2023 年 9 月

2. 雲端運算

依據「網路未來調查」的結果顯示，相較於 2021 年，雲端運算成為企業在數位轉型的首要目標，雲端運算具有相當的彈性及可規模化。隨著企業數位轉型的發展，企業雲端的比例提升，企業透過雲端的方式，能夠降低初期的硬體投資成本及定期的維護費用，亦透過資訊委外業者協助建置及管理企業的雲端基礎建設，或是確保雲端的資訊安全。

雲端發展已成為企業數位轉型的趨勢。國內金融監督管理委員會（金管會）於 2023 年 3 月公布，金融業針對雲端管理規範將進一步鬆綁，相較於過去制度，只要涉及重大性委外作業（包含敏感性資料、消費者資料等）或是委託境外公有雲，需要與金管會申請核准。放寬後，針對「一般委外事項」、「信用卡發卡及消費性貸款之行銷」、「應收債權催收作業」等業務得以免申請核准，金融業可以使用境內雲端服務儲存資料且不須申請，關於產業的放寬有助於雲端資訊委外市場的發展，針對金融業在敏感性資料管理及符合監管機制的雲端委外服務市場快速成長。

3. 企業資料外洩

根據 2022 年第四季國家資通安全研究院（National Institute of Cyber Security）所出版的「資通安全技術報告」顯示，目前政府機關

通報資安事件中以「非法入侵」占最多數（54.76%），其次為「設備問題」（14.29%）及「網頁攻擊」（8.33%），為國內業者面臨主要的資安威脅。

目前國內主要的資料外洩通報事件中約有 3 成的事件企業無法確認事件原因，其次為「設備異常／毀損」（9.93%）、「應用程式漏洞」（8.61%）、「弱密碼／密碼遭暴力破解」（7.28%）、「網站設計不當」（6.62%）、「人為疏失」（4.64%）、「廠商維護環境或管理疏失」（3.97%）、「設定錯誤」（3.31%）、「電力供應異常」（2.65%）、「作業系統漏洞」（2.65%）、「社交工程」（1.99%）等原因，顯示企業存在定期的企業資安防護鑑別可靠度以及維護、企業內部員工資安意識培訓等資訊需求。

隨著雲端運算採用及物聯網等聯網裝置快速增加，企業面臨資料外洩、資訊安全的問題。自新冠肺炎疫情爆發以來，遠距辦公的模式讓企業在裝置安全上更難以管控，企業尋求更細緻的資訊安全防護解決方案，相較於傳統以防火牆進行內、外網隔離的方式，現今透過資訊安全委外及代理的服務，能符合更多客製化的資訊安全防護。

4. 開源程式碼安全

開源軟體（Open Source Software, OSS）在企業界逐漸獲得廣泛的採納，特別是在開發各種系統和應用程式方面。這類軟體通過開放原始碼和靈活的授權機制，讓開發者能夠自由地查看和修改代碼。這不僅降低了開發成本，也提升了專案的開發效率。然而，隨著開源軟體在企業中的應用越來越廣泛，相關的資安問題也逐漸浮現。政府和企業因此開始加強對原始碼的審查和安全性評估。由於軟體來源的透明度不足，資安風險也在急劇上升。

為了解決這一問題，美國總統拜登透過行政命令，推出了軟體物料採購清單（Software Bill of Materials, SBOM）的規範。這一規範要求詳細列出軟體的版本訊息、供應商資料、標識符號、供應鏈狀況，以及時間和日期標記等，從而提高軟體產品的透明度和可追溯性。

而軟體產品的透明度要求增加也影響資訊委外市場，企業將程式開發或是企業流程委由專業團隊，為提升企業的營運安全及法規要求，更加重視委外團隊的軟體開發管理及產品透明度，以降低企業資安風險，而針對開源軟體的專業安全檢測及安全性評估需求亦將快速增加。

（二）臺灣資訊委外市場趨勢

國內資訊委外市場因應國內企業的面臨人力短缺及營運效率提升等因素，朝向顧問化及專業化發展，委外市場依據企業需求推出訂閱制的服務，給予企業更彈性的定價方式，從業務流程設計、系統導入、到系統導入後的維運及支援服務，提供企業一站式的解決方案，讓企業能夠將部分的業務外包，降低系統為運的成本及複雜度，將資源投入在本業的經營上。

1. 雲端管制鬆綁提升金融業資訊委外市場

隨著金管會在金融業雲端化管制的鬆綁，業者開始將部分資訊流程朝向雲端及自動化發展，包含跨金融機構的支付流程、機構內部系統與外部系統串接、跨國的支付流程等，資訊委外業者不僅需要提供系統導入及維運等服務，亦需深化垂直領域的專業。針對營運上的痛點進行流程的優化，提高金融業的資訊管理及營運效率。另外，亦需提供在資訊安全上的規劃，針對資料進行加密及整合，並以集中監控的方式控管資金的流動，增強在付款流程及報表管理的能力。

2. 客服流程委外市場朝向精準化發展

企業流程委外提供流程自動化作業提升作業效率，並降低企業在客服相關人力的支出，由於生成式 AI 應用快速增加，在客服流程委外方面，從自動化流程開始朝向更加精準的對話模式，透過生成式 AI 理解客戶的情緒及意圖，讓客服的服務持續的改進，進一步降低語音及文字客服的委外人力成本。

3. 程式開發委外更加重視多樣化服務

程式開發委外主要協助企業程式的開發、測試、部署、生命週期管理等服務，生成式 AI 能夠有效提升程式開發的效率，加速及簡化程式開發的作業，簡易程式開發的委外需求受到影響。因此，程式開發市場將朝向更多樣及完整的服務發展，程式開發委外業者提供更完整的服務以滿足企業需求，如需求分析及產品設計、生命週期管理、軟體測試、部署、維護等。

（三）國際大廠動態

全球大型委外服務廠商主要為 IBM、HPE、Fujitsu、Atos、CSC、TCS 等，資訊委外廠商更加強調自動化、雲端化的產品與服務，資訊委外廠商不僅提供專業的委外服務，也投入資源在自有產品平臺發展。

1. TCS

印度孟買著名的資訊委外大廠塔塔諮詢顧問服務公司（Tata Consultancy Services, TCS）成立於 1968 年，為全球最大的軟體程式代工商，提供的服務包含雲端、企業數位轉型、顧問服務、資訊安全、資料分析、物聯網及數位工程、互動式行銷、永續等服務，協助企業資訊委外，不僅與雲端及軟體大廠合作，也自建具備產業特性的產品銷售。

(1) 企業營運流程數位轉型

在企業營運數位轉型上，TCS 在企業的流程及營運上透過人工智慧的技術及機器與人的協同合作模式，加速企業數位轉型發展，提升企業營運效率，並改善客戶體驗，提供認知的業務運營（Cognitive Business Operations）服務。隨著智慧化及自動化的發展，改變傳統的企業營運流程，企業能夠透過自動化技術讓營運更加有效率，TCS 透過以下流程加速企業數位轉型發展。

表 3-6　TCS 企業營運流程委外

階段	目標	說明
結果導向	專注在清晰的營運目標	企業需要明確定義其自動化的目標,不論是改善營運效率、加速企業決策速度等,將會影響數位轉型的效益
遠見	預見完整流程的自動化	企業經常透過單一自動化技術改善流程,缺乏完整的流程規劃,導致流程間的不連續性,影響數位轉型效益
資料導向	採用資料導向模式	資料導向的方式能夠提供系統化的方式評估自動化發展的成熟度及對於營運的影響
生態導向	建構生態系的合作模式	透過與學術界、新創或是其業企業合作的方式,能夠讓企業獲取更多創新的流程
維持彈性	規劃自動化的可調整性	隨著企業營運模式的轉變、供應鏈調整、客戶通路變化或是成本結構的轉變,皆會影響自動化的流程,因此企業在流程自動化數位轉型也需要維持彈性
使用者為主	規模化的自動化流程	為讓流程自動化在企業內部擴散,企業需要讓各個不同流程的員工能夠做出貢獻,確保符合實際的使用需求
持續性	持續性創新	企業建構持續性創新的文化以及模式,讓自動化的流程能夠持續擴散

資料來源:TCS,資策會 MIC 經濟部 ITIS 研究團隊整理,2023 年 9 月

TCS 在人工智慧的人機協作模式上,著重以下五個營運流程:

A. 財務流程:建構策略性的財務規劃流程,改善採購到支付、訂單到現金流、紀錄及回報、風險法遵、稅務管理等流程進行分析與改善。

B. 供應鏈流程:確保供應鏈的敏捷性及韌性,透過人工智慧技術在供應鏈資訊系統、訂單管理、存貨管理、外包流程、售後服務、永續,加速企業的數位轉型發展。

C. 客戶體驗流程:建立顧客的使用體驗,針對客戶資料進行分析,獲取更多客戶的樣貌與洞見,快速識別客戶未被滿足的體驗,提升客戶服務的品質。

D. 人力資源管理流程:重新定義員工體驗,建立以員工為中心的營運流程,讓薪資流程核算自動化,員工能夠減少繁縟的工作流程,專注在提供客戶更好的服務。

E. 行銷流程：規劃行銷體驗，透過客戶的資料分析，提高行銷活動的有效性。

(2) 資訊安全

TCS 提供完整的資訊安全解決方案，給客戶資訊安全顧問、部署、資訊安全委外的服務，企業依照其產業特性及需求建立其企業資訊安全策略。主要資訊安全防護包含：

A. 工控環境的資訊安全

由於工業控制系統的資安事件正在快速增加，TCS 提供企業一站式的資訊安全解決委外服務，包含資安風險評估、資安控制設計、工控環境的資訊安全防護，亦提供針對 IT 及 OT 的委外資安服務，能夠做到集中化資安監控，避免資安事件的產生。

B. 數位鑑識及資安事件因應服務

由於現今的企業營運經常仰賴雲端及資料，導致企業面臨各種資安威脅，尤其是針對進階式持續性攻擊，需要一定程度的資安鑑識（Digital Forensics）、資安事件危機處理的能力，以抵抗惡意的數位詐欺、資安威脅、資安罪犯。

在資安事件反應服務方面，包含緊急反應服務、快速識別攻擊的來因，並建立因應措施以避免持續擴散。TCS 亦建立委外資安事件協助服務團隊，協助企業在第一時間排除相關的資安事件；在資安鑑識方面，在企業地端、雲端、容器化的系統上，提供數位鑑識的流程及調查服務，能偵測惡意軟體、可疑的資安事件、透過分析及檢視識別個別的潛在風險。

C. 資料安全服務

當全球的客戶對於其資料隱私及自主權意識逐漸提高，企業加速採用資料安全的防護技術。此外，企業面臨全球各地的個資保護法規，讓企業的資料防護更加複雜，例如美

國健康保險便利和責任辦法（Health Insurance Portability and Accountability Act, HIPAA）、歐盟的一般個資保護法（General Data Protection Regulation, GDPR）、美國加州消費者隱私法（California Consumer Privacy Act, CCPA）等個資法規。

TCS 提供資料安全的防護服務，協助企業識別資料的安全性及法遵要求，提供資料隱私影響評估、資料安全成熟度評估及相應的資安解決方案，並尋找隱藏在企業內部各處的敏感性資料。協助企業建立資料安全的管理政策與辦法，讓企業能夠集中化管理分散在各個雲端、資料庫及端點中的資料，並定義出重要敏感資料存取的權限，部署資料的加密、金鑰管理等資安技術，結合資料外洩防護及資料權限管理的方法，降低資料外洩的風險。

D. 零信任雲端安全服務

當企業將資料上雲後，資訊安全成為相當重要的議題，傳統以內、外網為邊界的資訊安全防護模式已經難以提供足夠的資安防護，企業開始透過自動化的工具進行威脅的偵測與辨識。

TCS 提供完整的雲端轉型的資訊安全解決方案，包含雲端安全的顧問服務、雲端安全成熟度評估、進階資安防護服務，如 DevSecOps、軟體即服務安全（Security as a Service, SaaS）、雲端存取邊界服務（Cloud Access Security Broker, CASB）、雲端基礎架構權限管理（Cloud Infrastructure Entitlement Managemet, CIEM）、政策即程式碼（Policy as Code）、SaaS 安全狀態管理（SaaS Security Posture Management, SSPM），確保企業能夠在零信任的架構下進行雲端資訊安全的防護。

E. 企業弱點管理服務

資訊安全的威脅複雜度及數量皆不斷地攀升，企業需要檢視內部的資訊安全弱點，避免遭受到外部的攻擊。TCS 提

供企業弱點管理服務，針對企業的應用程式、網路、開源的程式碼、雲端應用程式等，透過自動化弱點評估系統進行資產的風險分類、補救管理、風險警示回報，進行數位資產的管理。

TCS亦提供應用程式安全的服務，自動化掃描各種應用程式，並與產業的標準比較，透過資訊安全檢測的結果，調整企業流程或進行補救，並提供滲透測試服務，對於企業的資訊系統進行攻擊，識別資安的弱點及漏洞，涵蓋暴露在風險的資產、網頁應用程式、內部資訊環境或是特定的系統。

F. 企業網路安全服務

企業隨著數位化發展、異地遠端工作的模式及增加雲端的採用，讓企業的網路安全及存取更加複雜，企業的網路疆界與傳統的資訊界線不同，有更多的外網需要至內網存取企業資料，這也導致遭受攻擊的範圍向外延伸。

TCS提供網路安全服務，協助企業提高資訊安全狀態，針對企業目前的環境狀態、網路安全架構進行評估及檢視，參考零信任的架構、安全存取服務邊界、美國國家標準暨技術研究院（National Institute of Standards and Technology, NIST）的網路安全架構所公告的標準。並設計軟體定義的網路控制，包含次世代防火牆、DDoS機器人管理、微區隔（Micro-Segmentation）的管理方式，提供完整的網路安全即服務（Network Security as a Service, NSaaS）。

(3) 人工智慧

A. 精簡物流及交通

對於企業而言，供應鏈涉及的範圍相當複雜，目前主流的作法為轉換成電動車及環保材質的包材。並透過人工智慧的演算法，提高企業的營運效率；以即時的資料協助企業調整物流的路徑；透過強化學習（reinforcement learning）

能夠在幾分鐘內解決大規模的動態問題。

強化學習為機器學習的一種，為嘗試錯誤的學習方法，透過動態的環境不斷重複互動，學習如何執行任務，隨著外部條件變化而改變資料，找出最佳結果的策略，而TCS在提高物流的效率上採用強化學習運用。

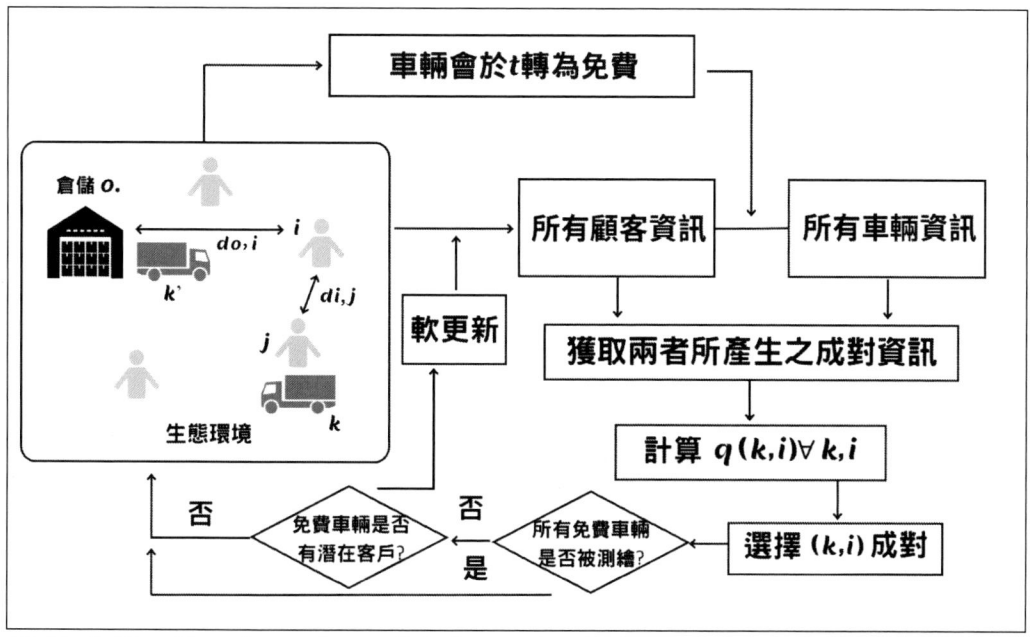

資料來源：Fast Approximate Solutions using Reinforcement Learning for Dynamic Capacitated Vehicle Routing with Time Windows，資策會MIC經濟部ITIS研究團隊整理，2023年9月

圖 3-1 強化學習的決策流程

B. 行為驅動的服務設計重建病患體驗

透過穿戴式裝置及感應器、數位輔助App以及醫師系統，無須頻繁的檢查，也能獲取病患即時且精確的資訊，病患也能夠透過數位工具快速的反應以及紀錄疼痛及焦慮狀況，協助醫師判斷回復狀況，提高醫護人員的工作效率。

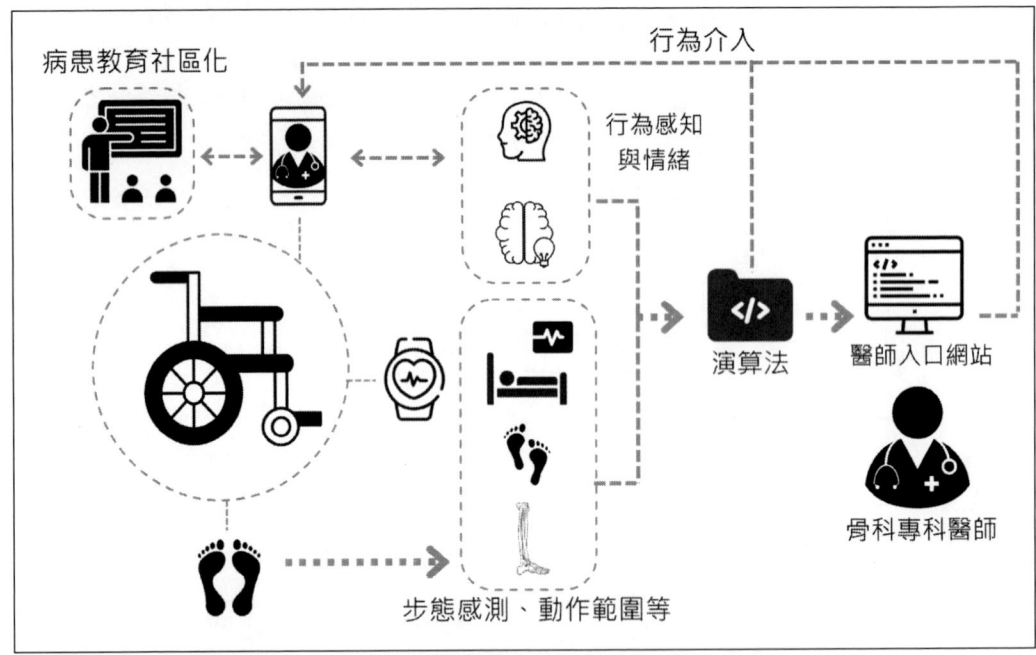

資料來源：TCS，資策會 MIC 經濟部 ITIS 研究團隊整理，2023 年 9 月

圖 3-2 健康照護解決方案

C. 低程式碼或無程式碼

透過低程式碼或無程式碼（Low-code and No-code, LCNC）的平臺，在應用程式開發上能夠提升 4.6 倍速度、4.6 倍可負擔成本、4.8 倍簡易程度，LCNC 應與企業的文化及營運目標結合，透過 LCDC 平臺進行企業流程的定義、設計、開發，實現任務及流程自動化，加速人工智慧的採用進入障礙，提供給知識工作者開發的工具及管道，建構人工智慧模型改善企業的營運效率。

（四）臺灣大廠動態

在臺灣資訊委外市場方面，廠商的服務種類繁多，提供相關服務的廠商類型各不相同，如系統整合商、軟體服務業者、電信服務業者或客服中心等。以下介紹臺灣市場主要經營委外服務的廠商動態。

1. 資訊管理委外

臺灣資訊管理委外提供專業顧問服務、雲端平臺建置及維運、軟體建置開發及維運、資訊安全服務及管理服務,資訊管理委外業者因應雲端、永續、企業資安防護等企業發展方向,協助企業透過資訊系統的輔助達到營運的目標:

(1) 雲端平臺建置與維運服務

提供雲端建置規劃顧問服務,並針對國際雲端大廠 AWS、Microsoft Azure、Google Cloud Platform 的雲端託管服務,協助企業進行異地備援及雲端邊搬遷的服務。

(2) 碳排管理服務

隨著國際2050淨零碳排的目標,企業開始朝向ESG轉型發展,國內業者提供碳權管理整合服務,串聯供應鏈蒐集碳足跡,並提供企業碳盤查的顧問輔導及第三方驗證顧問服務,協助企業達到永續經營的目標。

(3) 資訊安全服務

國內業者在資訊安全上提供包含顧問端的健檢及滲透測試、弱點掃描服務,並提供資訊安全的設備導入及改善,協助企業資安漏洞的修補及策略規劃,亦同時提供企業資訊安全的教育訓練,確保企業內部員工具備足夠的資訊安全觀念。

2. 企業流程委外

(1) 客服中心流程委外

隨著企業的營運朝向全球化發展,國內的客服中心流程委外業者提供全球化的雲端客服解決方案,協助企業透過客服服務強化顧客的關係。在服務流程上,強調縮短客服流程的等待時間,以更為快速的方式回應客戶需求。臺灣客服流程業者提供服務包含:

A. 多通路整合:隨著與客戶接觸的管道日益多元,不論是透

過官網的聯繫或是社群媒體等方式，多通路整合提高客服回應的處理效率，提升客戶的滿意度。

B. 人機協作：客服委外同時提供知識庫的服務，降低客服人員的負擔，利用知識庫將基礎問題分流，提供真人客服、智慧客服協作的模式，讓客服人員能夠專注在提供較有價值的客戶服務上。

C. 知識共享系統：透過即時報表，掌握客戶問題的趨勢及資料，並確保客服人員的問題回覆一致性及專業度，也能夠將資訊運用在產品開發及行銷上，提升客服的效能。

D. 智慧化客服：支援各社群媒體及電商業者，透過人工智慧自然語意分析技術，分析客戶問題上下文的關聯，解析客戶的問題及意圖，產生圖像化報表，協助企業判斷及決策，並與企業內部的 ERP、CRM 等系統整合，串接會員資料，同時獲取會員點數、物流狀態、訂單等資料，降低真人客服的負擔。

(2) 供應鏈流程委外

供應鏈流程委外包含進口、出口、倉儲及物流等資訊流程委外服務：

A. 出口流程委外：提供自動化流程加速出口作業，與企業內部 ERP 系統整合，自動產出出貨文件，並針對出口的客戶自動化分發訂艙、報關、貨況等資訊。

B. 進口流程委外：與企業的供應商串聯，掌握進口的交期及到貨數量，自動化對應稅務及進口報單，減少人工作業的失誤，並縮短前置時間。

C. 物流管理整合：整合車輛管理系統，透過 GPS 定位掌握及管理車輛的位置，依照客戶的要求自動化計算最佳物流路線，確保物流準時送達，並降低物流配送的成本。

(3) 金融流程委外

臺灣金融流程委外業者積極投入區塊鏈及雲端技術的發展,透過軟體即服務的方式,提供企業支付及金流管理的服務,除了金融業的客戶外,亦能提供商家及小型店家金流的管理服務。

A. 發卡授權流程:提供發卡及授權的管理,包含發卡生命週期管理、行銷規劃、交易授權、帳單催收等服務,並整合紅利管理功能、交易授權服務、參數化授權檢核邏輯,依據持卡人的風險等級進行分級授權管理。

B. 收單及簽單流程:提供網路特約商店收單業務,彙整交易請款的資料,依照商家的手續費進行清算及付款相關的會計帳務作業。

C. 點數管理:透過區塊鏈的技術協助企業建立生態圈的經營,或是企業內部的資料共享,利用區塊鏈的不可竄改性,確保交易及資料的安全。

3. 程式開發委外

程式開發委外主要的目的在於補足企業程式開發人力不足之困境,諸多臺灣資訊服務業者、系統整合廠商均提供這類型的服務。亦有專業程式開發委外廠商側重軟體產品本地化,或協助 Microsoft、IBM 等國際軟體產品業者進行產品本地化、產品客製化服務。

(五)未來展望

傳統資訊委外受到新興科技的影響,資訊委外廠商持續提供人力資訊委外服務,結合人工智慧及雲端服務技術與商業模式,發展新的服務或產品,並強化在資訊安全的投入及合規性,提升資訊委外的服務價值。未來委外市場將朝向雲端服務優先及更加智慧化的流程發展,發展更種人工智慧的產業應用委外服務。

近期生成式 AI 應用快速發展,在客服委外及程式開發委外上,進一步的提升資訊委外的可靠度以及效率,客服委外能夠更加精準的回應客戶需求,並降低企業的人力投入。而程式開發委外也因程式

開發的複雜度降低，加諸低程式碼的應用快速增加，簡易的程式開發代工難以滿足企業的需求，在程式開發委外上將朝向更加多元的服務發展。

溫室氣體排放管理成為全球性的趨勢，企業因為減碳的目標，碳權管理整合服務、串聯供應鏈蒐集碳足跡、企業碳盤查的顧問輔導以及第三方驗證顧問服務需求將快速增加，資訊委外業者串聯企業內外部碳排放相關資訊，協助企業達到資料自動化生成及減碳分析的目標。

三、雲端服務

雲端運算係指雲端業者所提供之伺服器進行運算、儲存、分析及各式服務之技術，使用者只要透過網路即可使用雲端業者所提供之服務，並依照使用量按需付費。發展至今，雲端運算已是 IT 領域中的顯學，並環繞在人們的日常生活中，舉凡企業用的辦公軟體、套裝軟體，或是一般民眾使用的線上購物、社群網站等，皆是雲端技術的應用範疇。

雲端運算產業包含雲端運算服務、雲端支援服務、硬體設備三大模組。雲端運算服務包含以下三種：

- 基礎設施即服務（Infrastructure as a Service, IaaS）：為雲端服務的最底層，主要提供基礎資源，如雲端運算、儲存、網路及各種基礎運算資源，讓使用者部署與執行作業系統及應用程式等各種軟體。

- 平臺即服務（Platform as a Service, PaaS）：提供運算平臺與解決方案服務，使用者將雲端基礎設施部署與建置至用戶端，或藉此獲得使用程式語言、程式庫與服務，僅需控制上層的應用程式部署與應用代管的環境。

- 軟體即服務（Software as a Service, SaaS）：為軟體交付模式，軟體僅須透過網頁瀏覽器即可獲取服務，採用軟體即服務能降低資訊硬體及軟體維護的成本。

雲端支援服務以系統整合、託管顧問等資訊服務業為主，該類業者

主要協助顧客導入上述雲端服務。硬體設備則涵蓋建置雲端相關服務所需要的硬體設備，目前我國雲端服務業者多為雲端支援服務類型。

（一）國際雲端服務市場趨勢

依據 Gartner 所公布之資料，2023 年全球終端使用者於公有雲服務的支出預計成長 20.7%，達到 5,918 億美元，2022 年由於經濟及通膨等因素影響，不少企業降低雲端的成本支出，而隨著人工智慧及物聯網等應用持續增加，也提高對於運算力的需求。

1. 生成式人工智慧驅動雲端服務需求

生成式人工智慧的應用快速成長，不論是企業端或是個人端的應用受到矚目，同步帶動雲端市場需求，人工智慧的應用有較高的 IT 基礎建設的運算能力需求，作為運算需求的基礎技術，企業逐漸增加雲端的系統導入，以支持人工智慧應用所需的運算力，尤其在生成式人工智慧的應用上，資料量及運算力的要求相當高。在企業實際應用上，需要即時且彈性的運算需求，如運算延遲將會造成應用上的阻撓，然而傳統的資料中心受限於資料儲存空間不足，硬體儲存設備費用有較高的限制，已不符目前網路資料處理與巨量資料儲存需求，將推動雲端服務的需求成長。

2. 永續及低碳驅動雲端轉型

在環保意識提升的永續趨勢下，綠色的數位轉型成為企業的發展方向，近年企業積極發展低碳的營運模式與產品，其中透過雲端降低碳足跡成為驅動企業上雲的重要助力。由於許多雲端服務提供商採用再生能源或低碳能源，且能夠有效提升系統的使用率，進而協助企業達成減碳的目標，依據勤業眾信（Deloitte）所發布之「氣候變遷下的數位轉型策略：透過雲端實現的 12 項永續計畫」，企業採用雲端能夠達到以下減碳目標：

表 3-7 企業採用雲端達成之減碳目標

減碳目標	說明
提升供應鏈透明度並進行改善	追蹤生產製程及供應鏈資料,並透過巨量資料分析改善
遠距品質檢查及預測性維護	透過監視及遠端控制系統,達到異地檢修,降低維修人員移動前往現場所造成的碳排放
提升農業產能並降低疾病	透過即時的資料蒐集及分析,提高農耕產能,並避免疾病
零售業即時庫存追蹤避免浪費	透過雲端達到即時的庫存追蹤,避免商品腐敗及浪費
減少退貨或誤買的浪費	透過 AR／VR 等技術增加消費者購物的真實感,降低退貨或購買錯誤等浪費
優化車隊管理	透過雲端及人工智慧優化車隊管理,降低車輛移動的碳排
建築能源管理	透過能源消耗的資料及人工智慧技術,進行室內能源系統的控管,達到能源管理
營運能源管理	掌握營運用電狀況,針對永續的能源進行分析及優化

資料來源:Deloitte,資策會 MIC 經濟部 ITIS 研究團隊整理,2023 年 9 月

3. 混合雲及多雲成為新常態

依據 IBM 於 2022 年 9 月發布《企業轉型指數:上雲現況》報告顯示,超過 77%的企業已踏上採用混合雲架構以促進數位轉型的旅程。然而,這些企業在多雲環境中的協作過程卻並非一帆風順,主要面臨三大挑戰:關鍵技能的缺乏、不完善的資訊安全機制,以及嚴格的法規限制。

根據最新的調查數據,71%的企業明確表示,缺乏一個精確的混合雲策略將嚴重限制其數位轉型的最大潛能。不過,令人驚訝的是,只有 27%的受訪企業具有達到「進階級」數位轉型的必要條件。這一明顯的落差主要源於三大因素:

(1) 監管合規問題:在全球監管和法規要求日益嚴格的背景下,企業普遍感到在雲環境中達到合規性極為困難。

(2) 資訊安全問題:即使企業已經採取了多種資安措施來保障其雲端工作負載,安全問題仍然是一個持續存在的擔憂。

(3) 人才短缺問題：由於專業技能和人才的短缺，企業往往無法有效地實施一個整合性的混合雲策略。這不僅加劇了資安和合規性的問題，也增加了在多雲環境中運營的風險。

總體而言，這些挑戰凸顯了企業在數位轉型過程中需要更全面和精確的混合雲策略，以充分發揮其潛在優勢。

（二）臺灣雲端服務市場趨勢

依據愛卡拉雲端（iKala Cloud）所公布之「2022 產業雲端應用趨勢大調查」，詢問 100 位臺灣的企業包含線上遊戲、零售／電子商務、媒體與娛樂、製造業、金融服務等產業，結果顯示國內目前混合雲架構快速成長，成為企業雲端部署的主流項目，超過公有雲架構的比例。

1. 製造業

依據萬里雲（CloudMile）針對國內 417 家製造業決策者所做的「2022 智造轉型大調查」，結果顯示國內一般科技與科技製造業者有超過 5 成的企業已使用雲端服務，主要的使用需求為運算與儲存、備份與備援、數據與資料分析，製造業使用雲端在廠區的機臺設備管理上，透過雲端進行資料的儲存及運算，並結合機器學習及人工智慧進行預防性維護及瑕疵檢測上，以提高營運生產效率。

2. 金融業

臺灣金管會放寬金融業上雲之規範後，減少部分業務上雲所需的申請及核准程序，讓金融業者能夠有更多自主管理的空間，加速金融的雲端數位轉型腳步，金融業者的雲端化需求不僅透過雲端提升業務效率外，也著重在敏感性資料的防護與管理及國內監管和規定等方面，國內雲端業者協助企業在資源配置規劃及系統擴展性的提升，並確保資訊系統的彈性，避免因為各種風險造成營運中斷。

3. 醫療業

2022 年 7 月臺灣衛服部公告新版「醫療機構電子病歷製作及管理辦法」，該辦法增加醫療院所在電子病歷資訊系統的彈性，業者能

夠將電子病歷上雲，作為電子病歷的交換平臺。醫療業者亦能將電子病歷系統委託雲端業者代管，在資料雲端化後，持續推升各種醫療的智慧化應用發展，如遠距醫療、結合各種穿戴裝置及診療用設備等。透過人工智慧進行資料分析，協助醫師進行診斷，將持續提升國內醫療產業雲端化的需求。

（三）國際大廠動態

全球大型雲端服務廠商主要為 Amazon、Microsoft、Google 三家為主，三家皆為市場占有率約有 6 成的公有雲市場，故一般被業界稱為「三大公有雲」，三大公有雲業者在世界各地布建資料中心，提供全球各地的使用者租用其服務。

1. AWS

Amazon 最早於 2006 年首度推出 Amazon Web Service（AWS）的雲端服務，於全球各地布建伺服器，為使用者以按需付費的方式，提供更多的使用彈性。

(1) 生成式 AI

生成式 AI 能夠生成對話、影像、影片或音樂等內容，因 ChatGPT 的推出，獲取市場高度的關注，Amazon 亦推出三種應用的服務：

A. AI 模型平臺 Bedrock

Amazon 於 2023 年 4 月推出其 AI 模型平臺 Bedrock，第三方公司透過 API 開發及部署生成式 AI 的應用，使用者能夠在平臺上使用人工智慧新創公司所開發的人工智慧產生內容（AI Generated Content, AIGC），為與文字生成模型 AI21 Labs、Anthropic、圖像生成模型 Stability AI 所開發的應用。

B. 自有大型語言模型 Titan FM

Amazon 推出自有的大型語言模型（Large Language Model,

LLM）Titan FM，該模型主要有兩種應用，其一為生成式的語言模型，適用於文字內容的生成；另一個則是嵌入式的應用，將文字轉化成數值形式，適用於個人化的搜尋或推薦等應用。

C. 人工智慧程式碼生成 CodeWhisper

CodeWhisper 可標記或篩選開源程式碼訓練資料，採用機器學習的服務，根據開發人員透過自然語言編寫的方式提供程式碼建議，提高開發人員的開發效率，透過 CodeWhisper 亦能針對 Java、JavaScript、Python 等程式碼進行漏洞掃描，提升程式開發的效率及安全性。

(2) 垂直應用

AWS 積極扎根垂直領域的應用，針對醫療、製造等產業共同發展垂直領域的應用。

A. 醫療領域

AWS 與全球醫療影像系統大廠 EBM Technology 合作，透過 AWS 所提供的人工智慧與機器學習技術，在機器學習平臺 Amazon SageMaker 完成模型的訓練，發展心電圖的人工智慧模型，當患者在救護車前往醫院的途中，即時進行病患狀態判讀，以利於後續的病患處理。此外，於 2023 年 AWS 推出醫療領域的生成式 AI AWS HealthScribe 服務，透過語音辨識自動生成臨床文件，透過醫生與病患診斷的對話進行摘要生成，減少文書處理的時間。

B. 製造業領域

AWS 與國內網通業者合作，建立能源監控系統，用以控管廠區內各個設備的電力使用資訊，並同時進行設備異常預警，透過 AWS IoT 服務蒐集終端設備的資料，並建構資料庫進行資料分析與管理，協助製造業者進行能源管理及用電策略。AWS 在製造業領域著重供應鏈的管理及可持續

性上，與各種產業的製造商合作，降低供應鏈的風險及成本，協助業者將產業應用雲端化，並透過機器學習的應用建立智慧工廠。

2. Microsoft Azure

Microsoft Azure 為 Microsoft 的公有雲服務平臺，自 2008 年開始發展，2010 年正式推出，相較於 AWS 的腳步稍晚。2014 年執行長納德拉（Satya Nadella）上任後，全力發展雲端事業，雖然 Microsoft Windows 產品與雲端事業兩者建立在企業內部 IT 架構的業務性質相異，但 Microsoft 以混合雲模式解決不同事業體的銜接，善用 Windows 伺服器的優勢帶動雲端事業的成長。

(1) 生成式 AI

於 2019 年 Microsoft 即宣布向 OpenAI 投資 10 億美元，協助 OpenAI 持續訓練人工智慧所需的費用，隨著 2023 年 ChatGPT 應用獲得廣泛的關注後，2023 年 1 月 Microsoft 擴大在 OpenAI 的投資，並共同規劃於 Microsoft Azure 上持續發展相關應用。

Microsoft 與 OpenAI 合作，推出 Azure OpenAI，將 Open AI 的 API 串接至 Azure 平臺上，於 2023 年 1 月正式上市。亦推出 GPT-4、GPT-3.5-Turbo 及內嵌模型，主要提供給企業使用，企業能夠介接 Azure OpenAI 的服務，生成各種對話及文案，應用在客戶回覆及廣告等場景。Microsoft Azure 亦與 Copilot 合作，Copilot 為 GitHub 與 OpenAI 合作開發的人工智慧工具，作為程式開發的輔助工具，能夠透過 Azure 雲端獲取服務 Windows Coplit。

於 2023 年 9 月 Microsoft 將生成式 AI 應用至其 Office 系列辦公室軟體中，命名為「Microsoft 365 Copilot」，將這些商用套裝軟體增加人工智慧的功能，協助自動化處理日常的文書作業，並協助設計及分析，減少繁瑣的工作流程。

(2) DevOps 開發環境

Microsoft 於 2022 年開發者大會上發布 Microsoft Dev Box，並於 2023 年 9 月正式推出 Microsoft Dev Box 服務，針對開發者提供雲端的虛擬工作環境，開發人員能夠在各種不同的工作環境中，透過 Microsoft 的雲端進行開發，滿足企業在敏捷開發的需求。Dev Box 透過雲端虛擬工作環境，確保開發者能夠預先建置相同的開發環境，確保執行結果不會受到不同的環境影響，有利於居家辦公或是異地協同合作的工作模式。

(3) 雲端量子運算服務

Microsoft 提出量子的雲端服務，使用者能夠透過雲端獲取 Rigetti 量子電腦的運算資源、Aspen-M-2 的 80 個量子位元及 Aspen-11 的 40 量子位元運算力，在 Azure Quantum 平臺上提供量子與古典電腦的混合工作流程，執行量子應用程式。

3. Google Cloud Platform

Google 為第三大的雲端服務商，其在 2006 年即進入雲端市場，相較於 AWS 以及 Microsoft 更早，初期即推出 Gmail、Google 日曆等辦公用的 SaaS 服務，但在 IaaS 的商業模式上並沒有太多布局，直到 AWS 崛起後，才在 2011 年推出自家雲端服務 Google Cloud Platform（GCP）。

(1) 生成式 AI

Google 近期增加在生成式 AI 的布局及投入，在 2023 年 RSA 大會上，Google 宣布將生成式 AI 整合至 Google 目前提供各種產品與服務的多種大型語言模型平臺中，其中包含以下：

A. 資安專用大型語言模型

Google 於 2022 年 4 月推出 PaLM（Pathways Language Model）大型語言模型，為針對資安領域的模型，其資料來源主要包含漏洞資訊、Github 上的漏洞資料、Mitre 框架，及來自威脅情報公司 Mandiant 的全球威脅情報等，並推

出其人工智慧資安平臺「Security AI Workbench」，提供企業透過生成式 AI 協助分析惡意行為的腳本，更加精確的檢測威脅。

B. 全託管機器學習平臺

Google 於 2021 年推出全託管機器學習平臺 Vertex AI，讓使用者可以統一操作介面並透過 API 獲取 Google 雲端服務，降低建立及訓練機器學習模型的工作負擔。目前 Vertex AI 亦支援生成式 AI 的模型建構及客製化，提供超過 60 個以上的基礎模型。

C. 生成式 AI 應用程式建構工具

Google 推出協助開發人員快速開發應用程式的生成式 AI 工具 App Builder，在該工具上透過 Google 的 API 獲取基礎模型、搜尋、對話 AI、語音助理等，快速建立生成式的應用程式，該工具能夠更加直觀地與各種複雜的資料互動，加速產品開發的時程，結合對話提高非程式人員的參與程度，創造新型態的產品開發模式及體驗。

(2) Web 3.0 及去中心化

於 2023 年 Consensus 2023 上，Google 雲端與區塊鏈 Polygon Labs 共同宣布策略合作計畫，在 Google Cloud 上基於 Polygon 發展 Web 3.0 及去中心化應用程式（dApps），讓開發人員能夠快速地部署 Polygon PoS 節點，布局未來 Web 3.0 的生態系，並透過 Google 的雲端服務及開發工具，建置其應用程式。

（四）臺灣大廠動態

近年國際雲端大廠皆陸續加強在臺灣的布局，並尋求在地的合作夥伴，依照合作方式不同，雲端大廠在臺灣的合作對象可以分為「託管服務」、「方案經銷」、「網路合作」、「產品認證」四種合作模式。臺灣業者與國際雲端大廠的合作模式不以單一種類為限，可採複數合作

形式，例如廠商可同時是解決方案提供商，但又自行開發產品成為認證合作夥伴。

1. 託管服務

託管服務最常見認證便是 MSP（Managed Service Provider），三大公有雲廠商皆推出自家的 MSP 認證。託管服務主要協助客戶解決雲端採用過程的業務需求，例如上雲前的評估、方案選擇評估、雲端搬遷、系統整合、託管服務，服務涵蓋上雲前、中、後各階段的方案經銷。目前託管服務為我國最常見的合作模式。

2. 方案經銷

方案經銷類似零售業中的盤商角色，主要負責產品的銷售，認證代表有 Microsoft 的 LSP（License Solution Provider）、AWS 的 CSP（Cloud Solution Provider）等。比起託管服務，方案經銷業者通常擁有較多的行銷資源與議價權力，但也有銷售業績的壓力，因此方案經銷認證的認證門檻通常比託管服務更高，例如該服務的客戶數量、收益、流量等，需具一定規模的廠商較容易獲得此認證。

3. 網路合作

網路合作主要提供網路交換中心、企業專網等網路相關服務，認證代表有 AWS Direct Connect Partner、Google Interconnect Partner 等。雲端大廠在拓展國際市場過程中，經常需面臨國際網路與地區網路對接的障礙，若未與在地網路商合作，將會導致網路傳輸效率降低，進而影響雲端服務的品質與安全，故雲端廠商多會尋找在地網路業者合作，提升其服務在當地的穩定性。

4. 產品認證

產品認證是一種互利的合作模式，為了快速擴大生態系，各家雲端大廠多有提供市集或是解決方案認證，例如 AWS 的雲端市集認證、Microsoft 的 IoT 方案認證等，藉此吸引其他業者在其雲服務上開發產品。對雲端大廠而言，此種合作模式能夠增加用戶數量，亦能

強化生態系的完備性；對合作小廠而言，獲得大廠的認證亦有助於將產品銷售至國際市場中。

國內雲端服務業者與國際雲端大廠合作逐漸加深，並結合 ESG、雲端資安、生成式 AI 等議題，加速企業的雲端布局及發展。業者針對垂直領域的需求，推出數位解決方案，並提供顧問諮詢、數位搬遷及託管等技術服務，依靠業者自身其他產品及垂直領域專業等能力，做出服務的差異性，提供企業更高的附加價值，近年也因國內醫療及金融領域的數位投資增加而快速成長。而國內的雲端業者因生成式 AI 的浪潮，推出自有的大型語言模型及雲端運算服務，並結合國內的新創業者及法人單位，推出在醫療照護相關市場的應用，如智慧客服、聊天陪伴機器人、新藥開發等應用，協助生醫產業進行資料分析及模型訓練，加速研發進度。

近年可以觀察到，臺灣獲得三大公有雲夥伴認證的資服業者數量有逐漸增加之勢，這當中包含電信業者、中大型資服業者、小型新創業者，且合作方式相當多元，例如，部分業者間會結合彼此優勢拓展海外市場，或是透過策略投資方式採取以大帶小的形式，讓雙方互利。此外，三大公有雲亦開始在臺灣投入更多的投資計畫，不論是產官學合作、創新投資，甚至是建置資料中心，可看出臺灣在亞太地區的雲端實力逐漸攀升，戰略地位也比過去更受重視。

（五）未來展望

AWS、Microsoft、Google 三大公有雲市場的寡占態勢難以被撼動，三大雲端業者在新興技術布局及應用上透過生態系的整合與串聯，建立出穩固的基礎。近年隨著生成式 AI 的應用快速發展，業者亦快速回應市場需求，推出其相應的平臺及解決方案，作為各種應用開發的平臺，快速布局搶占市場。未來在人工智慧的應用開發上，業者可善用各家雲端業者在人工智慧的基礎模型上，開發出符合市場需求的應用。雲端服務具有初期投資的低成本及相當的擴充彈性優勢，在企業數位轉型成為主流的發展方向，尤其企業在積極發展人工智慧應用，需要靈活和可擴展的運算資源，雲端能夠提供較高的算力及擴充性，將持續推動雲端服務的市場成長。

臺灣傳統資服業者的收益來源多為非雲端類的專案居多，然而觀察雲端大廠在臺灣的布局，除了 Microsoft 外，主要合作的對象為新興的資服業者，許多新創業者為雲端原生業務發展，雲端的技術及業務性質與傳統的方式有所不同，預期未來雲端的滲透率持續提升後，將為臺灣資服業帶來新的版圖變動。

臺灣資服業以代理國外產品居多，而在大廠產品的差異度逐漸縮小的情況下，業者之間的競爭決勝點已不在合作的廠商，而是針對產業領域的深入應用及服務，如針對特定產業的人工智慧、物聯網及資訊安全應用等，尤其是推出具有產業特色的整體解決方案及實績，獲得業者的青睞。

臺灣系統整合商可參考國際大廠之混合雲軟硬體整合與開發放式架構布局策略，利用開源軟體自行研發開放式混合雲架構，將軟體搭載至臺灣具有優勢之硬體設備上，形成價格競爭力強的整合型產品，解決客戶在導入混合雲面臨的軟硬體不相容問題，並整合資訊安全的解決方案，降低業者在系統導入的風險，以軟硬整合產品一次購足滿足客戶的需求。未來發展機會上，可透過以硬帶軟的合作策略，與臺灣硬體設備廠商合作，推廣整合型產品，拓展國際市場尋求機會。

四、資訊安全

資訊安全產業範疇涵蓋資訊安全產業上游之「資訊安全產品」、「資訊安全服務」，以及中、下游之「資訊安全支援服務」。資訊安全產品及服務人員專注在資訊安全產品的研發與製造上，而資訊安全支援服務則著重於終端客戶之行銷及推廣，且具備垂直產業之專業。

- 資訊安全產品：係指提供企業或個人的終端產品，通常提供買斷、租賃等方式，或是搭配專業服務及顧問諮詢提供給客戶，如防火牆、網路安全、物聯網、雲端安全等，針對不同應用場景所開發之軟體、硬體產品及服務。近年來隨著人工智慧及雲端運算的發展，資訊安全產品逐漸走向智慧化，如端點安全防護、網路入侵檢測、分段式阻斷服務防護、進階持續性威脅等資訊安全產品，業者透過機器學習針對異常行為偵測，取代傳統的規則及特徵碼

為基準資安產品,有效降低資安事件的誤判比率,成為資安產業的發展重點。

- 資訊安全服務:係指資訊安全業者提供維持企業日常營運安全之營運管理安全防護及資安專業顧問服務,如資安顧問服務、社交工程服務、資安檢測服務、雲端安全存取中介服務、資安情資服務等。

- 資訊安全支援服務:係指直接面對終端客戶,協助企業提升資訊安全的相關服務型為,包含國內外資訊安全產品代理、銷售及通路服務、系統整合服務、資訊安全教育與培訓等。

(一)國際資訊安全市場趨勢

近年來國際之資訊安全事件頻傳,隨著數位經濟的發展,數位的犯罪隨之增加,根據麥肯錫顧問公司(McKinsey & Company)的資訊安全調查全球 4 千家中型企業中,資安的威脅數量從 2021 年至 2022 年翻倍成長,全球資訊安全市場快速成長,存在許多資訊安全還未被滿足,估計資訊安全解決方案的市場滲透率如下:

表 3-8 資訊安全解決方案及市場滲透率

目前滲透率	資安解決方案
1-5%	● 雲端資訊安全 ● 物聯網安全及工控領域安全 ● 應用程式安全 ● 安全及營運管理
5-10%	● 網頁安全 ● 端點安全 ● 資訊安全委外服務
10-15%	● 電子郵件安全及警示
15-20%	● 網路安全 ● 資訊安全顧問服務
20-25%	● 身分識別及存取權限管理
30-35%	● 資料防護 ● 法規遵循及風險管理及管制

資料來源:麥肯錫顧問,資策會 MIC 經濟部 ITIS 研究團隊整理,2023 年 9 月

1. 人工智慧提升資安風險

ChatGPT 於 2023 年推出後，生成式 AI 快速發展，人工智慧應用提供許多便利性，卻也衍生出資安的風險及危害，使用者透過問答的方式與 ChatGPT 互動，在聊天的過程中，經常無意間透露個人或是組織的重要資訊，並將敏感性資訊上傳。企業在擁抱人工智慧提升營運效率的同時，忽略潛在的資料外洩風險及危害，有部分企業透過禁止及資安教育的方式避免相關的資料外洩風險。

除了資料外洩的風險外，生成式 AI 也可能成為駭客攻擊的輔助工具，如提供惡意程式代工，讓駭客的攻擊成本降低，提高攻擊的頻率，或透過人工智慧撰寫電子郵件內容，協助駭客進行社交工程的攻擊，被攻擊者通常難以察覺。

2. 工控資安需求增加

依據資訊安全大廠 Fortinet 所發布之「2023 年 OT 與網路資安現況調查報告」（2023 State of Operational Technology and Cybersecurity Report）顯示，2023 年初所發生之網路攻擊，調查全球 570 位 OT 專業人員，高達 98%的企業已將 OT 網路安全納入更廣泛的風險評估中，且有 67%的受訪者更是列入風險評估重要因素，相較於 2022 年有 50%顯著增加，顯示工控領域的資安成為企業的必備資訊安全防護項目之一。其中約有 5 成的受訪者已部署「網路存取控制」、「安全營運中心」、「安全事件管理和監控／事件分析」、「物理安全遠端管理」、「安全遠端控制」等與企業營運直接相關之資訊安全解決方案，而「威脅情報」部署的企業比例相對較少，僅占 24%。

3. 雲端數位轉型發展

隨著企業逐漸開始採用雲端，對於雲端上資料的安全風險受到重視，在多雲的環境中如何確保資料有足夠的資安防護，根據資安大廠 Check Point Software 的 2023 年雲端調查（2023 Cloud Security Report）顯示，調查超過 1 千名資訊安全專家，結果顯示約有 76%的企業對於雲端資安的風險存在疑慮，目前主要的雲端威脅來自敏感性資料外洩、API 安全以及未授權的存取行為。

而在多雲的環境下，企業難以掌控各種不同的雲端平臺，58%的企業面臨在混合雲的環境下部署資安解決方案的挑戰，52%無法確保資料的安全的挑戰，企業期望能夠透整合雲端資安業者的解決方案，簡化其在雲端安全的管理。

另外，隨著開發維運（DevOps）的系統導入，DevSecOps 的需求亦受到企業重視，根據調查僅有 37%的業者採用 DevSecOps 的解決方案、22%正在規劃導入，市場仍存在相當大的成長空間，業者期待自動化的資安檢測及主動式的資安防護，確保企業在程式開發及部署的安全。

4. 軟體物料清單

美國將軟體供應鏈安全列入重點發展項目中，2021 年 5 月美國總統拜登發布行政命令 EO 14028，軟體供應鏈安全成為重要的資安防護項目，美國國家標準暨技術研究院（National Institute of Standards and Technology, NIST）發布軟體物料清單（Software Bill of Material, BOM），追溯軟體的開發履歷，有效地引起企業對於採用未知開源軟體的重視。

近年來軟體供應鏈安全事件頻傳，如 2020 年的 SolarWinds 攻擊及 2021 年的 log4j 漏洞等事件，開源軟體的採用已經成為企業常態。但開發者對於來源的低可視性成為駭客的攻擊目標，為避免企業因採用開源軟體而缺乏足夠的安全評估，確保軟體供應鏈的安全，提高安全性及合規性的資安解決方案需求將持續增加，協助軟體開發團隊在開發過程中的檢測及安全需求，提升軟體可追溯性及可視性，降低軟體開發到上市的風險。

（二）臺灣資訊安全市場趨勢

根據 iThome 所出版的「2023 年資安大調查」中，發生超過 50 次重大資安事件的企業中，以服務業及醫療業最多，而製造業、金融業、政府機構等皆有超過 2 成的比例，產業業者面臨嚴重的資安危害風險。傳統企業資訊安全職責經常由企業內部的資訊人員兼任，並搭配外部資訊安全軟體及服務，然而隨著資訊安全的事件頻繁發生，資

安威脅的樣貌逐漸趨於多樣化及複雜化,讓企業認知到資訊安全之專業化的需求,需要專業的資訊安全人才建立企業資訊安全防護,國內政府機構期望從規模較大的企業開始示範,建立專責之資訊安全團隊。於 2022 年 12 月金管會所發布之「公開發行公司建立內部控制制度處理準則」新版,訂定公開發行之企業在資訊安全之行動準則,將有助於提升國內企業資訊安全投入。

表 3-9 公開發行公司建立內部控制制度處理準則

階段	時程	適用對象	資安行動
階段一	2022年底	國內資本額超過新臺幣 100 億元、前 50 大市值的上市櫃及主要經營電商產品及服務的企業	設立資安長及至少兩名資安專責人員的資安專責單位
階段二	2023年底	上市櫃公司近三年稅前純益連續虧損或最近一年度每股淨值低於面額者	配置資安長及至少一名資安專責人員
階段三	未設定	非第一階段及第二階段之上市櫃公司	鼓勵至少一名資安專責人員

資料來源:臺灣金融監督管理委員會,資策會 MIC 經濟部 ITIS 研究團隊整理,2023 年 9 月

1. 金融業資訊安全

金融機構積極發展數位轉型,多數金融業者建立網路銀行等 App、數位 KYC(Know Your Customer)、Open API 等數位金融應用,不僅內部的資安防護,也擴及與外部第三方資訊服業者的合作,增加數位資安的風險。2023 年 2 月金融業首度召開金融機構資安長聯繫會議,共有 79 家銀行業、證券業、保險業等金融相關產業進行產業資安議題交流,著重的議題包含以下三項重點:

(1) 敏感資料防護:強化客戶個人的敏感資料防護,如個資、存款、交易、保單等資料防洩。

(2) 科技應用風險:金融業近年積極採用雲端、人工智慧等技術以提升營運效率,而針對新興科技的採用,需要配備足夠的資安管理及防護機制,並進行風險管控。

(3) 資安韌性:針對跨金融機構間的資安威脅情資共享,共同防護

外部的資安威脅。

資安防護議題逐漸獲得金融產業的重視，將提升國內資安威脅情資、企業內部個資意識教育訓練服務及第三方供應鏈資訊安全管理等資安領域的需求。

2. 製造業資訊安全

近年國內電子製造及半導體製造產業受到全球矚目，也成為駭客的攻擊目標，受到勒索病毒感染的案件層出不窮，其中不乏全球知名的製造業龍頭業者。根據趨勢科技（TrendMicro）於「2022 年度網路資安報告（2022 Annual Cybersecurity Report）」中統計，趨勢科技全球威脅情報網中（Smart Protection Network），製造業為資安威脅數量第二多的產業（略低於政府機關），約為 27.6 萬次。

隨著製造生產機具的聯網，讓製造現場成為駭客攻擊目標，企業為追求生產效率，經常忽略機臺的資安防護韌體更新，導致製造業在資安防護上，面臨機臺的基礎防護不足及更新迭代不易的問題。針對工控領域的資訊安全防護需求與企業內部資訊安全防護有根本上的差異，製造業者對於工控領域的資安防護仍有不少的改善空間，需要提升企業內部資安團隊對於工控環境的熟悉程度，並提升製造現場操作人員的資安意識。

3. 商業服務業資訊安全

疫情期間的移動管制及低接觸措施，加速國內商業及服務業的數位轉型發展，許多實體店面業者增加網路電商，並開發出多個應用程式提供客戶服務，增加資訊安全的風險。由於零售及量販等業者，經常掌握大量的會員個人資料及交易資訊，若資料防護管理不當，將可能造成民眾的生命財產損失。臺灣經濟部也預告即將推出「綜合商品零售業個人資料檔案安全維護管理辦法」，要求資本額新臺幣 1 千萬元以上的零售業者，須建立會員個資的安全維護計畫，並透過專人進行維護，針對大量會員資料的個資安全管理成為零售業在資安防護的重點項目。

4. 政府機構資安防護

於 2022 年行政院國家資通安全會報中，提及零信任資安將會依照「身分識別」、「設備識別」、「信任推斷」三大核心機制，導入國內的 A 級公務機關中。

(1) 身分識別：以生物辨識進行無密碼的雙因子識別技術。

(2) 設備識別：基於信任平臺模組之設備識別，並進行設備的狀態管理。

(3) 信任推斷：綜合設備的狀態、資安威脅情資及使用者的環境等資訊，動態調整存取的權限。

政府機構的推動作為企業資訊安全防護的示範，成為企業在規劃資訊安全策略的參考依據，除了政府機構的資安需求外，也有助於帶動國內民間企業在資安防護的投入，提高信任授權的管理精細度及彈性，將有助於身分識別管理、端點安全、授權管理等資訊安全產品及服務提升。

（三）國際大廠動態

全球資訊安全廠商包含以防毒軟體產品聞名的 Gen Digital（Symantec 及 Norton 前身）、McAfee、趨勢科技（Trend Micro）、Kaspersky；企業資安防護業者 Cisco、IBM Security；雲端資安的 Check Point Software Technologies。

1. 精準的 CDN 資訊安全防護

內容傳遞網路（Content Delivery Network）為使用者端及伺服器的中繼站，在巨大流量的服務中，業者能夠透過 CDN 網路排除惡意流量，確保伺服器的資源及頻寬，目前資訊安全業者所推出的 CDN 防護提供第三層（網路層）、第四層（傳輸層）的網路攻擊外，亦提供第七層（應用程式層）的防護。

由於攻擊流量及正常流量難以區分，尤其在第七層的攻擊中，機器人的請求難以判斷是否為虛假流量，資訊安全業者透過針對來源

流量的分析並更新網頁應用程式防火牆（Web Application Firewall, WAF）的規則，能夠更加精準地排除掉非法的流量來源，提供 Tb 等級的 DDoS 流量清洗服務，避免企業營運中斷。

2. 容器開發及雲端搬遷資安

隨著企業將更多的應用程式及工作附載搬遷至雲端環境中，亦快速提升雲端安全的需求，且容器的需求快速增加，針對容器環境的資安防護也成為業者發展的重點，國際資訊安全業者推出針對雲端的資訊安全防護解決方案，結合雲端搬遷及威脅偵測等資安解決方案，確保企業在雲端環境的安全性。

(1) 雲端搬遷安全：協助企業的應用程式、資料庫及各種服務從傳統本機端搬遷至雲端中，包含搬遷前的策略擬定、搬遷後的安全監控及檢測服務，確保企業在上雲過程的資料安全防護。

(2) 法規遵循：提供跨產業、跨國家的雲端法規遵循服務，協助企業在各種公有雲及私有雲的環境中達成特定法規的資安防護要求。

(3) 雲端威脅情資偵測：分析 log 紀錄、封包等資訊，透過機器學習提供雲端安全鑑識服務，確保企業能夠即時獲得威脅情資。

(4) 開發安全：針對開發過程的資訊安全，防護程式碼等企業安全架構，提供包含程式碼外洩威脅偵測、程式碼檢測、資料防洩等資安解決方案。

3. 零信任資安

混合式的辦公模式及混合雲端架構模式成為主流，企業難以再透過內、外網隔離的方式進行資安防護，加諸 APT 的攻擊模式讓企業更難以防禦，為確保在混合雲的環境中提供足夠的資安防護，零信任的資安策略成為企業發展的重要主軸。

零信任架構在任何存取之前，皆需要有安全評估，才能提供信任及授權，因此針對各個異地端點的資訊安全防護受到企業的重視，國際資安業者在端點資安防護上，透過自建產品或是合作的方式，朝向

整合性資安解決方案發展，提供用戶端、伺服器端、電子郵件、雲端的整合式產品，讓每個端點都獲得足夠的資訊安全防護，企業的資安團隊亦能透過單一介面進行資安風險的管理，確保各端點不會成為資安的漏洞。

(1) 網頁安全及持續監控：針對網路流量進行過濾及風險識別，確保來自網頁的資安威脅能夠快速地偵測及回應。

(2) 端點偵測及回應：透過資料的分析協助資訊安全團隊快速偵測網路攻擊，避免進一步在端點內擴散。

(3) 防火牆：透過機器學習等技術即時監控網路威脅。

(4) 身分識別與存取管理：提供跨網域的威脅偵測，進行 log 等資料的分析，避免外部的威脅。

(5) 電子郵件安全：提供來自電子郵件的威脅防護。

零信任架構隨著工作習慣、科技及技術發展、資安威脅的變化而持續調整，仰賴多個專案及分階段的導入，並與企業的營運模式整合，為企業資安提供更加完整的資安防護。

（四）臺灣大廠動態

隨著國內企業及民眾在資安意識的提升，臺灣的資訊安全業者快速的發展，國內資訊安全業者以提供資訊安全顧問、資安服務、代理國外資訊安全產品為主，並結合垂直領域的專業及資安顧問服務，協助國內業者建置資訊安全防護。

1. 車聯網資安

隨著電動車快速的發展，車內聯網的安全亦受到資安業者重視，國內資安業者與國內外的車聯網組織及協會合作，並結合車輛安全的法人團隊，發展車聯網的資訊安全服務。國內的資安業者趨勢科技將其內部的車聯網資安業務獨立成為新公司 Vic One，布局未來的車用資安市場，推出包含車用資安監控中心、車內資安、韌體更新、供應鏈安全、漏洞檢測服務。

(1) 遠端更新：業者依照國際標準 ISO 24089 及 ECE R156 規範建置，針對車載設備或是車輛運算裝置的遠端更新服務。

(2) 漏洞檢測服務：除了韌體更新外，國內資安業者亦推出針對車聯網的漏洞檢測服務，針對車載系統的弱點掃描、通訊網路測試及開源軟體風險管理等，確保汽車內的聯網裝置的漏洞及風險排除，在釀成安全危害前盡速排除。

(3) 車內資安：國內業者也開發出針對車內裝置的嵌入式防護軟體，透過軟體的設計提供車內網路的安全防護。

2. 資安人才培育服務

臺灣資訊安全人才需求相當高，隨著「上市櫃公司資通安全管理措施」的推出，讓各產業對於資安人才的需求快速上升，唯資安人才養成困難。為因應資安人力缺乏的問題，國內資安業者推出資訊安全人才的培訓服務，培訓具有實戰經驗的產業資安人才，同時供企業職務的培訓需求。

(1) 一般員工資安意識提升：面對日益提升的資安風險，企業資安防護需要內部員工整體資安意識的提升，國內資安業者提供企業資訊教育訓練委外、企業員工資安意識教育，並建立員工在資安危害事件處理及通報流程等，提高企業整體資安意識。

(2) 專業資安人員培訓：提供專案專才在垂直領域的資安專業培訓，如透過滲透測試、紅軍及藍軍模擬資安攻防演練等，找出企業目前所欠缺的資安能力，進一步提升企業的資安防護專業能力。

(3) 大學建立產學合作課程：除了產業培訓外，國內資安業者亦與大學共同合作開立資安學程，提供資訊安全實務及應用的課程，學生能夠實際進行社交工程演練、網站弱點掃描等，讓學界及產業界的需求接軌。

3. 零信任資安架構

國內資安業者結合國外資安大廠的產品與服務，提供雲端零信任資訊安全服務，亦結合業者在垂直領域的專業經驗，協助企業快速

建立零信任資安的機制,搭配數位發展部所推動的「零信任架構」計畫,提供給政府公部門、金融、電信、醫療等產業資安的解決方案,建立資安防護機制。

國內資安業者透過一站式的資安服務,針對ISO／IEC 27001的資安技術及資訊系統原則,將零信任資訊安全系統導入服務,確保企業資安系統能夠有效的運用,包含:

(1) 現況診斷:評估企業目前資訊資產及現況。

(2) 風險評估及管理:針對盤點的資產進行風險評鑑。

(3) 建立資訊安全系統:依據前階段的風險評估及差異分系,進行資訊安全系統導入。

(4) 制度落實與實施:系統導入後建立與系統結合的管理制度及相關文件。

(5) 稽核及驗證:進行實機驗證及稽核,確保系統上線。

國內資安業者提供完整的資安導入服務,確保企業符合資安法規要求,以能夠具備足夠的資安防護能力,並搭配垂直領域的經驗結合,與客戶發展成資安夥伴關係。

(五)未來展望

企業數位化發展需求直接影響資訊安全的市場,企業透過人工智慧、雲端、物聯網等工具提升企業的營運效率的同時,資訊安全風險亦隨之增加,企業需要更加完整及全面的資安防護,提高營運韌性。此外,民眾對於個人資料防護重視程度持續提升,促使企業在資料防護的資安投入,避免因為資料外洩事件而影響企業營運甚至造成客戶生命財產損失或信任程度降低。

在資安產品發展上,隨著機器學習及人工智慧的快速發展,相較於過去規則型(Rule-Based)的資訊安全產品,未來透過人工智慧能夠更加主動以及有效的防護未知的潛在資安威脅,主要應用包含:身分識別、威脅偵測、自動回應及修復、行為分析,資訊安全的技術朝向智慧化及自動化發展,提升企業資訊系統的防護及韌性。

未來資安人才缺乏已成為產業可預見的事實，專業的資訊安全人才培訓不易，企業面臨日益嚴重的資安威脅，加諸政府法規遵循的需求，需要足夠的資安人力才能符合企業當前的需求。企業面臨的駭客攻擊相當多元，亦受到 APT 攻擊以及社交工程等，新興的資安攻擊不斷出現，業者期望專業的資安人才確保企業的營運安全，需要產業界及學界投入更多的資源在資安領域上，協助國內資安產業健全的發展。

第四章 焦點議題探討

一、氣候科技發展趨勢

（一）市場趨勢

根據 2021 年「聯合國氣候變化框架公約」報告指出，依照碳排放趨勢，全球氣溫到 2030 年將較工業革命前上升攝氏 2.7 度，遠超「巴黎協定」訂下不超過攝氏 1.5 度之目標。2021 年聯合國氣候大會（COP26）通過 2030 年要減少 45%碳排之目標，這使得 ESG 成為各國政府與企業在疫情後必須要面對的問題。我國政府則設定 2030 年需較 2005 年減碳 20%之目標、2050 年淨零轉型、淨零碳排入法等政策；金管會亦發展「上市櫃公司永續發展路徑圖」，要求大中小型上市櫃公司分批進行溫室氣體排放查證等。

2022 年為期兩週以上的 COP27 聯合國氣候大會中，催生氣候窮國的氣候損失與損害基金。儘管對於基金成立需要的時間、人力、建立制度準則、資金來源等相關細節要到 2023 年才繼續討論。但預估全球的氣候損失及損害將高達 290 億至 5,800 億美元，且大多集中在開發中國家，將渴望帶來綠色金融及氣候科技投資的趨勢。

氣候科技（Climate Technology）成為新興投資趨勢之原因在於面臨許多氣候變遷、氣候損害的問題，將有賴新興科技的協助以加速減少碳排、氣候影響。麥肯錫預估到 2025 年，氣候科技每年可吸引 1.5 兆至 2 兆美元的資本投資，以減少 2050 年的 40%溫室氣體排放。BCG 預估為減少排放並避免氣候變化的最壞影響，需要在氣候科技上花費 3.5 兆美元。以此，氣候科技充滿商機與機會。

氣候科技在範疇上，BCG 圈定八項新興技術，包括電動汽車、清潔鋼鐵、綠色水泥、可持續航空燃料、直接空氣捕獲、低碳氫、長期儲能、先進的小型核反應爐；麥肯錫則從產業端來看，包含交通、建築和工業電氣化、啟動下一次農業綠色革命、改造電網以提供清潔電力、兌現氫的承諾擴大碳捕捉、使用和儲存等。

1. 交通、建築和工業電氣化

　　碳、石油和天然氣一直是用於為建築物、工業機器和車輛提供動力的主要燃料，實現淨零排放需要對現在使用碳氫化合物運行的大多數設備和製程進行電氣化，並將電力系統轉換為可再生能源。相關技術包含性能更好的電動汽車電池、電池控制軟體、LED 照明、高效能源控制等技術以提高建築物的能源效率、減少工業的用電、熱能的需求或者汰換耗能設備等。預估至 2025 年，上述領域的年度投資金額將達 7,000 億至 1 兆美元。

2. 農業綠色革命

　　農業占全球溫室氣體排放量 20%，其中最重要的溫室氣體是甲烷，升溫能力是 CO_2 的許多倍。減少農業的甲烷排放將需要對社會耕作、飲食、管理供應、廢棄等做出改變，亦是氣候科技可介入的空間，如：拖拉機、收割機和烘乾機等化石燃料設備轉為零排放電動設備；利用植物替代肉類以減少來自牛、羊和其他反芻動物消化過程的甲烷排放；透過改變動物的消化過程來抑制甲烷的產生的飼料補充劑和替代品；糞便處理減少排放、產生沼氣成為可再生的天然氣；利用生物工程技術提高農業生產力和碳封存等。預估至 2025 年，農業綠色革命的年度投資金額將達 4,000 至 6,000 億美元。

3. 清潔電力

　　許多電網陳舊、低效率、碳密集，需要透過電網現代化建構零碳電力網路，措施包含：可再生能源升級、增加儲能、管理太陽能與風電。另一方面，透過更先進的電力運用控制方法，提高目前低於 50% 的利用率，或利用軟體與通訊技術，建立分散式的數位電網，管理各地不一致的電力需求與供應，提高電力運用效率、電網災害復原能力等。分散式的數位電網亦不限制在公用事業，包含車輛、工廠、家庭建築皆可能是儲能的地方，利用數位化控制與傳輸能力，建立更有效率的電力交換網路，並善用電力資源，建構電力交換市場。此外，核融合技術成為新一代核能電力的來源，亦成為巨大的發展投資技術；

鈣鈦礦、石墨烯等高效材料的電池技術，則成為未來清潔電力的技術投資方向。清潔電力領域的年度投資預估將達 2,000 到 2,500 億美元。

4. 氫氣新能源利用

氫可作為具有許多應用的清潔能源或燃料成分，包含航空和航運、工業、建築和公路運輸等各領域，以替代電動車的不足之處。例如：鋼鐵生產在製程中使用綠色氫，是實現零碳鋼的一種途徑；此外，航空利用氫氣燃料或混合氫氣的燃料，以減少碳排。預估年投資金額將達 500 至 1,000 億美元。

5. 碳捕捉

碳捕捉、使用與封存技術能協助難以減排的行業，進行脫碳及去除大氣中既有的 CO_2。儘管現在技術還不成熟，但已經有許多化石燃料、電力公司積極研發與投資，降低本身的碳排及創造未來的新營收。

(二) 應用機會

以下探討數位科技所帶來的機會與新創應用案例。

1. 智慧交通

雖然交通運輸占人類活動的溫室氣體排放約 16%，並非最關鍵的碳排活動，但由於電動車、自駕車等技術的持續進步，使得交通運輸成為氣候科技中投資最多的科技。例如：印度 Dandera Technologies 發展小型貨物運送電動車，解決最後一哩路的綠色貨物運輸；Dandera Technologies 電動貨車可以更換電池，並提供車隊管理、維修跟蹤、司機管理、GPS 導航、事故警報等 App 數位服務，滿足車隊、駕駛人的管理。

2. 智慧建築

建築物消耗大量的能源，並產生大量碳排放，主要來自於冷卻、供暖的空調系統。最常見的新創解決方案來自於利用建築數位管理系統，搭配物聯網、機器學習技術等，隨時監控建築物裡的電力、空

調的狀況，以降低碳排。例如：英國新創公司 learnd 提供建築數位管理系統，協助監控能源消耗狀況；分析天氣、設備、使用人員的改變；並建議優化方式。learnd 提供建築管理系統，利用能源消耗資料，識別個別建築物和園區的低效率情況，例如運行不佳的供暖系統。learnd 亦與零件供應商建立合作夥伴關係，以升級、維護和監控建築系統，為業主提供建築效能及服務，同時減少建築碳排放及能源成本。

3. 智慧製造

製造水泥、鋼鐵、塑膠等產品的過程當中，工業製造產生人類活動 31%的溫室氣體排放。其中，製造中最重要的就是能源的耗用。能源管理透過智慧電錶、感測器蒐集資料，可以精細到機器設備、生產過程等，並提供管理人員的視覺化監控及統計分析。進一步透過資料彙整，可以分析全球工廠的能源成本趨勢及花費型態，以提供最佳化能源分析。此外，製程創新為另一項最受矚目的方向。例如：聯合利華杜拜廠將生產計畫、物料管理、自動化控制、ERP 系統集中在雲端運算平臺，並透過具備 RFID、QR Code、物聯網連結的設備進行分析。透過資料分析，聯合利華能將生產順序最佳化、減少換線、提高設備利用率，並減少水資源的利用。

4. 智慧農業

耕種養殖占人類活動 19%的溫室氣體排放，利用數位技術主要協助農場減少水、減少浪費、減少環境衝擊。例如：Prospera 發展一種可移動的灑水器，上面安裝熱成像攝影機，可以辨識哪些植物被曬乾（檢視植物毛細孔）以進行灌溉，進一步能透過溫度、降雨量、土壤品質和其他變量資料蒐集與學習，能更精準地確定噴灑和澆灌作物的時間和數量；IronOx 建立自動化培育的溫室農場，利用機器人、人工智慧以確保每株植物皆能獲得最佳的陽光、水和營養，並將種植過程最佳化，使用更少的水、能源及二氧化碳排放，甚至能達到負碳排放。

資料來源：Prospera，資策會 MIC 經濟部 ITIS 研究團隊整理，2023 年 9 月

圖 4-1 熱成像技術協助精準灌溉

5. 智慧能源

　　用電占人類活動溫室氣體排放的 27%，主要原因來自於化石燃料的大量使用。數位技術協助能源監控、需量反應、能源交易。在能源供給方，透過設備資產的監控，強化維修效率乃至於預防性維修，減少設備運作效率不佳造成的多餘能源耗用、碳排放；在能源需求方，透過智慧電錶監控大樓、工廠設備的電力消耗，進一步淘汰耗能怪獸及最佳化用電時間或設備運作。例如：Exodus Technologies 發展具有本地發電裝置的房屋、大樓，透過智慧手機 App 進行能源生產、消耗和儲存水準的監控，進一步可以與其他消費者銷售多餘能源並轉移到電網中。

（三）臺灣產業機會

　　氣候科技及 ESG 數位轉型議題，將提供資服業者龐大的發展機會，包含碳排紀錄、碳排資料分析、減碳計畫等。就目前市場觀察，臺灣資服業仍多在一般的碳盤查盤點與簡單可視化應用，應更深入到實際的各行業減碳數位化產品服務發展。以下分析臺灣資服產業的機會與挑戰：

1. 系統整合

　　許多系統整合業者，已積極跨入 ESG 碳排計算、能源管理、碳排放管理等，進一步進入廢水廢排的能源消耗管理、綠電儲能使用、碳權交易等。建議系統整合業者針對不同行業別，如鋼鐵業、金屬加工、電子業、紡織業、交通運輸、電力管理、農業等，深入不同永續議題需求進行發展，提供行業別的減碳數位管理系統。

2. 套裝軟體

　　數位化 ESG 議題可望進入企業各項營運的層面，既有的 CRM、ERP、SRM，甚至 PLM 等套裝軟體應融入各項供應商綠色管理、永續資源分析、永續顧客管理乃至於職場環安衛等議題，以滿足企業營運各環境的永續法規遵循、減碳需求。

3. 雲端運算

　　對於雲端運算服務業者而言，ESG 議題特別著重在跨企業、集團、供應鏈等永續資料透明及建立資料分享的平臺。在單一組織的碳排計算數位方案獲得解決後，緊接而來的將是範疇1、範疇3的供應鏈、員工、顧客的永續資料分享或循環經濟發展。此外，雲端運算服務本身即具備減碳議題，雲端運算服務業者可強調雲端運算的減碳排效益，並鼓勵企業將相關軟體服務轉移至雲端運算平臺。展望長期趨勢，雲端運算服務業者將持續從 ESG 議題上獲益，但要關注資料中心帶來用電、用水資源耗用。

4. 資訊安全

　　隨著愈來愈多服務進入雲端運算服務、永續數位方案的電力、廠務、設備監控，將持續產生感測器、物聯網乃至於資料洩漏的潛在風險，將提供資訊安全服務業者更多的商機。資訊安全業者也應更進一步強化物聯網相關資訊安全保護方案，並將資安拉高到 ESG 的數位治理層級，以說服企業積極採用各項服務，防止資安風險、資料隱私等風險。

5. 資訊委外

隨著人力短缺及 ChatGPT 等高度人工智慧發展，資訊委外業者可在 ESG 的議題下提供各項訂閱服務、設備即服務、永續即服務等，降低企業建立 ESG 服務的成本。

二、綠色金融科技發展趨勢

（一）市場趨勢

ESG（Environmental、Social、Governance）永續議題的發展與金融體系、金融科技息息相關。ESG 積極發展來自於 2010 年代，原因為 2008 年金融危機之後，市場呼籲要恢復資本市場信任，必須重視公司治理的改革、專注董事會監督和問責制法律等。因此，ESG 被納入一項公司治理要素，亦即「非財務指標」。

近期，2021 年聯合國氣候大會（COP26）的氣候行動政策發展，使得企業必須面對更多非財務責任，朝向兼顧股東（Shareholder）與利害關係人（Stakeholder）的利益發展。因此，美國三大信用評等機構穆迪、惠譽及標準普爾，將 ESG 納入評估模型；華爾街於 2019 年亦開始推出 ESG 相關投資指數。此外，聯合國永續發展證券交易所計畫（SSE），除了持續向投資人推廣責任投資源則（PRI）外，亦持續推動全球各交易所加強對上市公司 ESG 表現及相關資訊揭露的責任；臺灣則於 2022 年陸續推出永續指數、ESG 永續基金。

2021 年，聯合國 COP26 會議聚集 450 家金融機構，預計將投資 130 兆美元於淨零排放發展。2022 年，聯合國 COP27 會議更宣布將發展氣候窮國的氣候損失與損害基金，從金融投資著手。2022 年，我國金管會宣布「綠色金融行動方案 3.0」，期望金融業協助企業低碳轉型。資金引導到永續作為的公司、技術方案、材料發明等，將是我們面對氣候變遷的必要手段之一。預估至 2025 年，ESG 資產全球投資將達到 53 億美元，占所有投資資產的三分之一；綠色債券亦持續發展。

不過將 ESG 與金融市場掛勾，也產生「漂綠」的欺詐行為。2022 年，高盛資產管理公司管理的數個基金中，涉嫌誤導具有清潔能源或

ESG，遭罰款 400 萬美元；大眾汽車 2015 年涉嫌在柴油車上安裝裝置使得氮氧化物排放量看起來達標，實際上超過標準的 40 倍，被美國環保署罰款 28 億美元。

面臨這種資本市場重新評估、非財務責任發展、氣候變遷投資的社經轉型情勢及漂綠欺詐行為，金融科技扮演重要的角色。綠色金融科技（Green Fintech）或氣候金融科技（Climate Fintech）係指：「將科技創新引入到金融作業流程、產品中，以支持永續發展目標或減少永續風險」。綠色金融科技不僅包含創新，亦肩負著監理的角色，作為監理科技（Regtech）的一環。穆迪、標準普爾和 MSCI 等公司皆建立自己的 ESG 評級工具，協助投資者進行更好的綠色投資組合；荷蘭銀行集團 ING 亦協助其銀行客戶試用碳追蹤功能，提供客戶按支出類別，針對其收入和支出進行分組，並提供客戶各項支出的二氧化碳排放量的估算值，客戶還會收到碳影響狀況，並了解每個人碳足跡與荷蘭全國平均水平比較情況。

綠色數位金融聯盟將綠色金融科技分為幾種類型：

1. 綠色數位支付：將環境、社會和治理（ESG）因素及碳排放量計算整合到消費和支付過程中，旨在促進更可持續的消費模式和支付行為。主要的實施策略包括根據每筆交易自動計算其水足跡和碳足跡，或者透過如植樹等環境友善的外部活動來自動抵消碳排放。

2. 綠色數位投資：透過數位平臺協助投資進行綠色計畫發展與投資，以自動化協助更有效率的綠色投資，主要作法包含透過自動化進行綠色資產的交換、綠色投資建議、綠色投資組合、投資環境風險分析。

3. ESG 資料分析：協助企業進行 ESG 碳排分析並自動導引減碳產品、碳權交換、減碳指標衡量等，主要作法包含利用資料進行綠色信用分析、自動化計算 ESG 指標、數位綠色索引等。

4. 綠色數位眾籌：透過平臺導引個人或投資機構投資永續的計畫或標的，以對接計畫與投資群眾，主要作法包含綠色眾籌投資、借貸、捐獻等。

5. 綠色資料風險：協助最佳化管理綠色保險產品服務並減少氣候風險帶來的財產、生命損失，主要作法包含自動化評估與監視、數位綠色保險、綠色資產自動定價、物聯網資產的保險監視、綠色智慧契約等。

6. 綠色數位存貸：導引存款、借貸資金到更具永續價值的目標以影響投資行為，主要作法包含數位借貸、自動監視、綠色融資等。

7. 綠色數位資產：利用數位虛擬權利或加密貨幣協助進行碳權交換、綠色交易等，主要作法包含綠色權杖獎勵、信用、綠色加密貨幣消費等。

8. 綠色監管：運用數位科技協助滿足監管機構的要求、報告產生等，主要作法包含利用數位科技進行法規報告產出、透過自然語言監視公司綠色行為等。

（二）應用機會

隨著綠色金融科技持續發展，將可發現以下幾個不同面向的商機，提供資服務業、金融業乃至於各行業的應用機會參考。

1. 永續消費

如何改變習慣以達到減碳是最困難的挑戰，金融科技能協助消費改變行為。例如：Aspiration 新創公司提供綠色信用卡，若消費者購買「良心聯盟」商店，每月將返回 3-10%的現金回饋；此外，消費者加油消費時，Aspiration 信用卡亦會自動投資補償方案，以應對消費者消耗汽油對氣候的影響，已抵消 3 萬 6,548 公噸的二氧化碳排放；Doconomy 為一家瑞典的金融科技新創公司，透過建立一個名為 Aland Index 的碳指數服務方案，計算各種金融交易行為對於碳排放、水資源消耗的影響，以計算環境的成本。基於這樣的指數方案，

Doconomy 提供給金融服務商計算消費者數位交易行為的環境成本,亦可提供給品牌商計算其產品的碳足跡。

資料來源:Doconomy,資策會 MIC 經濟部 ITIS 研究團隊整理,2023 年 9 月

圖 4-2　Doconomy 碳指數服務

2. 影響投資

　　不僅是影響消費者行為,進一步促使消費者、企業對綠色、永續的公司進行投資。例如 inyova 為瑞士的新創投資平臺,協助消費者根據再生能源、未來交通、循環經濟或農業食物等興趣領域等,建議適當的標的進行投資。這些投資標的來自於全球上市公司股票、政府債券等,並依據投資組合理論將資金放在 30 種以上標的,並分散到不同的行業、國家等,以分散風險。此外,透過網路群眾力量,引導投資到更多永續方案上。又如 bettervest 眾籌新創平臺,讓投資者可以投資全世界各項綠色、永續專案,並能定期追蹤專案進度,回報率有 7%以上。

3. 風險轉移

面對氣候變遷，能利用保險金融科技協助產業進行風險轉移。例如 Jupiter Intelligence 公司透過全球的高溫、風暴、降雨模型及衛星資料、地區土地使用資訊等分析，協助企業對洪水、強風、野火等引起的資產、設施的風險進行承保定價；CelsiusPro 專注於農業、畜牧業等行業，利用感測器、物聯網技術，協助農場進行風險事件偵測與自動評估是否達到約定狀況，自動補償農民損失。

4. 衍生交易

金融行業最創新的作法為將實體資產、信用、權利轉換成衍生性商品以進行交易，促進投資。例如：TreeCycle 新創公司把實體樹的資產轉換為 TreeCoin 的數位資產，運用區塊鏈技術進行交易，報酬率有 9.5%；Toucan 新創將可再生能源、土壤復育、森林種植等專案的碳權轉換為 NFT 進行交易，這些數位資產具有升值空間，能激勵投資者對減碳專案的投資與交易；CEEZER 建立全球碳權交易平臺，提供買家探索與購買相關碳權並能優化投資組合。

資料來源：CEEZER，資策會 MIC 經濟部 ITIS 研究團隊整理，2023 年 9 月

圖 4-3　CEEZER 碳權交易平臺服務

5. 供應鏈分析

利用區塊鏈、雲端等技術監控供應鏈上下游的綠色風險。例如 Circulor 使用區塊鏈和物聯網來追蹤材料到成品的來源、製造狀況、碳排放等，幫助製造商和供應商建立透明的供應鏈。材料供應商、製造商將資料輸入 Circulor 雲端平臺，紀錄到無法更改的區塊鏈分類賬上，滿足公司對環境和社會努力加強問責制的呼籲、ESG 目標；Sourceful 提供各種永續包裝的平臺，協助企業選擇各種永續包裝，並讓企業持續追蹤材料／包裝／運送的碳排計算及包裝庫存管理。

6. 綠色監管

面對漂綠行為，金融科技新創發展相關技術與服務，協助消費者、金融業辨認風險並確保法規遵循等。例如 Greenomy 為一家協助企業、信貸機構和資產管理公司，衡量、披露永續性並滿足歐盟分類、SFDR（歐盟永續投資規範）、NFRD／CSRD（歐盟企業永續報告規範）、EET 及新興 ESG 標準的報告平臺。對於投資者，能協助篩選符合規範的投資組合；對於貸款方，能將 ESG 因素融入貸款的整個生命週期，從貸款申請和客戶盡職調查到定期貸款審查分析風險。又如：Clarity AI 則利用自然語言技術、風險分析模型等，協助分析投資組合公司的 ESG 風險、是否牽涉醜聞或負面消息等，並彙整成不同面向的指標，讓企業、投資者能夠分析某公司的 ESG 影響與風險及是否滿足各區域的綠色法規監管需求等。

（三）臺灣產業機會

基於 ESG、綠色的法規要求及投資機會，綠色金融與氣候科技一樣將持續地蓬勃發展。對於臺灣資訊服務業者而言，將有以下機會與挑戰：

1. 系統整合

綠色金融科技以銀行、保險等為核心，並結合物聯網資產資料、智慧化影像監控、自然語言分析等多方資料進行蒐集。以此，對於系統整合業者來說，將有許多異質系統整合機會。事實上，綠色金融科

技發展的是一種新的商業模式的服務，系統整合業者若要切入這塊商機必須積極與金融業、設備業及各產業合作，以建構新服務體系。

2. 雲端運算

綠色金融科技發展為一個跨產業的消費、借貸、投資等行為的資料分析與法規遵循，將運行在雲端運算服務上。因此，對於雲端運算服務業者而言，需要進行跨產業合作，以拉近金融業、各產業進入到雲端服務的平臺生態系上。長期而言，雲端運算及物聯網將持續受惠於聯網監控、透明化的服務而持續發展，但需要注意資訊安全、資料外洩的議題。

3. 套裝軟體

套裝軟體業者在綠色金融上，需思考與物聯網、雲端服務等相互連結，能夠持續交換外界的法規遵循、綠色事件、資產監控等各種資料，以進行相關的計算或顯示。例如資產管理軟體可以連結物聯網設備持續進行綠色資產監視，並將分析結果資料交換給金融體系等。套裝軟體可部署在雲端或企業內部伺服器上，同樣要注意資料交換帶來的資訊安全威脅。

4. 資訊委外

綠色金融科技帶來新的商業模式，亦會帶來新的資訊委外服務商機。例如設備資產的保險監控勢必由資訊委外業者協助保險業者進行分析以判斷後續資產損壞狀況。不過，由於物聯網、人工智慧技術等發展，資訊委外業者將更重視自動化服務的投資而非人力資源的委外作業。

5. 資訊安全

綠色金融科技將針對更多聯網設備、交易行為、交易商品或供應鏈、公司新聞事件進行監視，帶來更多資料整合及資料外洩、資訊攻擊的風險。系統整合、雲端運算、套裝軟體、資訊委外服務業者將投資更多的資訊安全保護、資料外洩防止等服務，以協助綠色金融科技服務的發展。

三、Web 3.0 發展趨勢

（一）市場趨勢

運用區塊鏈技術的比特幣、加密貨幣等，對貨幣、投資市場產生極大的影響。2022 年 11 月，全球第二大加密貨幣交易所 FTX 無預警聲請破產，引發全球投資圈大震撼。預估臺灣有高達近 60 萬人受害者，每人損失金額在 3 千至 5 千美元不等。此外，運用區塊鏈的元宇宙發展，在 Meta 創辦人祖伯克宣布太過樂觀後，區塊鏈技術是否會持續發展值得關注。

事實上，元宇宙體驗行銷、加密貨幣、NFT 非同質貨幣交易等，皆代表著背後的一個關鍵趨勢：「朝用戶為中心或者去中心化的轉變」。亦即，由社群網友自治，而不在受制於大型的 YouTube、Google 等社群網站或者金融機構的主導。

Web 3.0 是繼 Web 2.0 社群網路發展後下世代的網路趨勢，引領去中心化的發展。Web 3 去中心化網路服務模式，影響零售業、電子商務、金融業產生極大的變革，亦帶給資訊服務業新興機會。

以下針對 Web 1.0、Web 2.0、Web 3.0、4. Web 4.0、Web 5.0 網路服務模式進行比較：

1. Web 1.0

在網際網路發展後，數以千萬的網站設立，作為公司形象行銷網站或者電商網站。對於消費者來說，只能「讀」訊息、單向接受訊息，能夠回饋訊息並不多。

2. Web 2.0

1999 年之後，部落格網站發展快速，使得消費者能「讀」（接受訊息）與「寫」（發表訊息）。隨後，Twitter、YouTube、Flickr、Facebook 等社群網站開始成為人們的日常。現在，社群網站藉著廣告、電商搶奪人們的眼球亦賺進大筆營收。根據 Sandvine 在 2023 年 3 月公布的 2023 年全球互聯網現象報告顯示，2023 年 Google、Meta、Netflix、

Amazon、Microsoft 和 Apple 這六家公司控制了全球網際網路超過 47.98％的網路流量，超越其他所有公司的網路流量加總。

3. Web 3.0

Web 2.0 帶來龐大的社群網站平臺，亦帶來挑戰與負面批評，包括恣意蒐集消費者隱私、過濾消費者訊息、搜尋演算法偏見等。要求個人保有發表內容擁有權、隱私權、管理權而不被中間社群網站平臺所控制的「去中心化」，引發 Web 3.0 技術與應用受到矚目。這意味著消費者本身不僅能「讀」、「寫」，還具備管理、發布、交易、金流及其他各項應用服務的「執行」能力，而不需要全部委由網站平臺提供，讓消費者間直接點對點的溝通。

4. Web 4.0、Web 5.0

Web 4.0 可以由人工智慧代理程式進行各項訊息交換與交易；Web 5.0 則透過面部表情、腦神經情緒等進行「情感」交流。

從 Web3.0 技術角度來說，有以下幾個特性可以顛覆網路服務，帶來新的商業模式：

(1) 去中心化：透過 Web 3.0 去中心化的技術，消費者可以跳過第三方服務或支付平臺、銀行等中間商，直接進行交易、付款、投資等，改變原本服務生態系結構。

(2) 無許可的：每位消費者都有機會參與 Web 3.0 一環，不需要經過金融機構、授信單位、社群網站平臺進行審核。

(3) 本地支付：透過加密貨幣進行線上消費、交易、匯款等，不需要透過銀行、支付單位進行清算。

(4) 智慧合約：社群的交易、分享規則不需要透過中間機構的審核或裁決，可以利用人工智慧自動化處理。

(5) 所有權：數位資產的所有權真正的落實在個人身上，而非限制在遊戲、平臺上，可以進行轉移與交易。

（二）應用機會

Web 3.0 仍然還在初期探索與發展階段，以下就去中心化媒體、遊戲、零售、金融等四個先導應用進行機會探索：

1. 去中心化媒體

網路媒體已經變成寡占、獨大的媒體市場，因此透過去中心化的 Web 技術以挑戰傳統部落格、影音影片、文章分享平臺，創建創作者與需求者間的內容交易平臺。例如 Steem 新創業者發展 Steemit 部落格內容平臺、DTube 去中心化視頻平臺、Utopian 開源專案交換平臺等，超過 100 萬人進行內容創作並能從中獲取創作的利潤；Steem 內容分享機制讓內容創造者或內容策展者（即針對內容投票）的人均能取得 Steem 幣獲取利潤，出版商、線上內容企業亦可以提供獎勵給內容創造者。

又如，Viberate 為一個音樂家、演唱會乃至於販售音樂門票、交通服務等的媒合平臺，能夠同時追蹤各種平臺和媒體的藝術家統計資料，包括 Spotify、YouTube、Beatport、SoundCloud、Instagram 和 Radio Airplay，提供樂迷、唱片公司發現熱門的音樂家或作品。Viberate 亦提供樂迷可以購買現場演奏服務的交易市場，交易方式以區塊鏈形式的代幣進行交易。

2. 去中心化遊戲

遊戲、運動或賭博等遊戲化平臺為另一種常見 Web 3.0 的新創應用，例如 iqeon 為一個小型手機玩家對戰遊戲平臺，集合超過 50 種射擊、冒險的遊戲，玩家能透過玩遊戲來賺取代幣，該代幣可以兌換為各種加密貨幣或一些法定貨幣；NoLimitCoin 為運動博弈的投注平臺，利用 Web 3.0 分散式技術進行運動博弈，以避免現今少數博弈平臺掌握賽事、投注獎金及高額的投注抽佣的缺點。

3. 去中心化零售服務

網路零售上亦呈現大平臺主導小型商品業者上架的情況，如大型電子商務網站、大型人力服務網站等。因此，許多新創業者嘗試利

用 Web 3.0 技術來創造新的生態體系。例如：Swarm City 為一個廣泛服務媒合 Web 3.0 交易社群，建立一個稱為「主題標籤」（hashtags）的市場，需要服務者可打標籤（如#neearide 尋求共享乘車、#contractor 尋找水電工服務等），使用者與服務提供者均可透過交易服務而獲得名聲，方便後續他人更能信任該服務提供者。Swarm City 亦允許一群服務提供者創建專業服務社群，如水電工服務社群，方便共同提供服務。

又如 CanYa 為一個利用區塊鏈進行人力媒合的平臺，讓用戶可以在平臺上尋找兼職人才。CanYa 的人才庫主要有內容創造者、軟體開發者、設計師、財務專家、行銷人員、虛擬助理等類型，用戶可透過此平臺進行雇用，僅需支付 1%的手續費。CanYa 基於幣安（Binance）的區塊鏈進行交易，保障買賣雙方的權益。

資料來源：CanYa，資策會 MIC 經濟部 ITIS 研究團隊整理，2023 年 9 月

圖 4-4　CanYa 人才媒合平臺

4. 去中心化金融服務交易

Web 3.0 技術對金融體系影響的基礎為去中心化金融（Decentralized Finance, DeFi），DeFi 去中心化金融係指去中間商，直接提供存款、借貸、交換等金融服務。Colendi 為一家標榜「銀行即服務」（Banking as a Services）的 DeFi 去中心化金融服務新創平

臺，其建立信用評等的服務，以提供小額信貸、先買後付、信用卡付款、保險等各項服務。例如小額信貸服務讓消費者在沒有壓力的狀況下購買商品，然後在 30 天後付款或分期付款；消費者亦可根據利息的多寡，彈性安排付款方式；或者，消費者約定某個特定時間進行付款，而無須支付利息。此外，保險也是去中心化金融可以發展的領域。

又如 blocksquare 為一家專注於房地產的去中心化金融投資新創。投資者透過平臺投資全世界的相關房地產，並將部分或全部的方式來投資某個房地產標的。房地產投資人則透過該房地產投資的租金收入或房屋買賣交易來獲得投資報酬，包含收租或交易營收分配。

資料來源：blocksquare，資策會 MIC 經濟部 ITIS 研究團隊整理，2023 年 9 月

圖 4-5　blocksquare 房地產投資平臺

（三）臺灣產業機會

Web 3.0 及背後的區塊鏈、智慧合約等技術對於網路服務產生新服務生態系模式，特別針對網路媒體、遊戲運動、零售服務、金融服務等產生新的發展方式。對於臺灣資訊服務業者而言，將有以下機會與挑戰：

1. 套裝軟體

遊戲、教育等相關內容服務軟體業者已將內容數位化在網路上進行經營，如線上手遊、線上遊戲、線上教育訓練等。在疫情後，這

些數位化內容服務平臺持續受到矚目，新興 Web 3.0 議題將對於網路內容服務業者產生影響較大的發展。儘管 Web3.0 技術仍在探索階段，數位內容網路服務業者應思考如何從個人創作者、講師等進行去中心化的聚集、利潤分享以擴大數位內容生態系與創新模式。

2. 資訊委外

資訊委外業來自於人力服務提供專業服務的委外給與企業，如同前述的人力服務的去中心化提供，資訊委外業者應思考連結各種專業服務以形成專業服務生態系，滿足各項各種資訊委外服務，如：線上客戶服務、線上行銷服務、專業諮詢、程式撰寫等，以提供更彈性、更動態的服務提供。

3. 雲端運算

Web 3.0 持續帶來更多頻寬、連線的雲端運算服務需求。雲端運算服務業者可以與相關線上遊戲、線上教育 Web 3.0 新創業者合作，拓展雲端運算服務生態系。此外，雲端運算業者要進行區塊鏈的基礎建設連結或節點進駐，以進行技術的布局、生態系的合作。

4. 資訊安全

Web 3.0 技術背後是區塊鏈技術的應用之一，資訊安全業者應積極參與區塊鏈的技術發展、新創合作等。隨著 Web 3.0、元宇宙相關議題的發酵，將帶來區塊鏈的技術空間。資安業者除了與資訊服務業技術合作外，亦可積極與金融相關業者合作。

5. 系統整合

Web 3.0 發展勢必產生對於人機介面的重新定義，包含 AR／VR 穿戴式設備的整合、各種類型物聯網感測等，相關系統整合業者應積極布局這一塊的技術或引進新方案。此外，區塊鏈的發展亦值得系統整合業者積極參與，並與新創服務業者結合探索新創機會。

四、工業元宇宙發展趨勢

(一)市場趨勢

2021 年 Facebook 將母公司改名成 Meta，大力投資 AR／VR 社交平臺 Horizon Worlds、VR 頭戴裝置 Quest Pro 等。然而，2022 年 Meta 股價下跌，公司市值損失超過 6,000 億美元；VR 部門 Reality Labs 於 2022 年虧損 137 億美元。這也使得 Meta 在 2022 年進行大裁員，以挽救市場信心及降低人力成本。不過，Meta 仍認為 AR／VR 及元宇宙有長期發展機會，繼續此領域投資，預計 VR 部門 Reality Labs 於 2023 年虧損會比 2022 年更多。

此外，根據 KPMG 對於風險投資機構的調查，75%的投資者仍計畫在未來五年內維持或增加元宇宙投資；其中，有一半的投資者，單筆元宇宙投資平均在 100 至 990 萬美元之間；超過 90%的投資者則認為元宇宙是網際網路的下一階段，故持續投資。麥肯錫則預測 2030 年，元宇宙的價值將到達 5 兆美元。

不過，隨著 2022 年追捧元宇宙，投資界、科技界與企業界對於元宇宙將有更務實的看法而非科幻小說的不切實際，並逐步釐清許多關鍵迷思：

1. 不會取代真實生活：元宇宙並不會像電影「一級玩家」般讓消費者被迫在虛擬世界、真實世界上進行選擇，元宇宙與真實世界將並存及進行經濟、貨幣上的流通或交換。

2. 不僅僅是遊戲世界：元宇宙並不僅存在於遊戲世界、虛擬百貨等應用而已，將會進一步落實在零售業、建築業、製造業、汽車行業等領域而產生真實的助益。

3. 多元但連結的元宇宙世界：儘管元宇宙會依據不同的主導者創造不同世界，如 Decentraland、Roblox 等。但在技術持續發展後，將使得用戶更容易在不同世界中漫遊或連結。

4. 不僅僅是 AR／VR：元宇宙也不僅是 AR／VR 等頭戴式裝置而已，用戶能透過各種載具進入元宇宙。

5. Web 2.0／Web 3.0 並存：元宇宙不僅支持 Web 3.0 的去中心化社群平臺，傳統的 Web 2.0 社群網路亦可以支持元宇宙的應用。

6. 不局限於少數玩家：元宇宙的應用寬廣，除了年輕族群，一般工作者、銀髮群均可運用元宇宙進行互動。

因此，把元宇宙視為下一代的網際網路，成為不可避免的趨勢，才使得風險投資人仍積極地布局元宇宙相關技術與新創應用。事實上，元宇宙技術亦多元，牽涉到產業上中下游的合作，亦可以稱為是下一代網路產業。元宇宙技術至少包含以下幾種不同領域：

1. 內容與體驗：與用戶接觸的元宇宙經驗來自於內容的創造，包含遊戲、教育、旅遊、工業應用等，均來自於不同領域的協助。如何與用戶互動的場景應用，有待不同領域的軟體服務業者、系統整合商進行發展或者由社群使用者自助發展。

2. 平臺：支持用戶在不同場景內容進行瀏覽、搜尋、互動、購買等，需要元宇宙平臺進行協助。此類型的業者通常來自於雲端平臺業者提供這樣的虛擬空間進行，如 Meta、Google、Apple。部分平臺亦支持視覺化、3D 圖形的發展，以協助軟體服務業者、系統整合商發展元宇宙內容及應用，如 GPU 晶片商 NVIDIA 發展的 NVIDIA Omniverse 平臺，展示巨量圖形處理技術，包括通用場景描述（Universal Scene Description, USD）、材質定義語言和 NVIDIA RTX 即時光線追蹤技術、模擬、AI 生成技術等相互協作的平臺；該平臺提供相關工具，協助企業、應用服務廠商創造元宇宙相關內容、應用。由此可看出 NVIDIA 發展 GUI 基礎建設硬體晶片，同時提供 Omniverse 平臺協助生態系發展。

3. 支持基礎建設與硬體：支持元宇宙的基礎建設包含 AR／VR 頭盔等用戶介面、相關零組件或周邊設備等，這些硬體包含運用觸覺、手勢、聲音、腦神經等介面技術發展的穿戴式設備，以及支持大量運算的伺服器、GUI、半導體、網路等。這些均有許多臺灣電腦硬體廠商、半導體廠商等積極切入。

4. 支持軟體服務：提供資訊安全、隱私保護、身分認證、支付、

廣告等服務。

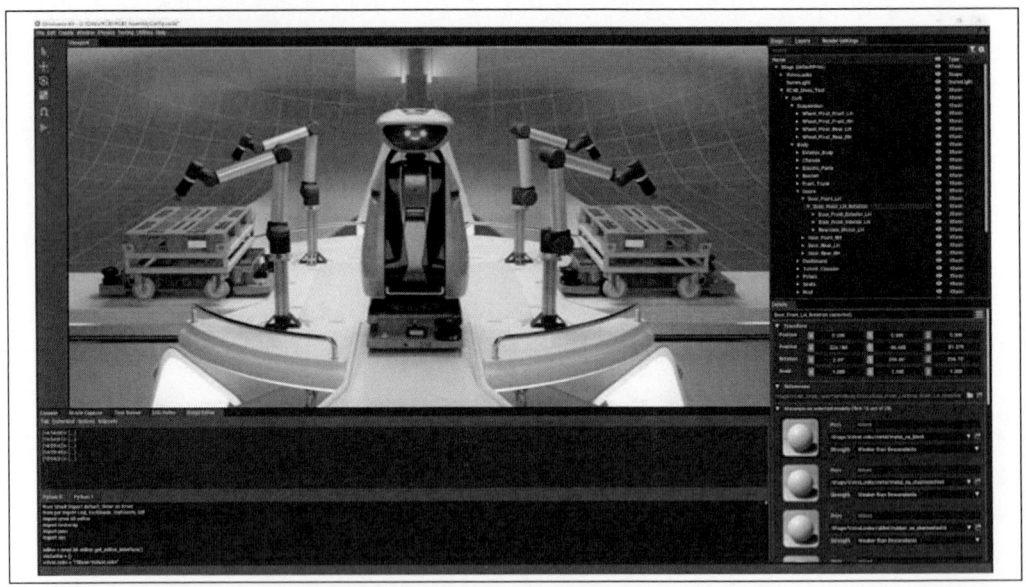

資料來源：NVIDIA，資策會 MIC 經濟部 ITIS 研究團隊整理，2023 年 9 月

圖 4-6　NVIDIA Omniverse 平臺

數項技術逐漸成熟，亦推動元宇宙持續地投資與發展：

1. 渲染引擎或 3D 技術：隨著圖形化或 3D 影像的技術持續進步，包含更細膩的聲音、觸覺等相關技術，不斷提升人們的體驗，並增加使用者接受度。這些技術不僅是晶片技術、運算能力的進步，亦是人工智慧軟體充分利用晶片技術而產生的新體驗效果。

2. 邊緣技術的發展：邊緣技術的發展，可以在靠近人們身邊的穿戴式裝置、智慧手機、小型伺服器裝置等進行運算，使得需要高度運算能力的 3D 模擬、聲音模擬等，不需要僅仰賴雲端運算的能力，降低延遲、提升沉浸式體驗。

3. 5G 寬頻技術的發展：5G 的寬頻技術協助 AR／VR 頭戴式裝置與邊緣計算伺服器、觸覺控制器及人工智慧運算裝置等，進行多方的協調與運算，讓沉浸式體驗能更流暢。

4. 周邊設備融合虛實：除了 AR／VR 頭戴式裝置外，周邊設備諸

如觸覺手套、觸覺連體衣等，能夠提供觸覺反饋並能捕抓人體運動、生物訊號等設備的發展，使得其他身體的感官與虛擬世界整合，產生更沉浸的體驗可能性。這不僅應用在遊戲上，亦可適用於訓練、工業環境等。

5. 應用軟體發展：應用軟體廠商亦積極地發展各項產業應用，亦持續帶起元宇宙的需求。例如，Microsoft 在工業領域、辦公室生產領域積極推動 AR／VR 應用；NVIDIA 設計、工業領域等提供易於發展的通用場景描述、AI 技術，滿足企業、應用服務廠商更容易創造元宇宙應用內容等。

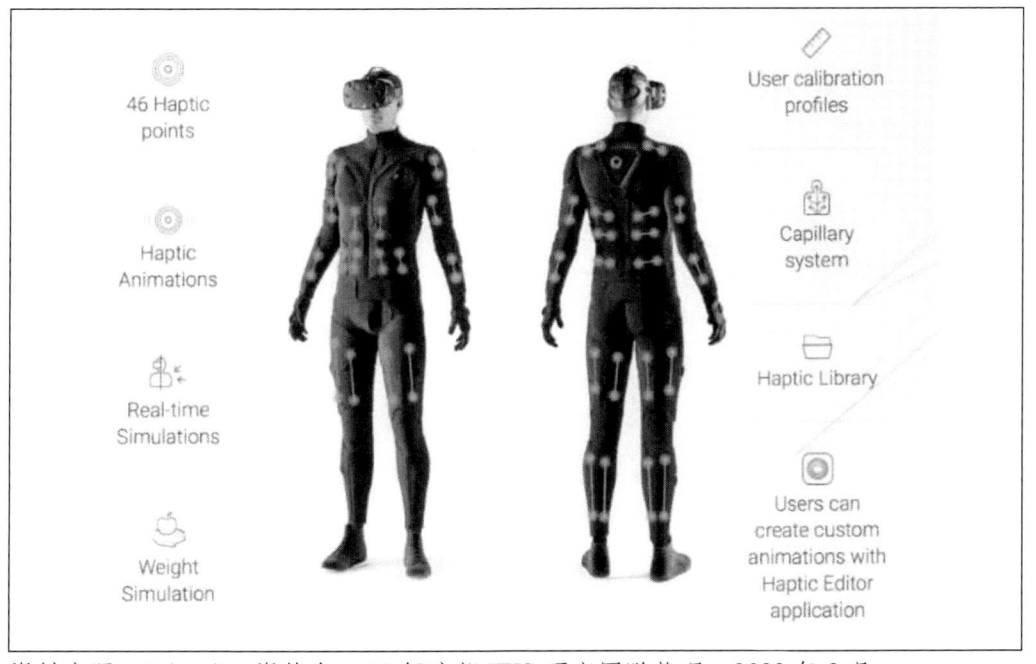

資料來源：Telasuit，資策會 MIC 經濟部 ITIS 研究團隊整理，2023 年 9 月

圖 4-7 觸覺連體衣

事實上，元宇宙由內容與經驗帶起生態系的價值；也因此，落實在各個領域上的工業元宇宙或產業元宇宙，才能真正獲取長久的價值。目前市場上能看到不同領域別的應用方向：

1. 消費領域：主要運用在零售、餐廳、家用品等行業，包含元宇宙中產品展示、個性化虛擬商店、購物經驗、居家品的設計展示或者倉庫的導覽、揀貨或庫存管理等。

2. 醫療領域：可搭配元宇宙技術進行手術輔助、病人照護、醫療 3D 立體影像、醫療訓練、居家醫療健康照護等。

3. 旅遊領域：旅遊領域包含航空服務、旅館、旅遊導覽等。元宇宙協助包含虛擬導覽、混合實境的主題遊樂園、劇場表演的輔助、多感測的體驗或互動電視等。

4. 工業領域：工業領域主要包含運用 3D 圖形工具進行自動化設計、遠端設備維護、工業安全導覽、存貨與運送等。

5. 建築領域：建築環境或房屋資產領域能利用進行建築物的虛擬導覽、建築設計、現場施工環境安全等。

6. 公共領域：利用元宇宙進行智慧城市規劃或緊急應變模擬、沉浸式教育或軍事訓練等。

7. 金融領域：銀行、投資、借貸銀行領域可以運用工業元宇宙進行沉浸式教育訓練、區塊鏈啟動的智慧合約等。

從這些應用中可以發現，工業元宇宙應用可能部分滿足 AR／VR、沉浸式體驗或者區塊鏈、虛擬分身等，並不會像是「一級玩家」或「元宇宙」這樣超前未來的想像，反而是滿足產業需求而發展的實務應用。以下分析出三大類型的應用方向：

1. 沉浸式體驗：利用 AR／VR 乃至於 MR、聲音、觸覺感測等，提供顧客沉浸式體驗。沉浸式體驗從遊樂園、遊戲、教育訓練、顧客服務，逐漸拓展至醫療業、建築現場、工業領域。

2. 多人互動：利用社群網站或 Web 3.0 去中心化、區塊鏈技術等，促成多個用戶在元宇宙的互動、交易。這些互動將輔以沉浸式體驗、虛擬分身，促使社群用戶更有趣地互動體驗。

3. 虛擬經濟：藉由區塊鏈、NFT 等技術及多樣性商業模式發展，促成元宇宙中的虛擬經濟體系，有別於傳統貨幣體系，加速流通與交換。

(二) 應用機會

第四章 焦點議題探討

工業元宇宙深入產業領域,提供了更豐富的應用與機會。以下根據價值活動,分析元宇宙的應用案例與機會:

1. 研發設計

利用 AR／VR 技術強化產品設計,提升設計效率與產品品質。例如 BMW 慕尼黑工廠,利用擴增實境 AR 技術,協助研發工程師在新原型車上檢查新設計零件是否適合;並透過虛擬零件套疊實體原型車,工程師們能試驗最適當零件組合,縮短研發時程。

2. 生產製造

利用 AR／VR 技術協助模擬生產線運作狀況,調整產線、設備或進行遠端協作,提升生產效率。例如 Mercedes-Benz 利用 VR 協助生產人員進行汽車組裝,模擬與檢視組裝品質;BMW 利用晶片商 NVIDIA 開發的 Omniverse 軟體平臺來重建雷根斯堡工廠生產線,根據不同材料的特性、模擬人類與機器手臂協同狀況等,設計最佳產線配置。

3. 行銷銷售

利用元宇宙關鍵技術 AR／VR 形成的展示空間或 NFT 等形成數據資產,支持企業進行產品行銷。例如:Nikeland 是 Nike 專門打造的元宇宙空間,利用 Roblox 平臺與粉絲見面、社交、參與促銷活動並參與一系列品牌體驗;可口可樂在一年一度的友誼日發行 NFT 收藏品,接收者可以與朋友在開放的區塊鏈上建立品牌粉絲社群。2022 年的收藏品設計靈感來自可口可樂瓶內的氣泡、象徵聯繫及團結的主題,可口可樂已創造 4,000 多種數位 NFT 收藏品。收藏者能持續收到可口可樂提供的體驗、遊戲活動及搶先體驗限量版產品發布的機會。

資料來源：Coca-Cola，資策會 MIC 經濟部 ITIS 研究團隊整理，2023 年 9 月

圖 4-8 可口可樂發行的 NFT 收藏品

4. 客戶體驗

利用元宇宙的 AR／VR 技術提升客戶、消費者的新體驗。例如 VR 新創與 HTC、Audi 汽車合作，將 VR 頭盔、虛擬實境內容與汽車車輛配合，讓汽車乘坐者可以感受到虛擬現實的場景；當乘車經過海岸線時，會有虛擬海豚向乘坐者招手。Supernatural 新創公司利用 Oculus Quest 頭盔結合運動應用程式，讓想要健身者透過網路接收遠端的專家一對一健身指導，並能置身於優美的虛擬環境與音樂中。

資料來源：Supernatural，資策會 MIC 經濟部 ITIS 研究團隊整理，2023 年 9 月

圖 4-9 健身運動沉浸式體驗

5. 人才招募

利用元宇宙相關技術進行人才招募的作業，例如 Havas 集團在 The Sandbox 元宇宙空間買地建立村莊，進行人才招募的作業，亦能提升人才招募的體驗。Havas 認為在元宇宙上透過沉浸式互動體驗，增強其客戶品牌和社群能力，並透過遊戲化機制提高粉絲和關注者的參與度，這是傳統社交媒體無法實現的地方。

資料來源：Havas，資策會 MIC 經濟部 ITIS 研究團隊整理，2023 年 9 月

圖 4-10 人才招募元宇宙

6. 新型購物

藉由元宇宙帶來的新體驗方式，零售購物亦能發展新型態購物。例如：零售新創公司 Obsess 利用 AR／VR 技術，打造互動的線上虛擬商店和展廳，為消費者提供 360 度的購物體驗；AnamXR 創造奢侈品牌的遊戲加上購物的體驗，拉近虛擬社交世界中人們和品牌的距離。

資料來源：AnamXR，資策會 MIC 經濟部 ITIS 研究團隊整理，2023 年 9 月

圖 4-11　電商購物元宇宙

（三）臺灣產業機會

　　元宇宙議題對於不僅能在線上遊戲、線上旅遊、數位行銷上發展，亦可能拓展至其他行業，成為工業元宇宙應用。但對於規模相對較小的臺灣資訊服務業者，追求尚未完全發展的技術與應用，亦有挑戰。建議臺灣業者應從沉浸式體驗、多人互動、虛擬經驗等三方面思考投入的方向，不必將所有技術全面導入。從既有的產品服務上，也能思考以下方向的產品服務發展：

- 以用戶為主的體驗：產品服務以消費者、角色的角度來設計，提高用戶性體驗。

- 虛實融合社群與空間：網路社群帶來新的體驗，進一步結合人們所在實體空間的虛實融合，將能提高網路社群黏著力。

- 創造新虛擬經濟：虛擬經濟已逐漸形成，思考虛擬經濟對於產品服務的影響，並適時加入以試驗新商業模式的可行性。

以下分別針對資服產業提出不同的機會與挑戰：

1. 套裝軟體

對於軟體服務業者來說，結合 AR／VR、電腦視覺或其他感測技術等提升用戶體驗，將是未來發展的機會，亦能根據不同用戶，提高用戶個性化產品服務。此外，軟體服務業可以從社群的角度，思考將社群乃至於空間一起加入產品服務中。套裝軟體應思考把軟體解構，發展不同的商業模式，產生新的經濟模式。

2. 系統整合

元宇宙意味著發展 AR／VR 或感測器的新人機介面模式，或整合虛擬空間、實體空間的各項物聯網設備、地點資訊等，均需要系統整合業者進行發展。此外，工業元宇宙進入到各個領域當中，系統整合業者可以根據過去深入各行業的領域知識，發展各種工業元宇宙應用，如製造業、零售業、電商業等。

3. 雲端運算

元宇宙將帶來更高頻寬、高速計算的雲端運算需求，但工業元宇宙不僅是雲端運算亦包括融合情境、空間應用的邊緣技術需求。因此，對於雲端運算服務業者來說，應該更注意如何與實體的設備、資產、物聯網進行結合與協調，以達到更流暢的用戶體驗。此外，雲端運算服務業者也要探索與各種元宇宙服務進行合作，發展新生態系。

4. 資訊安全

工業元宇宙意味者將實體的資料與虛擬空間融合，將會產生的資料洩漏、駭客入侵等疑慮，資訊安全業者應積極探索相關虛實融合的資安危機與防護方案。

5. 資訊委外

工業元宇宙勢必帶來新 3D、AR／VR 內容設計的人才需求，資訊委外業者可以朝此進行發展。此外，區塊鏈、Web 3.0 技術逐步成為一項重要的技術，資訊委外業者亦可以協助企業及其他資服業者補充相關人力。

五、AI 轉型發展趨勢

（一）市場趨勢

ChatGPT 生成式 AI 爆紅以來，AI 又再度成為熱門的話題、投資與產業應用矚目。自巨量資料成為 AI 第三波趨勢以來，AlphaGo 人工智慧圍棋、自動駕駛車、深偽科技、AI 藝術等，已經成為大眾矚目的目標。事實上，AI 人工智慧亦已經深入在各個產業中，實現許多產業轉型的應用。ChatGPT 使得生成式 AI、大型語言預訓練模型等 AI 領域的突破發展，也帶來隱私、資料安全、碳排放等疑慮。不過，2022 年 ChatGPT 的確是 AI 第三波趨勢新的突破點。

IPSOS 對 28 個國家 1 萬 9,000 名以上不同年齡段的成年人進行的調查顯示，超過 60%的人表示了解人工智慧的工作原理，並相信人工智慧將在未來 3 至 5 年內改變日常生活。不過，仍有大約 50%的人們對於 AI 帶來的隱憂、信任度上有考量。

Deloitte 2022 年針對全球 2,600 多位商業領袖調查，亦顯示 94%受訪者認為 AI 是重要成功關鍵、並認為未來五年是重要關鍵。其中，2022 年，79%受訪者表示公司已經部署 3 種以上的 AI，較 2021 年成長 17%，顯示愈來愈多企業採用多種 AI 來滿足公司的需求。不過，仍有 29%受訪者表示並沒有達到預期結果。

此外，就麥肯錫公司的 2022 年調查顯示，50%受訪企業已經至少在一個事業單位或部門採用 AI，較 2021 年的 56%減少，但較 2017 年 20%已有飛躍的成長；24%受訪者表示 2022 年 AI 應用在服務營運最佳化、20%來自於建立新的 AI 產品，其他則為顧客市場區隔、顧客服務分析等。就效果來看，供應鏈管理、服務營運、策略與企業財務、風險管理均有 40 至 50%企業表示減少成本；60 至 70%企業在行銷與銷售、產品或服務開發、策略與企業財務方面，因為採用 AI 而增加利潤；然而，仍有 51%企業對於 AI 帶來的資訊安全有所疑慮。

就每個企業工作人員來說，根據 Deloitte 調查，有 80%以上工作者認為運用 AI 會改善工作效率。此外，程式開發社群 GitHub 調查 2,000 個開發者，詢問 Copilot 生成式 AI 是否協助開發，有超過 88%

開發者認為利用 Copilot 生成式 AI 工具會更有生產力。就機器人的安裝來看，2021 年的工業機器人安裝已經超過 51 萬隻，較 2020 年成長 30%、2011 年成長 200%以上。

從這些調查顯示，AI 已經實際運用在組織、部門，並確實改善員工生產力、降低成本、提高營收等，工業機器人亦持續高速成長，提高工廠、企業的生產力。

不過，就新創 AI 投資的狀況來看，2022 年呈現下滑趨勢。根據 CB Insights 調查，全球新創資金投資在 AI 的金額分析，2022 年全球 AI 投資金額約 458 億美元，較 2021 年衰退 34%；投資筆數亦衰退 10%，平均投資金額亦下跌 30%至 210 萬美元，中後期的新創成交金額亦衰退 29%。因此，可以發現新創 AI 投資已到了另一個階段；投資者期待能有更技術創新、商業模式創新的 AI 才能吸引投資者投資大筆的金額。然而，政府的 AI 投資確有增加，2022 年美國非國防政府機構為 AI 研發撥款 17 億美元，較 2021 年增長 13.1%。美國國防部並要求 2023 年撥款 11 億美元用於非機密 AI 特定研究，較 2022 年增加 26.4%資金。

根據史丹福大學的人工智慧指數報告指出，2021 年 65.4%的人工智慧博士進入了產業界，而在學術界就業的比例為 28.2%。隨著產業界博士學位數量增加，產業界創建新的機器學習模型方面領先於學術界也就理所當然。根據史丹福大學的人工智慧指數指出，2022 年，業界產生的機器學習模型有 32 個，而學術界產生的機器學習模型只有 3 個。以此，產業界獲取構建最先進的人工智慧所需的大量資料、電腦能力和資金方面具有優勢。從 Microsoft 支持 OpenAI 投資大筆金額在 ChatGPT 的研發、訓練，就可以知道機器學習模型的建構已成為人才、資金的競爭。

此外，OECD 在 2022 年《數位轉型所需要的技能》趨勢報告中，指出 AI、機器人、雲端運算正在重塑人才的工作方向。在 2018 至 2021 年期間，美國線上的數位職位發布增加 24%，其中資料工程師的職位增加 116%、電腦科學家增加 72%。在美國、加拿大、英國的

線上數位科學家招聘，2012 至 2021 年間增加 40 倍；網路安全專業人士職位需求，亦增加利用資料做為決策依據的需求。

人工智慧亦帶來負面的效果，AI 錯誤使用造成負面影響的數量持續增加。根據 AIAAIC 資料庫顯示，2021 年的重大負面事件數量較 2012 年增加 26 倍，達到 260 件以上。2022 年爭議的案例包括深偽技術冒充烏克蘭總統澤倫斯基於網路上宣布投降；美國出現許多利用語音假冒方式進行詐騙案件；Intel 開發的學生情緒監測系統引起爭議；Midjourney 生成式 AI 產生的圖形牽涉到版權、隱私等問題。其中，Intel 開發的學生情緒監測系統由 Intel 與 Classroom Technologies 公司合作，在 Zoom 上運行，透過評估學生的面部表情及與教育內容互動行為來檢測學生是否感到無聊、分心或困惑。這樣的應用似乎用意良好，但由於並未考慮到其他線下行為或其他微妙而複雜的面部表情、身體手勢或生理信號等。因此，用單一標籤對學生狀態進行分類是一種不合適的方法，且不同文化傳達憤怒、恐懼和驚訝等情緒亦不同，可能造成偏誤的判別。

因此，世界經濟論壇 WEF 即倡議「負責任的數位轉型（Responsible Digital Transformation）」，期望數位領導人在數位轉型之際，需要注意以下幾個對於企業、社會、勞工的影響包括（1）網路韌性：採取措施避免惡意或非授權的資料使用，企業執行階層必須注意防範；（2）資料隱私：企業必須注意如何處理資料，特別是面對消費者顧客的資料處理與外洩防範；（3）物聯網：是自動化的橋樑，影響工作及生活，帶來資產及設備的連接，卻也造成資料外洩風險，領導者必須注意新的機會，亦要掌握可能的風險；（4）區塊鏈：分散式帳本的區塊鏈帶來新商業模式、去中間化，能減少資料中介保管的洩漏，也要注意對於企業業務的去中間化影響；（5）人工智慧：有助於人們進行決策或替代人類的自動化執行，但要注意人工智慧不能運用在非原本的使用目的，可能造成道德上的危機，因此政府單位應更重視對於 AI 引起的隱私、道德問題。根據針對 127 個國家人工智慧立法機構的 AI 指數研究，有 31 個國家通過人工智慧相關法案，總共有 123 項人工智慧相關法案，2022 年與人工智慧相關的法案數量為 37 項。

在技術的發展上，人工智慧的正確率持續提高，圖形辨識能力已經達到91%；人體姿勢辨識率達94.3%；圖像語意分割達到86%，圖形問題回答能力、英語理解能力均超過人類一般水準。不過，由於人工智慧技術的進步，使得這些評估標準必須修正，透過更困難的測試來評估人工智慧技術的成長。

2022年被視為大型語言預訓練模型高速成長的一年，大型語言模型的規模和費用亦不斷擴大。2019年發布GPT-2，被認為是第一個大型語言模型，擁有15億個參數，訓練成本估計為5萬美元。2012年GPT-3神經網路包含1,750億個參數；Google亦推出PaLM，包含5,400億個參數，成本估計為800萬美元。從整體來看，大型語言和多模態模型變得更大、更昂貴，成為一種大量資金投資的軍備競賽。

大型預訓練模型中的大量參數訓練不僅成本高，運算所需的電力消耗亦會造成大量的碳排放量。以排放量最大的GPT-3來說，訓練一次消耗1,287 MWh，換算碳排約為502噸CO_2，約等於美國普通家庭消耗電力26年。

綜合來看，AI已經不是在學術界或產業界試驗的新技術，而是進入到產業實際應用的轉型工具。在企業中，已經可以看到許多組織部門應用的效益及勞工生產力的提升。AI技術的不斷地發展，亦不斷挑戰科學家對於AI能力的評估標準。然而，AI造成的資料安全、隱私、道德爭議及大型預訓練模型的高成本、高碳排等，均是未來必須克服的挑戰。

（二）應用機會

AI已在各個產業中發展，基於生成式AI、大型語言預訓練模型、愈發精確的AI模型的技術，將會為各個行業帶來新AI應用機會。

1. AI民主化

如同ChatGPT、Midjourney等生成式AI工具，AI民主化意味著正在建構人工智慧模型所需的專業知識，讓領域專家、一般人可以在互動過程中善用人工智慧工具並加入人類專業，使得人工智慧更加智慧，提高工作生產力。AI民主化不僅能使人們更願意與人工智慧

互動；在互動過程亦能讓 AI 工具本身更加接受領域知識，使得模型更加精進，更貼近各個職能、領域的需求。例如：Microsoft 利用 OpenAI 系列發展的 CoPilot 助手，協助職場人員更容易利用自然語言進行簡報製作、撰寫郵件、資料分析決策等。此外，提供資料科學家、資料工程師使用的開發平臺更自動化或稱為低程式碼、無程式碼人工智慧開發，減少開發人員的精力，加快 AI 模型、應用的發展。

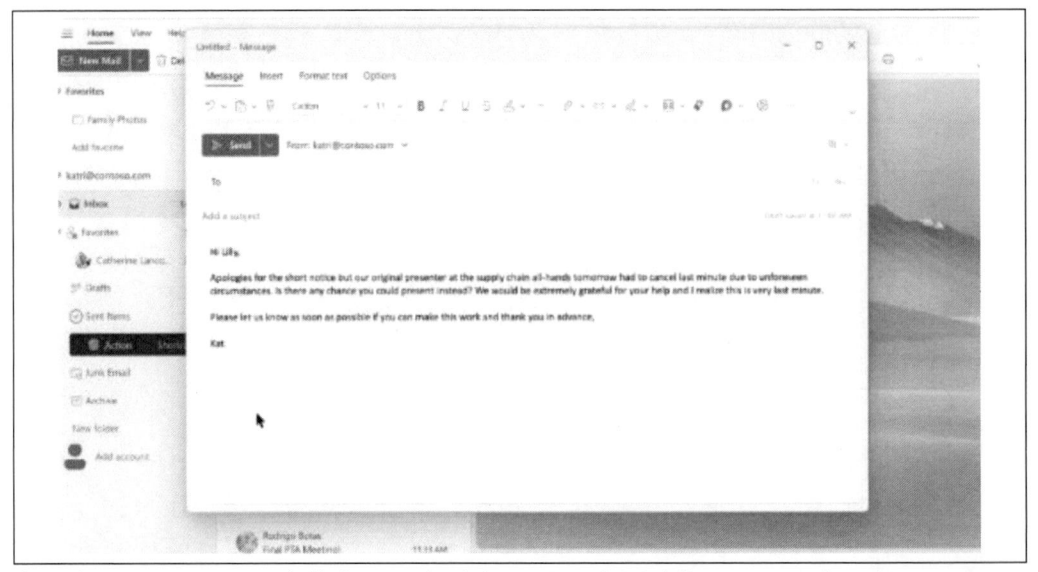

資料來源：Microsoft，資策會 MIC 經濟部 ITIS 研究團隊整理，2023 年 9 月

圖 4-12　AI Microsoft CoPilot 智慧助理

2. AI 賦能設計

利用 Midjourney、DALLE2 等工具，設計師能從文字的描述，創建出許多令人歎為觀止的圖像設計。利用 NVIDIA、Autodesk 的 3D 模型發展工具，讓工業設計師在材料、規格限制條件下，模擬與創造出各種產品設計。利用 ChatGPT 及其他自然語言生成工具，亦能滿足行銷人員產出各種廣告文案內容。由於生成式 AI 的發展造就許多 AI 賦能設計的協助，將使得更多設計、內容行業產生重大變化。此外，AI 賦能設計與數位孿生虛實整合的概念結合，也能讓數位孿生的操作更為民主化、模擬產出更為精細化，加快數位孿生的發展及工業元宇宙的概念浮現。例如：BMW 利用 NVIDIA Omniverse 平臺模擬工廠最佳化流程，並允許不同地區的員工進行協同以發展更精細、

優化、客製化的模擬,滿足工廠動態的需求;美國零售商勞氏家居賣場(Lowe's Companies),利用 NVIDIA Omniverse 平臺協助銷售人員分析產品虛實訊息、補貨訊息、貨架放置規劃、顧客流量 3D 熱點分析等,以即時地改善零售店動線與規劃,使得民主化設計更容易被模擬產生,並與一般工作人員進行協同。

資料來源:Lowe's,資策會 MIC 經濟部 ITIS 研究團隊整理,2023 年 9 月

圖 4-13 家居賣場數位孿生應用

3. 協作機器人發展

由於生成式 AI 提高人機介面的持續發展,使得人機協作機器人將持續發展。例如:汽車裝配、噴漆、表面拋光、碼垛和焊接協作機器人;種子種植、化肥和殺蟲劑施用機器人;室內農水培的無人機;倉儲、食品包裝機器人;清除道路上的爆炸裝置、檢測爆炸物、建築現場安裝的協作機器人等。這些協作機器人基於更理解人們的指令與各種現場狀況的判別,得以完成更複雜的工作。

4. 多模態學習

從 ChatGPT 的示範,可以看到人工智慧愈來愈擅長在單個機器學習模型中支持多種模式,例如文本、視覺、語音和物聯網感測器的混合。2022 年 Google DeepMind 發展 Gato 代理人程式,能執行超過 600 種不同任務,包括玩電腦遊戲、為影片配字幕乃至於驅動機器手臂等,是多模態(Multi-modal)、多工(Multi-task)及多化身(Multiembodiment）的通用決策代理程式。這樣的多模態學習可以運用在產業上。例如智慧醫療系統可以蒐集和處理患者資料，包括視覺實驗室結果、基因測序報告、臨床試驗表格和其他掃描文件等，進一步綜合電腦視覺、光學字符識別、自然語言、知識圖譜等多模態技術訓練，以提供診斷建議。這意味著人工智慧能力已經可以愈來愈像人類，並同時處理與綜合各項感官資料，朝通用人工智慧（Artificial General Intelligence, AGI）邁進。

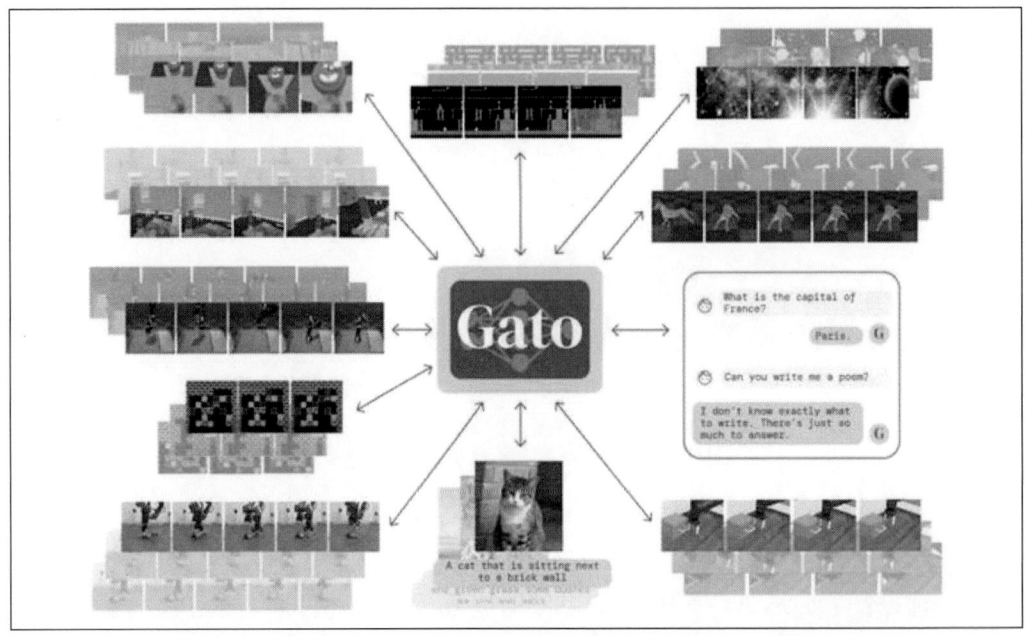

資料來源：DeepMind，資策會 MIC 經濟部 ITIS 研究團隊整理，2023 年 9 月

圖 4-14　DeepMind Gato 多模態代理人程式

5. 多目標優化

過去，人工智慧模型被賦予一個目標，針對特定業務指標（如，收入最大化）進行分析。由於 AI 的成熟，將有更多新創公司發展多個目標的多任務模型。多目標模型與多模態學習不同，多模態學習旨在學習各種資料類型的聯合；多目標模型則會同時考慮企業的各種目標結果並進行衡量。例如：產品推薦引擎不僅考慮客戶轉化率為目標，亦同時考慮新產品的推薦、產品組合行銷等。此外，環境、社會和治理（ESG）目標的重要性愈加重要，意味著許多企業目標必須同

時平衡碳減排和循環等永續目標與減少庫存、交付時間和成本等傳統業務目標模型。

6. AI 治理

不論是資料安全、隱私洩漏、演算法偏誤等，都是現今 AI 面臨的許多爭議。有鑑於此，能看到許多政府紛紛建立新的法規以防止 AI 造成的道德、經濟甚至社會犯罪問題，AI 治理、資訊安全等發展將持續成為企業、政府關注的方向。新的人工智慧和機器學習技術將在檢測和應對網路安全威脅方面發揮愈加重要的作用，例如：提供企業能夠具備防禦性、主動性地檢測異常行為或新的攻擊模式；判別運用 AI 過程的資料洩漏分析；分析資料中可能造成偏誤的可能性等。

（三）臺灣產業機會

以下分別針對資服產業提出不同的機會與挑戰：

1. 套裝軟體

由於生成式 AI 及 AI 民主化的發展，將會有更多的軟體置入 AI 分析、AI 人機介面等，以協助操作更智慧、更簡便的軟體發展。這意味著套裝軟體業者必須要積極加入 AI 元素以提高產品競爭力，且必須注意融入 AI 帶來資料安全隱憂應如何預防。

2. 系統整合

對於系統整合業者來說，協助企業發展相關人機介面、內容產生等生成式 AI 及發展更先進的多模態、多目標模型、人機協作機器人，將有極大的商機。系統整合需思考如何協助企業蒐集專業領域（Domain Knowledge）的資料，進行模型的微調，並嘗試將領域資料模型標準化，以協助企業快速導入在類似領域的 AI 模型。

3. 資訊委外

AI 或生成式 AI 的發展帶動企業或資服業對於提示工程師、自然語言 AI 工程師、電腦視覺工程師等各項人力需求機會，但也造成企業、其他資服業者的 AI 人才不足。資訊委外業者能協助企業、其他

資服業者補充相關 AI 人力，並進行各種教育訓練，以協助 AI 產業化發展。

4. 雲端運算

AI 產業化、生成式 AI 帶來更多雲端運算服務的需求及資料中心對於 GPU 伺服器建置與升級等。對於雲端運算服務業者而言，持續與應用服務業者、企業合作，運行小數據生成式 AI 或專用模型亦有發展機會。此外，由於專用模型、協作機器人的需求激增，Edge AI 部署亦值得注意其發展機會。

5. 資訊安全

生成式 AI 讓企業更重視資料相關的安全維護，資訊安全業者將持續發展具有資料安全保護、資料安全治理、資料洩漏防止等方向的商機。

六、生成式 AI 發展趨勢

（一）市場趨勢

自從 ChatGPT 生成式 AI 發展受到關注以來，AI 又再度成為熱門議題，帶動相關應用、企業受到矚目。ChatGPT 推出 5 天即累積 100 萬人次使用、兩個月時間就達到 1 億的每月活躍使用人次，成為有史以來成長最快速的消費端應用軟體。

所謂的「生成式 AI」（Generative AI）或 AIGC（AI-Generated Content），顧名思義就是利用 AI 來產生諸如文字、對話、影像等內容。若將 AI 技術簡單的區分，可以看到近期的演進：

1. 機器學習

於 2000 年左右，由於網際網路發展，帶來大量資料的累積。科學界、商業界開始利用機器學習（machine learning）的技術，從大量資料中分析、發現模式乃至於進行預測、自動化等，以此開始近期 AI 技術與應用的發展。

2. 深度學習

2010 年深度學習（deep learning）的機器學習演算法開始發展，利用大量累積的資料進行發展，特別是運用在以往難以突破的圖形辨識、語意解析等領域，快速提高正確率。2012 年，辛頓教授與學生們發展的深度卷積神經網路模型挑戰著名的 LSVRC 電腦視覺競賽，錯誤率大幅降低至 15.3%，較第二名低 10.8%，加速 AI 熱潮的發展。2012 年，Google 亦開始利用電腦視覺的高辨識力，協助自動駕駛車的發展。2017 年，學者不斷發展各種深度學習演演算法，使得電腦視覺的錯誤率已降至 2.3%，LSVRC 電腦視覺競賽便宣布不再進行比賽。不過，自然語言的正確率僅接近 80%，因此許多學者仍持續進行自然語言技術發展。

3. 生成式 AI

ChatGPT 即是 Open API 基於 GPT-3、GPT-4 等大型語言預訓練（LLMs）的深度學習模型，能進行語意解析、問答、類別辨別、預測數字乃至於進行繪圖、撰寫程式碼等。相較於過去機器學習、深度學習等，生成式 AI 則能生成問答、文章、圖形、程式碼乃至於生成材料，亦被稱為 AI 生成內容（AIGC）。而 ChatGPT 具備文字、圖形、程式碼等不同生成能力，亦被稱為具備多模式的生成式 AI。

由於 ChatGPT 產生的內容、文字，十分令人驚艷，例如作答成績達到美國律師考試門檻、SAT 入學考試的前 10%。這使得 ChatGPT、生成式 AI 引爆新一波的 AI 浪潮。根據國際研究機構 CB Insights 報告指出，2022 年為生成式 AI 投資熱潮的高峰。在該年度，生成式 AI 領域共計進行了 110 項募資活動，總投資金額超過了 26 億美元。

不過，生成式 AI 投資僅占 AI 總體投資的 5%，比例將會持續提升，並帶動 AI 原本逐漸下滑的投資趨勢。

事實上，生成式 AI 並不是 ChatGPT 獨創，已經有許多的新創工具發展生成式的應用，如：

- 文本生成工具：ChatGPT、Jasper、AI-Writer、Lex 等。
- 圖像生成工具：Dall-E 2、Midjourney、Stable Diffusion 等。
- 音樂生成工具：Amper、Dadabots、MuseNet 等。
- 程式碼生成工具：CodeStarter、Codex、GitHub Copilot、Tabnine 等。
- 語音合成工具：Descript、Listnr 和 Podcast.ai 等。

這些生成式 AI 產生的內容亦產生著作權、藝術無價或詐騙等問題，例如 2021 年臺灣的網紅利用移花接木的深偽科技（Deepfake）引起問題，就是一種利用生成式 AI，合成圖片、聲音、影像等媒體資訊，以進行移植臉部、偽造聲音的應用；2022 年美國一位畫家利用圖像生成工具 Midjourney 生成作品，在藝術比賽中獲得首獎，產生人工智慧生成的圖片是否為藝術的爭議。Midjourney 工具即是讓畫作者輸入文字，不斷校調文字精確性，以自動產生畫作。

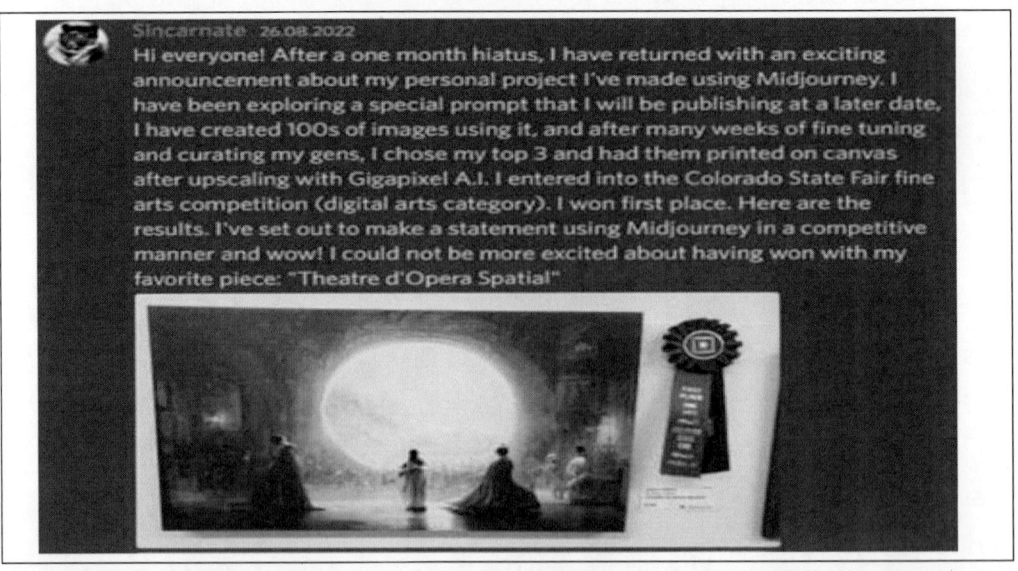

資料來源：Jason M. Allen Twitter，資策會 MIC 經濟部 ITIS 研究團隊整理，2023 年 9 月

圖 4-15 Midjourney 生成的繪畫作品

不過，GPT-3 版本運用超過 1,750 億個以上參數、GPT-3.5 模型參數量為 2,000 億個進行預訓練，使得 ChatGPT 產生如此令人驚豔的結果。然而，這種投資代價亦是驚人，預估 ChatGPT 投資已經超過 290 億美元。因此，發展生成式 AI 應用上，應仔細思考要在哪一個價值鏈上進行發展。生成式 AI 的價值鏈可以分為幾個層次：

表 4-1 生成式 AI 價值鏈

價值鏈	說明
電腦硬體	生成式 AI 需要大量的資料、知識進行學習以產生新的內容，據估計 GPT-3 版本需要 45 terabytes 的文字進行學習。而電腦硬體上需要大量 GPU 圖形運算晶片進行叢集運算，增加大量的電腦硬體、伺服器的需求。一旦預算練模型完成，亦需大量電腦硬體進行微調，以客製化各種應用。以此，受惠高速電腦硬體運算需求，NVIDIA、TSMC 晶片成為基礎需求，搭載這些晶片的伺服器亦成為重要的價值鏈一環
雲端平臺	這些叢集式的 GPU 或伺服器的運算，需要高速網路、有效率運行的雲端資料中心的運作能力以及運算共享以降低成本。大規模的雲端資料中心成為支持生成式 AI 的基地，然而大規模的雲端資料中心投資僅有 Microsoft、Amazon Web Services、Google 等大型雲端服務商負擔得起
基礎模型	ChatGPT 基於 OpenAI 發展的 GPT-3、GPT-4 的 LLMs 大型語言預訓練模型，投資超過 290 億美元、每次訓練耗費數百萬美元及數個月等，亦非一般企業或新創能支撐。OpenAI 是來自於 Micorsoft 的支持得以持續營運，但勢必要從中能獲得利益，否則難以長久的經營
機器學習微調模型	在基礎模型上可以發展微調的機器學習模型，提供客製化、特定產業別、特定用途的模型以滿足不同行業或企業的應用需求。ChatGPT 就是基於 GPT-3、GPT-4 上發展的微調模型，用以回應人類的問答。微調模型仰賴特定行業、企業資料的調整及精進的機器學習演算法，提供一般 AI 新創或企業發展
生成式 AI 應用	直接利用基礎模型或基於微調模型，發展滿足特定企業、新創需求的服務。基於模型上再發展的應用，減少對於大量資料的依賴、機器學習演算法的發展或訓練，快速根據企業需求發展所需的應用
生成式 AI 服務	人工智慧應用能包裝成 API 呼叫的雲端服務模式，提供企業簡單的呼叫與應用。企業不需要理解機器學習、深度學習等技術，僅將所需的命令傳入即可。ChatGPT、Midjourney 都是一種服務，讓一般使用者輸入簡單文字即可產生文章、圖形等

資料來源：資策會 MIC 經濟部 ITIS 研究團隊，2023 年 9 月

正由於這樣的生態系合作，得以讓人工智慧的應用服務快速地發展。大部分的企業、新創會利用人工智慧服務、人工智慧應用乃至於微調模型進行發展。非常少數的大型服務商才會建立基礎模型以提供更廣泛的發展，如：Microsoft 支持的 OpenAI ChatGPT 生成式對話應用基於 GPT 基礎模型；Open AI DALL-E2 基礎模型提供影像生成；Google Bard 生成式對話應用基於 PaLM2 基礎模型；NVIDIA Edify 基礎模型提供影像、3-D、影片生成。當然，這些基礎模型的投資回收需仰賴大量人工智慧服務、人工智慧應用的服務費用來支持營運。因此，我們可以想見未來的生成式 AI 基礎模型將如同現今雲端服務平臺呈現集中的寡占市場。然而，基於基礎模型之上的微調模型、生成式 AI 應用、生成式 AI 服務將百花齊放。常見的生成式 AI 應用有幾種類型：

表 4-2 常見生成式 AI 應用類型

類型	說明
圖像生成	借助生成式 AI，用戶可將文本轉換為圖像，並根據他們指定的設置、主題、風格或位置生成逼真的圖像。因此，能以快速和簡單的方式生成所需的視覺材料。這些視覺材料成為媒體、設計、廣告、行銷、教育等領域的有用元素，幫助平面設計師創作各種需要圖像
語義翻譯	基於語義圖像或草圖，生成圖像的真實版本。對於交通領域、醫療診斷領域，能將不清楚的圖像進行清晰化以進行判別
影片預測	基於連續的影片發生，預測下一個時間段的動作，以預防危險，如：交通危險提醒、工安危險提醒等
3D 圖像生成	根據平面圖像或不完整 3D 圖像，生成更好的 3D 圖形
語音生成	針對原始文字、音訊進行調整或調製，產生新語音檔。如教育工作者將文字講義自動轉換成音訊材料，協助教導視障人士
個人化內容	根據個人喜好、興趣或記憶生成個性化內容，可以是文本、圖像、音樂或其他媒體形式，並運用在社交媒體的貼文、部落格文章、產品推薦等
情感分析	可以生成各種情緒（如積極、消極、喜好、厭惡）的合成文本資料，以訓練深度學習模型，提升對於真實世界文本的情緒解析。亦可生成具有某種情感的文本，如：用於生成正面或負面的社交媒體貼文，以影響輿論或塑造特定對話的情緒

類型	說明
程式碼生成	自動生成程式碼、補漏程式碼、檢查程式碼正確性、重構程式碼等方式,協助發展更高品質的程式。
對話式問答	利用自然語言形式生成對用戶輸入的回答,如聊天機器人、虛擬助理等,並利用聊天窗口或語音助理等對話界面為用戶提供資訊、回答問題或執行任務,OpenAI ChatGPT、Google Bard 就是著名的應用服務

資料來源:資策會 MIC 經濟部 ITIS 研究團隊,2023 年 9 月

由此可知,生成式 AI 應用能運用在各種形式內容產生或各種領域的協助,亦能與既有的傳統 AI 合作,以產生更精確的人工智慧應用。以下分析在各個行業上所產生的應用機會。

(二)應用機會

生成式 AI 應用已經逐步在各個行業進行試驗,以下分析幾個行業的應用案例與機會。

1. 教育應用

生成式 AI 為教師提供一種快速開發大量獨特教材的方法。透過生成式 AI,從現有資訊產生測驗問題、概念、解釋等,以為不同班級乃至於個人,創建多樣化、個性化的教材。例如線上教育服務可汗學院即利用 ChatGPT 結合本身的教材、資料進行模型微調,發展 Khanmigo 虛擬助理應用,協助編寫課堂提示或創建教學材料並指導學生。虛擬助理並不會直接給予學生答案,而是利用引導、反問的方式來提升學生能力。目前 Khanmigo 能提供十多項學生端的 AI 輔助活動,包括學習數學、共同腦力激盪完成作文、協助準備申請學校的考試、練習新字彙、學習電腦程式、採訪歷史或小說人物、進行辯論活動等。Khanmigo 亦能協助老師撰寫課程大綱,編寫有趣教案、試寫考卷等。此外,生成式 AI 能為影音講座生成腳本,簡化線上課程的多媒體內容創建,並結合虛擬實境技術,提供學生更逼真的場景,提升學習效果。

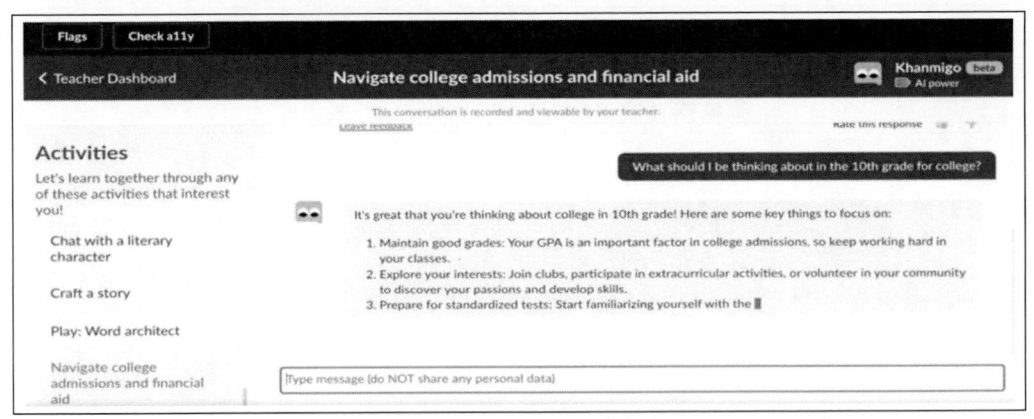

資料來源：可汗學院，資策會 MIC 經濟部 ITIS 研究團隊整理，2023 年 9 月

圖 4-16 生成式 AI 助理教案協助

2. 醫療應用

　　利用生成式 AI 演算法以尋找潛在的候選藥物並通過電腦模擬測試效果，加快新藥發現過程。例如：Absci Corporation 宣布使用生成式 AI 來創建新抗體，從頭開始設計新的蛋白質，將 CT 和 MRI 掃描等醫學成像技術與機器學習相結合，生成式 AI 演算法能提高醫學成像的精細度並改善結果。生成式 AI 亦可用於分析患者資料並識別模式、個性化建議等，幫助醫生做出更明智的治療決策。此外，亦能協助醫療業彙整病人的各項診斷文件、醫囑、檢測圖像，生成病人的病況摘要乃至於作成初步判斷、建議。

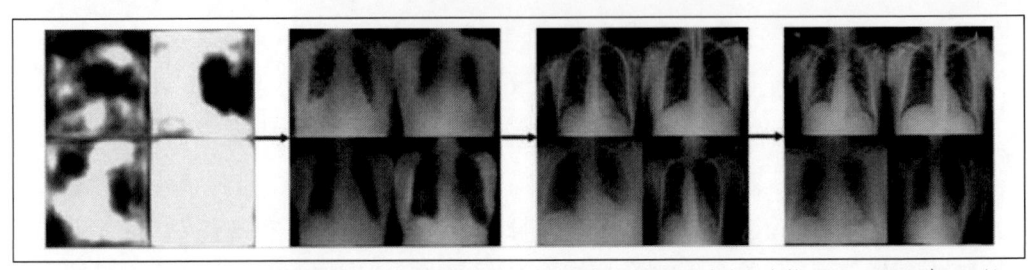

資料來源：未來醫療保健雜誌，資策會 MIC 經濟部 ITIS 研究團隊整理，2023 年 9 月

圖 4-17 生成式 AI 的醫療成像協助

3. 金融服務、會計、法務

　　生成式 AI 可用於分析財務資料並識別模式和趨勢幫助企業做出更好的決策並保持領先地位；或比對各種法規，指出目前的財務、法律文件是否合規。例如：Morgan Stanley 開發由 GPT-4 提供支持的聊天機器人，搜索其公司財富管理內容儲存庫，協助財務顧問能夠快速地獲取知識以提供客戶更專業的服務。生成式 AI 亦可用於新財務模型生成，幫助企業做出更明智的投資決策。透過分析大量消費者資料幫助銀行檢測和預防欺詐案件。在資料分析後識別可疑模式或異常，有助於銀行保護消費者資產並減少因欺詐造成的損失。又如線上支付平臺 Stripe 即利用 GPT-4 於 Discord 等社群平臺上進行監控，並標記潛在的惡意帳戶，供 Stripe 詐欺團隊理解並偵測惡意帳戶的入侵以分析可能詐欺行為。

4. 農業應用

　　利用生成式 AI 透過文字、或植物、土壤等圖像，提供農民相關的種植問題諮詢，並且能進行互動與回答。有別於傳統人工智慧問答，生成式 AI 更可以根據一系列問題、答案及上下文與農民討論以得到更完善的答案。例如：Gooey.ai 基於 ChatGPT 並與 Digital Green 公司蒐集的數千個、多種語言的農業相關影片、整合 WhatsApp、語言辨識技術等，發展 Farmer.CHAT，讓農夫利用當地語言（印度、肯亞）等進行各項農業問題諮詢，亦能協助政府發展農業監控系統，主動發現農民可能面臨問題，並進行輔導。

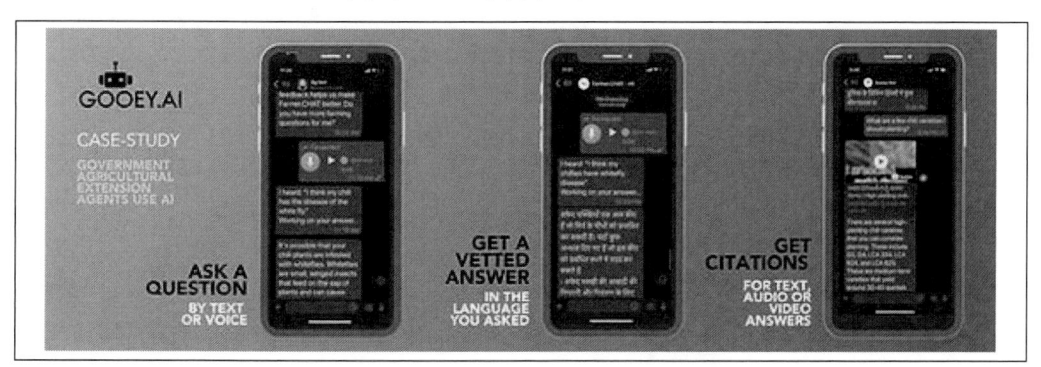

資料來源：GOOEY.AI，資策會 MIC 經濟部 ITIS 研究團隊整理，2023 年 9 月

圖 4-18　生成式 AI 對話農業協助

5. 製造生產應用

　　生成式 AI 可用於優化生產計畫並識別生產過程中效率低落之處並予以改進。例如 BMW 將生成設計運用在產線配置、人機協作的最佳化模擬設計上，提升生產效率。生成式 AI 亦可用於生成新產品設計，以滿足客戶需求、法規需求、綠色需求等。

　　又如結合強化學習來優化半導體晶片設計中的元件布局，將產品開發生命週期時間縮短。或可協助製造、汽車、航空和國防等行業能設計優化的零件，以滿足性能、材料和製造方法等特定目標和限制條件。例如：通用汽車利用生成式 AI 設計座椅支架創造 150 個新的設計理念，並選擇一個最終設計，該設計被證明比原始元件輕 40%、強度高 20%。

6. 行銷與銷售應用

　　生成式 AI 協助行銷人員生成各種新的行銷內容，例如影片、文字敘述、設計和示意圖等，或協助活動企劃提示等，幫助企業吸引新客戶。生成式 AI 亦可成為客戶購物的最佳助手，導引客戶購買商品，例如具有 1 億以上用戶的 Shopify 發展一款基於 ChatGPT 的人工智慧購物助手，根據用戶請求提供個性化推薦，快速掃描數百萬種產品，以幫助購物者找到他們正在尋找的商品或發現新產品。又如：雜貨店商 Instacart 利用 ChatGPT 與 7 萬 5,000 家以上零售商合作，提供「Ask Instacart」服務，讓客戶可以從開放式想法獲得可購物的商品，生成式 AI 還能分析消費者資料並識別模式及趨勢，幫助企業做出更好的行銷和財務決策。

7. 供應鏈管理和物流應用

　　生成式 AI 可用於優化物流路線、交付時間、價格最佳化，亦可利用對話式助理以提高訂單、送貨單的查詢與追蹤。

8. 人力資源管理應用

生成式 AI 可用於人力資源管理和招聘，例如：自動化簡歷篩選過程，並為特定職位選定最合格的候選人。亦可用於生成新的招聘策略，幫助企業吸引和留住最優秀的人才。

(三) 臺灣產業機會

生成式 AI 可應用在各種內容的產生、各種行業領域上，並結合傳統 AI 產生新的應用，以下分析臺灣資服業的機會與挑戰。

1. 套裝軟體

對於軟體服務業者來說，應該思考將生成式 AI 放入既有產品服務以提高客戶人機互動、體驗或強化既有功能，例如生成式 AI 採購助理、金融客戶問答等。但要注意的是產品的資料安全疑慮及與 OpenAI、Google API 連結的服務費用。

2. 系統整合

對於系統整合業者來說，協助企業進行相關人機介面、內容產生等生成式 AI 的發展及協助蒐集各項資料以進行微調等，將持續具有商機。針對已經具備 AI 技術人才的系統整合業者來說，如何在生成式 AI 基礎模型之上發展容易建立微調模型的工具與方法，協助企業快速導入亦是商機。

3. 資訊委外

生成式 AI 的發展帶動企業或資服業對於提示工程師、自然語言 AI 工程師、電腦視覺工程師等人力的需求，資訊委外業者可以協助企業補充相關人力及教育訓練商機。

4. 雲端運算

生成式 AI 帶來更多雲端運算服務的需求及資料中心對於 GPU 伺服器建置與升級等，對於雲端運算服務業者而言，持續與應用服務業者、企業合作，運行小數據生成式 AI 亦具成長空間。

5. 資訊安全

生成式 AI 帶來更多企業重視資料相關的安全維護，資訊安全業者將持續具有在資料安全保護、資料安全治理、資料洩漏防止等方向的商機。

七、超級自動化趨勢

（一）市場趨勢

「自動化」一詞由福特汽車公司於 1946 年第三次工業革命開始時創造的自動化流水線生產方式，改變管理工廠、企業的方式。現今，在物聯網、人工智慧等新技術發展下，迎來第四次工業革命，也帶來「超自動化」（HyperAutomation）新機會。

Gartner 在 2019 年首次提出「超自動化」的概念，認為其是一個具效率的方法或工具，整合多種技術、平臺、工具，能跨越公司的資訊、技術系統的障礙，以自動化企業營運流程。這項方法將整合流程機器人自動化（Robots Process Autommation, RPA）、企業流程管理（Business Process Management, BPM）、AI、機器人，使得整個企業營運流程更加智慧化。經歷 COVID-19 疫情後，企業更加重視無接觸、自動化的營運流程管理。Gartner 預估 2023 年的超自動化軟體市場將達到 7,200 億美元，包含低程式碼開發平臺、整合平臺即服務（iPaaS）、RPA 軟體等。

超自動化與自動化的差別在於，自動化少了人工的作業，將流程放入電腦中協助人們處理大量重複性的工作。進一步，RPA 工具的發展使得流程更加自動化處理。然而，RPA 工具遭遇到許多非結構化資料的處理問題。超自動化希望能夠從整體的角度達到端點到端點的流程自動化，有以下幾種不同的方向：

1. 結果：自動化工具已經達到營運效率的提升，超自動化更要達到智慧化。亦即許多無法規則化的條件可利用智慧化、人工智慧的方式進行判斷，協助減少更多決策層的日常工作。

2. 任務：自動化工具或 RPA 主要的自動化方向是單一的任務，超

自動化要整合不同任務，包括表單簽核作業流程、知識搜索、機器人自動化等，以端點對端點的方式達到跨作業、跨部門的流程自動化。

3. 範疇：傳統自動化可能牽涉到單一平臺系統，超自動化要整合多個系統、平臺。

4. 系統整合：對於系統整合業者來說，協助企業進行相關人機介面、內容產生等生成式 AI 的發展，或協助蒐集各項資料以進行微調等，將持續具有商機。針對已經具備 AI 技術人才的系統整合業者來說，如何在生成式 AI 基礎模型之上發展更容易建立微調模型的工具與方法，亦可協助進行發展。

以此，可見超自動化系統可能包含許多現今技術的整合：

1. RPA 流程自動化機器人：原先主要發展來自於解決商業任務中關於查詢、計算、填報電子表單、建立報表等大量、重複性、剪貼性質的工作，使得資料更容易整合，例如，將傳真／PDF 上的姓名、身分證資料拷貝到另一個系統上。隨著電腦視覺、自然語言等人工智慧的發展，RPA 流程自動化機器人工具隨之善用這些辨識工具，以解析更模糊的資料辨識。更進一步朝向範圍更廣的流程，實現端點對端點等流程整合，如消費信貸審核流程。

2. BPM 軟體：原本是用來連接更高階應用系統的流程管理，以串聯不同部門、供應商、顧客等。BPM 通常具備流程模型的建立，檢視整個流程執行到哪個階段、停留在哪個部門或決策主管上。因此，隨著人工智慧的發展，BPM 進一步發展成智慧化的 BPM（iBPM），協助分析整體企業流程的生命週期與決策點，包括流程發現、分析、設計、執行、監視、最佳化等，例如，某流程的各部門處理績效流程是否複雜、是否建議更佳的流程。BPM 通常結合各種應用系統整合介面，以串接各種 ERP、CRM、出差勤、工作流等表單系統。隨著技術發展，BPM 系統可能上雲端或透過低程式碼的工具以解決整合企業系統的複雜性。

3. 整合平臺即服務（iPaaS）：來自於 PaaS 雲端服務的變形，用意在於利用單一的雲端服務平臺，整合跨企業、跨部門流程及雲端

與地端系統的整合，使得流程更加自動化，例如供應商管理的詢報價、訂單等。

4. 低程式碼平臺（Low Code Application Platform, LCAP）：主要目的在於利用簡單的操作介面，加速軟體的發展，乃至於建立流程的自動化介接、操作介面等，使得加快流程的整合。亦可利用於協助小型應用程式 App 的發展，以因應 DevOps 快速發展創新雲端服務。但結合 BPM、iPaaS 的雲端化平臺，更加速許多不同系統整合的機會，形成超級自動化工具或平臺的一環。

5. 人工智慧 AI：對於各種技術都能協助升級，也帶來超自動化的快速成長的主因。例如，透過電腦視覺辨識、光學文字辨識（OCR）、自然語言語意解析等，讓辨識圖形、文件更為精確，使得加速流程的自動化發展。透過巨量資料的分析，可以更容易分析流程盲點、挖掘最佳化流程及探索決策規則，以減少人為判斷，加快流程自動化。此外，利用語音智慧助理，可以減少人員的手寫輸入並能更準確判斷人們的意圖，更容易進行流程自動化。

6. 企業資源規劃系統 ERP：1980 年代開始發展的 ERP 系統，本身就是根據業務別的表單流程系統。隨著雲端運算的發展，已有許多企業將財務、人資等部分企業流程移至雲端服務上。ERP 廠商也藉由更彈性的流程自動化系統協助整合雲端、地端的財務、人資、生產等系統等。

7. 機器人：機器手臂、自動搬運車等機器人系統，自第三次工業革命以來便不斷協助工廠執行物料搬運、零件抓取、自動組裝等重複性工作。隨著電腦視覺技術的人工智慧技術進步，使得機器人更具彈性與靈活性，再加上物聯網技術的發展可連結不同的機器人、設備等。這將使得超級自動化技術不僅是連結作業流程，還進一步與工廠自動化連結，成為端點對端點流程的發展方向。

綜合來說，超級自動化將會朝以下趨勢發展：

1. 融合更多結構化和非結構化資料：超級自動化透過結合電腦視

覺、物聯網、自然語言等技術,將會協助消化更多結構化與非結構化資料,以促成企業流程自動化。

2. 端到端自動化和生命週期管理:在 RPA 的技術結合下,超級自動化能整合各種企業系統、行動作業,簡化端到端業務流程。

3. 管理與自動化複雜而冗長流程:融合 RPA 和 AI,超級自動化可解決複雜的業務問題並透過分析以建立自動化較佳的工作流程,減少人為錯誤、消除瓶頸並提高營運效率。

4. 流程學習、發展與改進:超級自動化結合巨量資料、人工智慧,從流程中學習,並進行改進以避免錯誤、提高生產力。

5. 無程式碼／低程式碼工具增加:將低程式碼技術與 RPA、流程自動化結合,使得事業單位能自行創建自動化流程並管理,以節省 IT 資源,並加速新流程的自動化。

6. 數位雙生世代結合:傳統流程決策是數位規則的判斷,事實上許多決策相當的複雜,並要結合各項資料、情境以作為決策管理與自動化判別。有一些超級自動化系統已可結合天氣訊息、供應鏈資料和人工調度,並透過 3D 可視化介面進行決策。因此,超級自動化將迎來數位孿生、元宇宙的結合,使得自動化作業配合情境化人工決策與調度,強化企業營運流程與應變性。

不過,超級自動化融合各種工具功能也造成企業選擇上的困擾,並有來自於以下四個方向的障礙:

1. 流程複雜度:每個企業、部門、工廠都有其特殊的業務流程及不同的既有人工作業方式、不同的技術系統。儘管超級自動化號稱能夠解決各種流程自動化,在多種技術、工作流程和流程的情境下,實施和管理仍然有挑戰性。企業仍須根據需求選擇適當的超級自動化工具以滿足其特定需求,愈複雜的工具不見得能對企業有所幫助。

2. 整合複雜度:許多企業使用多個系統或軟體來管理其運營方式,有些甚至是自行開發的系統。將業務流程超級自動化技術整合時,可能彼此不兼容。這主要是不同系統具有不同資料格式和結

構，使得資料整合與傳輸顯得困難，企業實施時需仰賴熟悉系統與領域知識的系統整合商來協助。

3. 成本高：許多超級自動化系統並不便宜，使得企業因此而望而卻步。目前有兩個產品方向進行發展以降低投入成本：(1)訂閱式服務，依所使用的資料量、流程數定價；(2)透過低程式碼整合或開發平臺，讓內部IT人員後續持續開發。

4. 資料品質：若資料本身即有問題，利用超級自動化來實現流程自動化，可能會導致資料不準確、不完整或不一致，反而更影響業務成果。這必須仰賴顧問、系統整合商協助良好設計流程，以減少資料錯誤或進行意外控管，避免造成營運上的困擾。

的確，由於超級自動化融合各種技術與工具及企業的不同營運自動化需求，使得軟體廠商發展偏重不同類型的超級自動化工具：

1. 整合型自動化服務：這類型廠商強調整合各種類型的異質系統，以達到更自動化。例如，SAP Intelligent RPA方案強調流程自動化的基礎下，提升資料整合及分析能力，協助企業在複雜的業務流程裡，無須改變任何商業系統或應用程式的情況下，讓機器人自動並快速完成重複性的任務，以免除人為錯誤、減少操作風險；RPA領導廠商UiPath亦強調端點對端點的流程整合。

2. 友善型自動化服務：這類型廠商專注於簡單的操作介面，提供企業運用圖形工具、低程式碼開發工具就能完成流程自動化的建置。例如，新創公司Integromat利用視覺化工具讓使用者利用圖形拖拉即可建立自動化流程連結或驅動其他流程；而Zapier強調利用友善的Web Servcies設計介面就能連結6,000種App服務（如Gmail、Slack、Twitter），並結合ChatGPT利用語音助理進行設計流程。

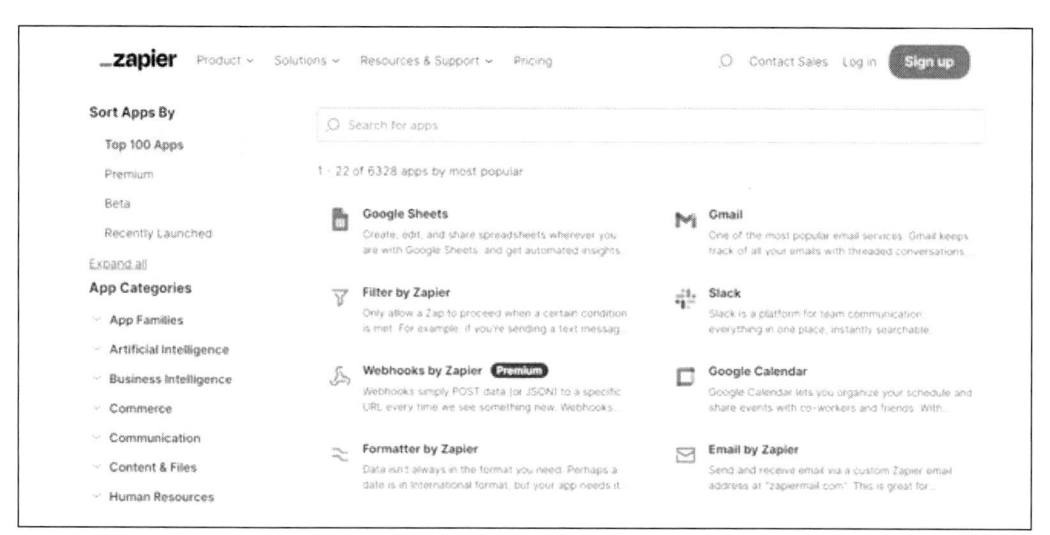

資料來源：zapier，資策會 MIC 經濟部 ITIS 研究團隊整理，2023 年 9 月

圖 4-19 企業流程服務聯結

3. 簡單型自動化服務：這類廠商（如 Rossum、Natif 等）從傳統 RPA 角度出發，提供簡單流程但人工智慧化支持的技術，如光學文字辨識 OCR、自然語言解析文件等。

4. 管理型自動化服務：這類型廠商強調預測分析的能力以協助進行流程最佳化。例如，Workday 在人資管理、財務管理雲端服務上，藉由預測分析、機器學習等技術，協助企業預測人資管理、財務管理上的問題；CRM 雲端服務廠商 Salesforce.com 利用自動化管理機制、流程建模、決策流程等工具，更容易建立動態銷售流程；Celonis 則強調流程挖掘，從既有企業流程中挖掘出最佳的流程規劃與決策方式。

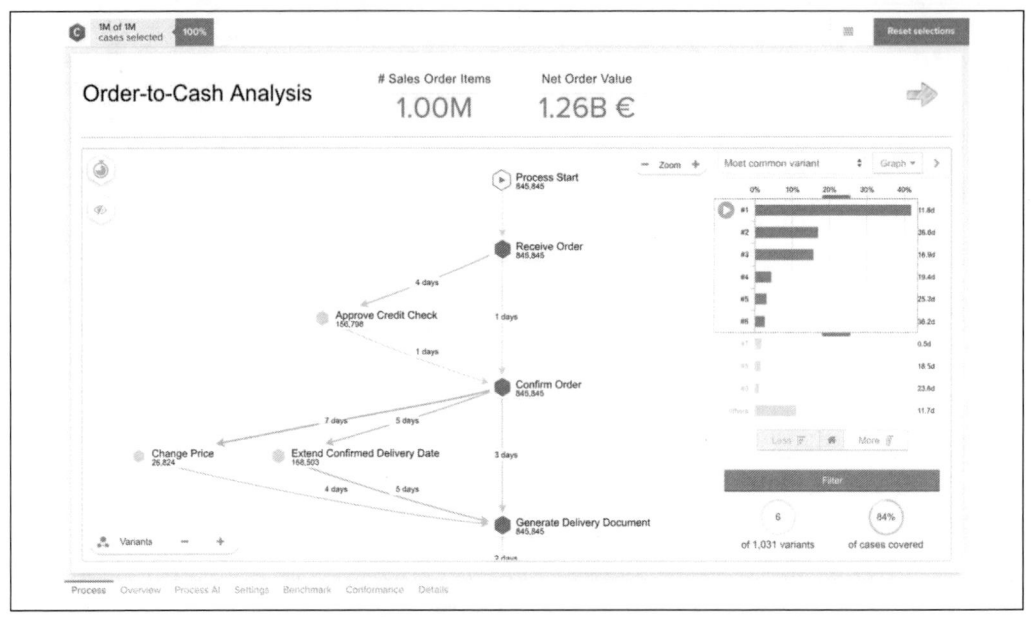

資料來源：Celonis，資策會MIC經濟部ITIS研究團隊整理，2023年9月

圖4-20 企業流程挖掘

（二）應用機會

超級自動化可以協助各個行業、領域的流程自動化管理，以下列舉幾個常見的應用方向：

1. 銀行業

　　超自動化應用包括監管報告、行銷、銷售和分銷、銀行服務、支付業務、貸款業務、後台運營、企業支持等各項。例如：利用光學手寫辨識，協助將許多顧客手寫的表單轉換成資料，加快審核流程。此外，透過人工智慧亦可主動識別欺詐和惡意活動，以降低風險。因此，許多反洗錢、信貸審核系統將透過超自動化將持續協助，加快流程、降低風險。

2. 保險業

　　超自動化技術透過多種方式幫助保險公司，例如：為了處理保險索賠，保險機構加快蒐集各利益相關者的結構化或非結構化乃至於實體證明。這些資料透過人工智慧進行快速驗證和檢查，加快索賠處

理。進一步將感測器、可穿戴設備、地形衛星資料等,透過氣量資料、人工智慧模型進行分析,幫助保險人員計算特定客戶的風險因素、保單保費、索賠金額等。透過人工智慧、機器學習亦可綜合各項因素以作出預測,向選定的客戶快速推薦有競爭力的價格和保險商品。

3. 醫療保健

　　超級自動化可協助醫療部門減低重複性工作,減緩高齡化帶來醫療人員不足的壓力,亦可透過檢查每個部門的賬單細節並在無須人工介入的情況下進行計費、結算乃至於經常性的慢性藥單處理。超級自動化亦能解決患者紀錄管理、蒐集和整理資料及為更準確的治療計畫提供有用的輸出、幫助簡化醫療診所的保險和理賠作業。進一步,透過人工智慧以識別醫療政策和規範,進行各項審核流程的法規遵循,或可用於管理藥品庫存和採購。

4. 零售業

　　零售業邁向電子商務使得行銷、訂單處理方面蒐集到各項資料,提供超級自動化更有效的協助機會。例如,利用超級自動化簡化社交媒體上廣告投放、針對性行銷活動等;或是,於顧客進入商店時,快速識別人臉、識別會員及提供結帳時的商品建議等。此外,超級自動化亦可提高採購、計費、供應商管理、庫存和運輸等後端零售流程的效率和準確性,或可用來追蹤和分析市場資料,如競爭著的定價、客戶反饋,進而快速決策,以滿足節奏快速的零售業務。

5. 製造業

　　機器自動化在製造業中的使用已成為一種日常。然而,超級自動化目的是結合人類作業流程與機器自動化,使得製造業流程更加無縫接軌。例如,零件利用機器設備進行自動化生產,現場人員透過超級自動化即時分析、干預、監控工作流程並進一步進行換線等作業。此外,利用低程式碼工具,可以協助製造業不同部門構建小型應用程式,以簡化工作流程;從採購到支付流程亦可以使用 RPA 以實現自動化。智慧製造的預測性維護透過超級自動化流程,從蒐集設備的資料、分析設備故障因素並主動安排設備商維護等流程的自動化。

6. 建築業

　　建築業利用超級自動化來自動執行重複的管理任務、結合攝影機與人工智慧，即時監控設備和現場工人，提高建築工人的安全。此外，對於現場管理人員來說，可利用虛擬助理、RPA 等技術，快速記錄會議摘要和筆記，以提升效率。

7. 供應鏈物流領域

　　疫情影響即時接收物資能力，使得人員不足導致流程延誤，成為物流後勤的挑戰。利用 RPA 技術，可以協助隨時進行庫存檢查，確保庫存水準和產品可用性。進出口作業的進出口報關紀錄、進口許可證、提單和貨物追蹤等，牽涉到不同政府單位、服務公司的合作及單據審核等，亦能利用超級自動化來監視與自動化。此外，超級自動化還可用於採購、定價、計費、報價請求作業及系統維護和維修等流程。

8. 人才招聘領域

　　招聘人員牽涉到廣告、篩選個人資料、篩選候選人、安排幾輪面試、選定人員、最後入職等程序，超級自動化可以簡化工作流程並加強各種協作過程。例如，利用人工智慧的智慧篩選，根據過去的經驗了解員工標準，在更短的時間內篩選出適當的候選人。人才招聘團隊則可採用聊天機器人，並向候選人和相關面試小組成員設置自動電子郵件通知及安排面試；後續電子郵件亦可自動化，以提升效率。

9. 客服中心和客戶服務領域

　　客戶服務中心可以使用 RPA 和 AI 來自動化流程，例如，電話進線後，快速從多個系統搜尋有關客戶的訊息，並將申請作業流程自動化，監視流程進度，以適時追蹤與回應客戶。

(三) 臺灣產業機會

　　超級自動化可以應用在各種行業、各種領域上，並結合物聯網、AI 產生新的效益，以下分析臺灣資服業的機會與挑戰。

1. 系統整合

對於系統整合業者來說，超級自動化可謂提供最佳系統整合實施的商機。顧問與系統整合業者，就過去已經具備的領域知識及存在的部分流程整合專案，協助企業客戶延伸新的自動化效益，以產生新的價值。此外，系統整合業者透過已熟悉的流程與領域，加入 AI 解決方案，以提高 AI 方案能力。

2. 資訊委外

超級自動化可以提供資訊委外業者強化本身的流程委外效率，進一步提升智慧化服務予業主。例如，客服中心委外服務業者提供更有效率、自動化的客服服務，並提供業主智慧化客戶分析；信用卡審核委外服務業者則提高信用卡申辦效率，並利用智慧化分析降低業者的信用卡客戶壞帳風險等。

3. 套裝軟體

對於軟體服務業者來說，應思考如何結合超級自動化技術，以強化軟體本身的流程自動化、異質系統整合或智慧化處理能力。例如，CRM、ERP、採購管理等軟體，結合超級自動化技術以辨識紙本、電子文件並能整合異質系統，強化端點到端點的運行效率。

4. 雲端運算

雲端運算服務業者可利用超級自動化技術以協助企業進行雲端、地端的系統整合乃至於流程的自動化，發展更精進的整合即服務的 PaaS 服務。

5. 資訊安全

超級自動化技術整合更多雲端、地端及異質系統，並串流各項資料於流程乃至於雲端上，將產生新的資安風險。特別是自動化執行後，減少人工介入機會，更可能造成營運風險。資訊安全業者可以根據超級自動化的流程整合點、資料蒐集點，提出鞏固資安的解決方案，協助超級自動化更安全實施。

八、數位韌性發展趨勢

（一）市場趨勢

COVID-19、美中脫鉤、地緣政治、俄烏戰爭等複雜的全球、國際因素，不僅企業營運要韌性，企業數位環境也要韌性。這一方面源自於全球遠距上班、教學的數位化激增，致使有心人士更有機會發動資安攻擊，以下列舉相關著名事件：

- 2020 年第一波 COVID-19 期間，全球勒索軟體攻擊的數量激增 148%、網路釣魚攻擊增加 510%。

- 2020 年底，協助全球資訊基礎設施資源監控與管理的 SolarWinds（財星 500 大企業就有 425 間採用其產品），其 SolarWinds Orion 網管監控軟體被植入含有惡意程式，導致全球超過 1 萬 8,000 個企業客戶之電腦設備受到感染；2021 年 1 月臺灣某電信商自有品牌特定型號手機，在出廠前被駭客於韌體記憶區植入惡意程式，造成用戶簡訊資料被洩漏。

- 2021 年，每天輸送 250 萬桶汽油、柴油及航空燃油和其他精煉產品，運送量占美國東海岸供應量 45%的美國殖民管道（Colonial Pipeline）公司遭到網路勒索攻擊，導致美國東海岸石油供應短缺、使得美國多個州宣布進入緊急狀態。殖民管道公司支付約 500 萬美元的比特幣加密貨幣，在美國執法機關的強力介入下找回 230 萬美元；2021 年，駭客嘗試針對佛羅里達州水處理設施的網路攻擊，使水的氫氧化鈉含量增加到極其危險和有毒的水準

- 2022 年俄烏戰爭期間，俄羅斯駭客 Sandworm 意圖對烏克蘭發電廠下手，打算癱瘓高壓變電所，讓烏克蘭人無電可用，所幸被及時攔阻；2022 年 4 月，惡意程式攻擊烏克蘭能源供應商 IT 網路、工業控制系統；2022 年 Twitter 上流傳一段使用深偽科技（Deepfake）技術假冒烏克蘭總統澤倫斯基宣布投降的偽造影片，使得澤倫斯基隨後亦親身拍片回應闢謠。

第四章 焦點議題探討

根據 2023 年世界經濟論壇（WEF）全球風險報告中，將網路安全列為當前和未來全球十大風險之一。據 Cyber security Ventures 報告估計，2025 年網路犯罪每年造成的損失預計將達到 10 兆 5,000 萬美元；Gartner 分析師預測，未來兩年內，全球 45%的組織將在某種程度上受到供應鏈攻擊的影響。

因此，網路韌型或數位韌型（Cyber Resilient）成為重要的企業、政府的議題。美國 NIST 國家標準局（美國國家標準與技術研究所）將網路韌性（Cyber Resilient）定義為：「對使用網路資源或由網路資源啟用的系統進行預測、承受、恢復和適應不利條件、壓力、攻擊或妥協的能力」。我國數位部亦將數位韌性定義：「透過數位工具的應用，使得臺灣在遭遇各種不利環境時，不僅能夠堅持下來，還能在困境中迅速恢復，甚至從中學習、進一步強化自身」。

歐盟於 2022 年發展《網路韌性法案》，要求製造商設計、開發和生產各種硬體、有形及軟體、無形之數位化產品時，須滿足法規要求之網路安全標準，方能於歐洲市場上銷售。產品服務並應提供清晰易懂之使用說明予消費者，使其充分了解網路安全相關資訊，且至少應於五年內提供安全維護與軟體更新。歐盟理事會則於 2022 年 11 月 28 亦通過《數位運營韌性法》（Digital Operational Resilience Act, DORA），該法強化歐盟金融服務運營商相關風險管理之規範，同時強化對於 ICT 安全風險管理與監管，以確保歐洲的金融機構能夠在發生嚴重運營中斷時保持韌性。

正由於資安攻擊事件已經超越以往的病毒感染、勒索，進而導致企業營運中斷、供應鏈夥伴、顧客服務影響乃至於商譽等，數位韌性成為公司治理的一環，作為評估企業營運優良的指標。美國德拉瓦州法院即發布董事會監督職責的決定，表明對董事會監督必須針對網路安全的監管風險進行監管與反映危險訊號，否則股東可以指控董事會監督不力。世界經濟論壇、J.P. Morgan、KPMG 等均指出數位韌性、網路安全均是企業永續的一環，並影響 ESG 環境、社會、治理各個面向：

1. 環境因素

   由於愈來愈多的石油、天然氣、發電長公司等關鍵基礎設施公司數位化或利用物聯網監控基礎設備，使得這些影響環境、基礎設施的設備暴露在網路風險之下。例如，針對石油、水處理設施、電廠、工業設備的攻擊事件；熱浪、洪水和野火等氣候變化影響亦對企業營運構成影響。網路攻擊者可能趁著發生環境威脅時，如缺電、缺水情況下，給予雙重影響，以形成企業、政府更巨大的營運中斷威脅。

2. 社會因素

   網路風險成為影響企業的社會指標，包括網路攻擊客戶及民眾的身分、財務、姓名、地址、醫療紀錄、銀行詳細訊息或進行網路釣魚攻擊等。若公司或供應鏈遭受網路攻擊成功，將影響數百萬客戶、社會大眾，例如：俄烏戰爭的深度偽造影響民心或網路攻擊事件影響電信業的營運，造成大眾無法上網等。

3. 治理因素

   企業對於網路風險、數位韌型的處置已經成為企業治理的一環，包含造成企業營運中斷、顧客資訊或財務被竊盜、服務停止使用及公司商譽受損等。例如，GDPR法規規定，企業沒有採取足夠的預防措施來保護其及其客戶資料，則會對資料洩漏罰款；電信公司巨頭T-Mobile由於存在安全漏洞，丟失超過7,660萬用戶個人訊息，而支付3億5,000萬美元的集體訴訟；美國線上股票交易平臺Robinhood遭遇資料洩漏，超過700萬客戶姓名或電子郵件地址被洩漏，造成Robinhood股價下跌3.8%。

   以此，企業的ESG報告也必須揭露以下網路安全、數位韌型的治理行為，有以下重要項目：

   - 治理：公司如何建立網路安全、數位韌性的治理架構；是否有專責組織及高階主管的負責；是否有定期的報告相關事件處理與治理狀況。
   - 資產：針對公司的實體、數位資產訂定資安保護計畫及應變

措施。

- 漏洞：盤點公司所有可能的資安漏洞，並定期檢查、報告及訂定防護計畫與措施。
- 監控：定期或隨時監控公司資產的資安攻擊與訂定防護策略。
- 安全合規性：緊緊跟隨行業或政府的資訊安全法規，並訂定實施計畫。
- 文化：確保公司所有人員意識到資安防護的重要性，並定期實施教育訓練與演練。
- 報告：定期報告資安威脅的來源、數量、種類及防護策略與方法。

那麼，數位韌性跟傳統的網路安全資安防護不同之處為何？事實上兩者應為互補。網路安全或資訊安全強調「保護」，是以防禦為止，例如，保護系統、網路、資料和 IT 基礎設施免受惡意軟體、勒索軟體、駭客攻擊、惡意內部人員的網路威脅。數位韌性不僅考慮網路安全，還包括遭受資安攻擊後如何回應、恢復能力如何。這意味著企業更加難以偵測或辨識所有的資安攻擊，而是能以更靈敏的方式預測和減輕攻擊帶來的影響，並能迅速恢復。

企業數位韌性應主動保護組織、檢測威脅、響應和恢復、治理和適應。分述如下：

1. 主動保護組織

主動保護組織賴以實現業務連續性的系統、應用程式和資料，數位韌性策略必須保護所有系統、設備、應用程序和資料所需的網路安全系統，包括資產管理系統、靜態資料和傳輸中資料加密、身分及訪問控制、訊息及安全政策、惡意軟體防護、網路與通訊安全、修補及更新管理系統、實體環境安全、供應鏈風險管理、教育訓練等。

2. 檢測威脅

在惡意行為實施之前偵測是為數位韌性不可或缺的一環，具體措施包括端點檢測和回應、入侵檢測和防禦、網路檢測和回應。此外，也要具備業務持續復原的計畫，包括業務持續性管理、事件回應管理、資通訊技術持續性管理、安全訊息和事件管理等。

3. 治理

為了使流程和技術作為數位韌性計畫，需要治理行為以保障，包括董事會層面的承諾和參與、外部機構的認證和驗證、治理結構和流程、內部審核、風險管理計畫等。

4. 適應

由於資安威脅的複雜、不確定性及供應鏈相關的攻擊，必須將相關人員、技術和系統都納入數位韌型計畫中。如同 ESG 一般，愈是複雜的供應鏈、中心廠商、品牌廠商或大型公司等，必須將上中下游供應鏈皆納入合作對象，以共同偵測資安威脅與快速回應。

（二）應用機會

數位韌性是公司中長期要布局的策略，以下列出幾個短期上值得觀察的網路安全的發展趨勢。

1. 勒索軟體攻擊持續發展

勒索軟體是一種惡意軟體，會感染電腦並加密組織重要文件，使用戶無法讀取。感染後，攻擊者要求企業支付贖金以換取解密金鑰。許多網路犯罪者攻擊資安防禦能力弱的中小型企業，並要求足以負擔的金額、低於文件外洩或損失的成本，輕易地獲得贖金以換取金鑰，帶來許多利潤。因此，組織需要採取主動措施來改善網路安全防禦，包括建立強大的備份和恢復系統、定期更新軟體和安全補丁、對員工進行網路安全最佳實務教育（Best Practices）等。

2. 醫療保健行業面臨資安威脅

由於 COVID-19 的發展，讓許多網路犯罪者掌握醫療行業的 IT 基礎建設薄弱，以此攻擊各種醫療機構，除勒索外，也有直接偷取病患紀錄以販售營利。根據研究調查顯示，大約 60%的勒索軟體攻擊以患者資料為目標，而其餘攻擊則側重於破壞操作或接管系統。此外，網路釣魚詐騙為醫療機構最常見的網路攻擊類型，透過類似詐騙騙取醫療院所員工、顧客的資料，預計醫療保健行業將在 2023 年面臨更多網路攻擊。

3. 人工智慧服務的攻擊

由於 ChatGPT 等生成式 AI 受到廣泛運用，網路犯罪者知道目前的趨勢，並了解許多人工智慧服務的弱點，以此針對漏洞的人工智慧發展更複雜攻擊。此外，網路犯罪者亦具備高程度的人工智慧技巧，利用 AI 技術進行攻擊，以快速適應不斷變化的環境、防禦或偵測，使得攻擊更加難以檢測和防禦。例如，網路犯罪者利用人工智慧創立可令人信服的網路釣魚電子郵件，這些電子郵件看似來自可信的來源，更容易誘騙用戶點擊惡意鏈結或下載惡意軟體，造成感染或資料外洩。因此，企業需要保持警惕並採用更先進的網路安全工具和技術來即時檢測及回應這些威脅，包含使用基於人工智慧的網路安全解決方案，在攻擊前或造成損害前進行識別並阻止。企業亦須實施安全意識的訓練計畫，教育員工如何識別及報告可疑活動。

4. 聯網設備的漏洞與攻擊

隨著設備聯網增加，根據 Oracle 資料顯示，預計至 2025 年將增加至 220 億台，物聯網安全性形成一個嚴重問題。即使許多設備製造商意識到這些問題，但回應還不夠快或許多老舊設備不容易修改或回收。這種物聯網特別容易遭受供應鏈攻擊而導致影響層面廣大，且關聯到水、電等基礎設施，值得企業、製造商及政府的注意防範。此外，隨著更多的交通工具聯網，也使得聯網汽車、巴士成為網路犯罪者攻擊目標。最後，智慧手機也是一種聯網設備，攻擊者針對智慧手機進行攻擊的比例提升，特別是針對防護意識較弱的學童、銀髮族。

5. 用戶層面的攻擊面

隨著民眾上網的比重增加，使得網路攻擊者更注意對於網路不夠熟悉的族群進行攻擊，包含學童、銀髮族等。網路攻擊者將繼續使用網路釣魚、社交工程和其他方法等來瞄準用戶群，進行未經授權的登入而竊取資料。因此，企業也需要考慮用戶教育和意識訓練，包含客戶、員工等，以減輕針對用戶攻擊帶來的資安風險。

從前述的數位韌性中長期趨勢與近期網路資安威脅，可以發現網路資安、數位韌性愈加重要，且進一步納入企業的 ESG 治理要項。因此，可以發現幾個數位服務的應用機會：

1. 供應鏈資安檢測

不論是軟體產品愈加雲端化或是實體設備愈加數位化、物聯網連結，都代表者產品服務趨於複雜、相互結合的元件愈來愈多，也形成愈來愈多的資安風險，擴大攻擊層面（Attack surface）。因此，針對產品服務、數位設備的研發、製造、使用等階段都應該檢測資安風險，以協助企業、使用者避免資安威脅。歐盟 2022 年的《網路韌性法案》即在避免產品服務上的資安漏洞，已經有許多解決方案商發現到這些機會。例如，Binarly 公司利用深度檢測平臺以協助企業、產品廠商能發現硬體級別的安全缺陷，檢查設備是否存在惡意程式碼、異常、漏洞或錯誤配置方式，識別、評估潛在問題，進一步產生一份可行建議報告；Axiado 公司則開發可信控制／計算單元處理器，可以從硬體層級檢測威脅，抵禦針對雲資料中心、5G 網路、供應鏈等網路攻擊；BoostSecurity 公司則發展一個 DevSecOps 自動化檢測平臺，可以幫助檢測和修復漏洞，以協助雲端服務開發生命週期的資訊安全檢測；Cranium 公司則協助企業監控、管理人工智慧、機器學習發展環境以檢測模型的可信度、合規性等。

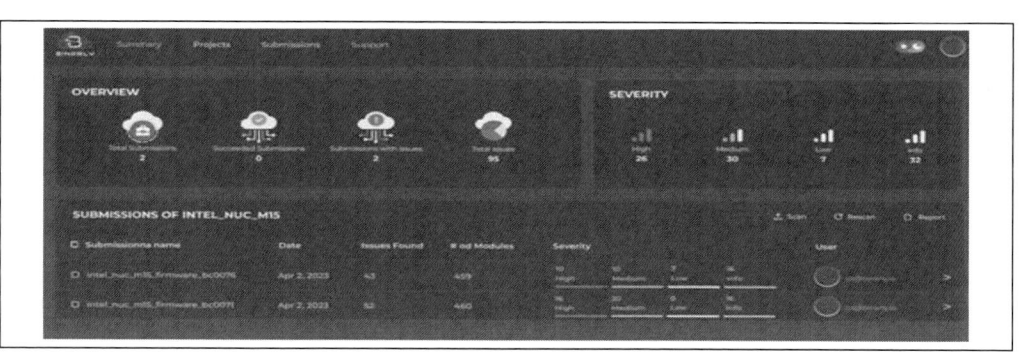

資料來源：Binarly，資策會 MIC 經濟部 ITIS 研究團隊整理，2023 年 9 月

圖 4-21 硬體設備資安風險檢測

2. 零信任架構

由於智慧手機、設備數位化、混合雲連接、愈來愈多用戶運用不同的管道上網及攻擊手法更加複雜，傳統信任網站來源的方式已經行不通。為了大幅降低企業發生資料外洩災情及減少透過不同網站、主機、應用程式作為橫向攻擊，新的網路安全策略聚焦零信任架構（Zero Trust Architecture, ZTA）。亦即，所有應用存取前，都要強制且基於證據的判斷，才予以信任、放行，而且每次存取都要評估，以取得信任。美國政府於 2021 年宣布朝零信任架構發展、2022 年 1 月通過「聯邦零信任戰略」草案，指示所有聯邦機構網路安全策略都需轉移到零信任架構；歐盟、日本、新加坡、中國大陸均要求政府機構、關鍵基礎設施單位導入零信任防護；我國數位部亦要求 A 級公務機關導入零信任架構、2023 聚焦身分鑑別的網路安全零信任轉型。

Microsoft Azure、AWS、Akamai、VMware、Palo Alto Networks、Cisco、F5、Trend Micro 等均紛紛採用零信任架構，零信任架構與機制將實施在身分識別、裝置管理、網路、應用程式與資料等各層面，成為企業、產品服務商必要採用的架構，亦是不可忽視的商機來源。例如 Block Armor 為一家新加坡新創公司，提供使用區塊鏈技術和軟體定義邊界的零信任網路安全平臺，利用數位簽章（不僅僅是 IP 位址）來識別、驗證和授權設備，以此適合目前分散式、混合 IT 架構及智慧城市、工業 4.0 和 5G 應用，以進行設備身分認證與應用服務授權連結。新創公司 Authomize 蒐集並規範來自雲服務、應用程序和身分認證的身分、訪問權限、資產和活動，以檢測、調查和回應身分

風險和威脅。Authomize 可以幫助客戶查看實際訪問權限、跨雲服務和應用程序，並建議最小權限的微分割（Micro Segmentation），並自動執行合規性和資安稽核等準備工作。

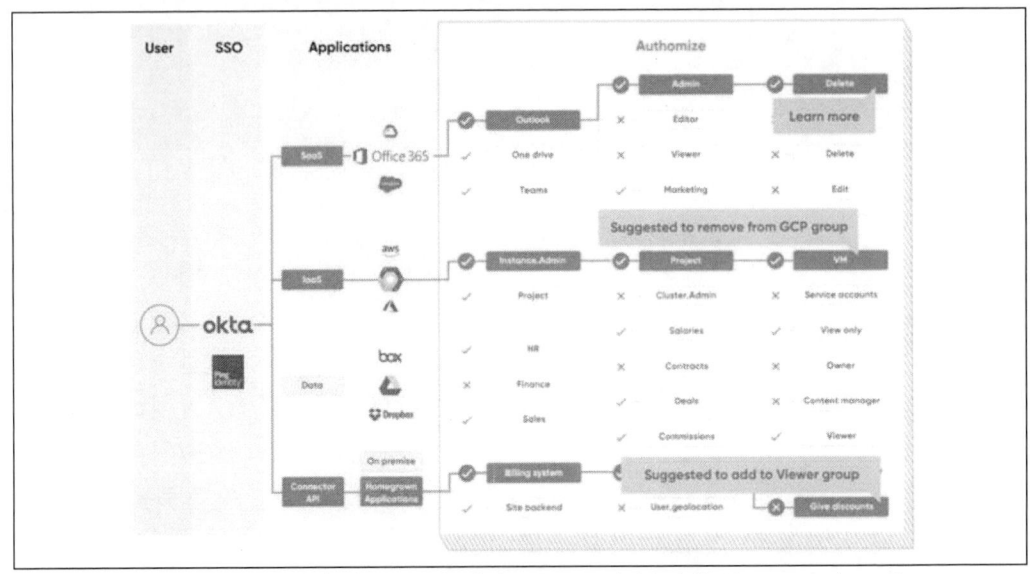

資料來源：Authomize，資策會 MIC 經濟部 ITIS 研究團隊整理，2023 年 9 月

圖 4-22 零信任架構的應用服務最小權限授權

3. 事件偵測與自動化回應管理

主要目的在於快速發現資安攻擊事件，立即警訊、處理，以避免資安攻擊事件擴大。例如，新創公司 BreachQuest 的 Priori 事件響應平臺，快速蒐集和分析安全事件資料，辨別和制止攻擊並加速恢復原狀。Priori 可持續監控系統是否存在惡意活動，當發生資料外洩時，會立即發送警報，並指出哪些端點已受到損害；Camelot Secure 提供網路安全，利用人工智慧和機器學習的網網威脅情報分析，以提供網網威脅搜尋評估、漏洞評估、風險評估等；Cyware 新創公司建立虛擬網網融合中心，為企業提供資安威脅情報自動化分析、可視化追蹤，並提供企業利用圖形拖曳方式設計威脅自動化管理流程。此外，亦能透過威脅資訊共享平臺，與其他企業、廠商共享資安威脅情報，以迅速預防資安的攻擊。

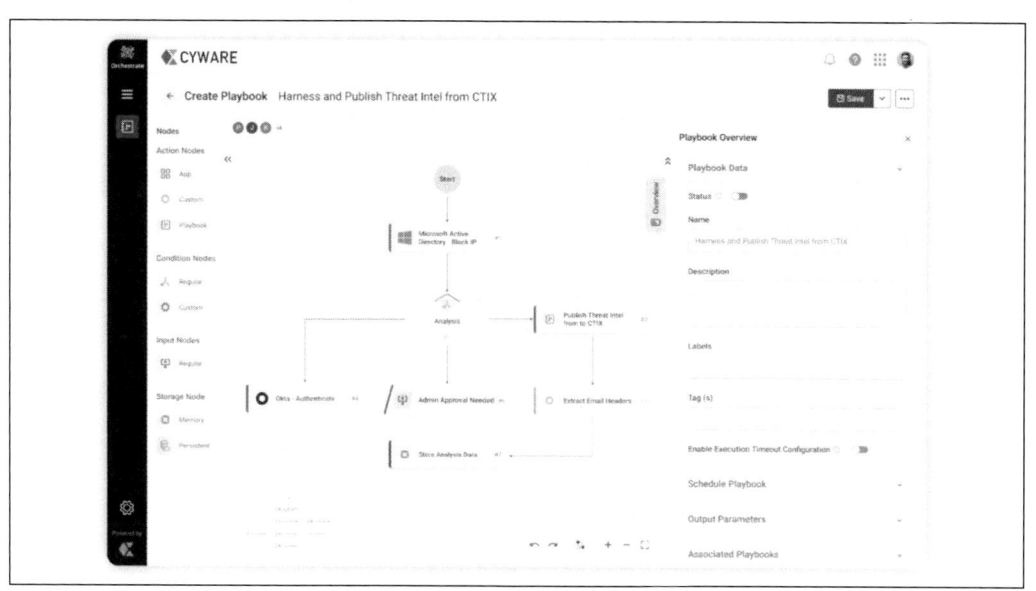

資料來源：Cyware，資策會 MIC 經濟部 ITIS 研究團隊整理，2023 年 9 月

圖 4-23　圖形化低程式碼設計資安威脅自動化管理

（三）臺灣產業機會

隨著網路資安、數位韌性更受到重視並融入 ESG 治理一環，以下分析臺灣資服業的機會與挑戰。

1. 資訊安全

數位韌性的持續發展渴望對於資訊安全業者帶來更商機，除了隨著趨勢發展供應鏈資安檢測、零信任架構、事件偵測與自動化回應管理外，更應該重視人工智慧、機器學習的發展，實踐在各項應用上。此外，資訊安全上升到企業 ESG 治理層面及國家安全等，應與系統整合業者合作，強化領域別防護、資安治理服務等，以滿足數位韌性更全面的需求。

2. 系統整合

對於系統整合業者來說，數位韌性可以延伸網路資安的方案並進一步提供關於聯網設備保護、零信任架構等解決方案。系統整合業者更應協助企業綜觀整體網路、雲端服務、IT 架構及跨部門整合、

教育訓練機會。系統整合業者亦能深入行業別，諸如醫療保健、金融服務等，提供更領域導向的解決方案與實施服務。

3. 套裝軟體

對於軟體服務業者來說，應思考如何將產品服務導入供應鏈資安檢測相關服務，以滿足產品服務的資安信賴度與產品合規需求。此外，不論套裝軟體或 SaaS 服務，也應思考如何融入零信任架構，以協助企業、資安服務運營商提供更精細的微分割應用服務授權架構。

4. 雲端運算

雲端運算服務業者本身需融入更多的零信任架構、資安威脅事件自動化管理及雲服務開發生命週期的資安檢測與確認，以提高企業對於雲端運算服務的資安信賴度。此外，雲端運算服務業者可以與資安廠商合作，發展資安監控服務平臺、資安威脅共享服務平臺，以發展資安即服務的商機。

5. 資訊委外

以資訊建設為主的資訊委外服務業者，應與資安業者、資安即服務廠商或系統整合商合作，以提高資訊委外服務本身的各項資安保戶。此外，資訊委外業者可以導入各項產品服務的資安檢測委外服務，因應供應鏈資安威脅的風險，提供企業、設備業減少風險。以人力為主的資訊委外業者，應強化資安人才的委外與訓練，並提高對於各項合規的熟悉度。

第五章 ｜ 未來展望

一、資訊服務市場展望

根據行政院主計總處預測，2023 年經濟成長率將大幅度下修至 2.04%，為近幾年的低水準。這來自於國際市場上潛在風險與挑戰，包括美中保護主義、貿易戰、債務與地緣政治、各國貨幣政策等經濟議題等，影響臺灣產業的經濟發展。不過，AI 轉型、ESG 議題帶動臺灣資通訊硬體產業及資訊服務產業的發展，可望在不利的產經環境下注入新的活水，資服業產值仍維持在 5%的成長。以下分析 2023 年臺灣資訊服務的市場展望。

（一）企業 IT 投資持續增長

隨著 COVID-19 的疫情趨緩，迎來企業穩定營運發展下，企業投資 IT 穩住營運的支出將隨之趨緩。不過，由於美中供應鏈衝突的不確定性及員工不足、設備老舊等因素下，臺灣企業仍持續強化投資 IT 科技於提高員工生產力、降低成本及提高作業彈性、恢復力的方向。

在提高員工生產力部分，企業將持續投資企業資源規劃系統的升級、採購流程自動化等。由於供應鏈風險、ESG 的合規要求、原物料上漲等因素，促使企業更有意願在雲端服務上，將供應商、庫存、生產狀況進行分享及協同作業，以提高資訊的透明度及快速復原能力。此外，由於員工不足及資訊透明、快速復原等需求，將使得更多企業在可視化看板、戰情室、決策分析、商業智慧等方向投資，以輔助經理人、一線員工快速地決策及回應。

在製造業方面，由於設備機臺老舊、缺工及因應 ESG 法規與供應商要求、電價上漲等諸多因素，企業將持續地投資提高員工生產力、設備連結、製程現場透明等相關 IT 方案，以滿足製造業現場營運需求。

在零售通路、品牌行銷上，企業持續投資行銷科技以協助線上的

社群、媒體曝光及顧客分析、直接銷售等；在電子商務、品牌行銷上，因 ESG、綠色金融的影響，將會結合更多的永續、綠色影響力商品服務，以導引消費者、供應商永續行為及建立更良好的企業品牌、擴大企業影響力範疇。

（二）ESG 成為數位轉型目標

在國內外 ESG 政策、供應鏈的永續要求下，臺灣企業將持續投資 ESG 相關諮詢服務、驗證服務、IT 產品服務等。在 2022、2023 年間，ESG 雙軸轉型成為資訊服務商的共識，持續發展碳排放紀錄、能源監控等產品，滿足企業合規、溫室氣體碳排等需求，並能協助企業監測或分析機房、生產設備、產業電力消耗狀況，作為分析與策略制定的基礎。在法令規範及政策輔導的持續推動下，企業將持續進行相關投資，並進一步朝更成熟的方向發展。例如：結合 AI、數位雙生系統及永續因素，使得生產過程最佳化，最大限度減少能源消耗、材料浪費，以提高生產效能、減低碳排等雙重目標。

此外，由於上下游供應鏈的永續要求、綠色金融的發展因素下，將使得企業更應思考供應鏈永續透明的重要性。資訊服務業者亦將更著重於相關永續生態系平臺的建立與發展，以更有效地分享永續資訊與上下游協作。例如：利用區塊鏈追溯生產過程碳排放狀況，更完整分析整體生命週期的碳足跡，並進行有效的減碳方式。

最後，綠色金融的因素將使得金融業、資訊服務業進行跨業結合，將金融科技延伸到非金融體系的風險管理，使得金融業更深入企業營運、個人行為，擴大影響力。資訊服務業亦擴大與金融業合作，發展更完整個人消費、企業營運的服務。

（三）AI 增長 SaaS 雲端服務應用

生成式 AI 帶動新一波的熱潮，為臺灣資通訊硬體、資訊服務產業帶來新的產品服務發展方向。事實上，智慧製造、智慧醫療、智慧零售等已經在臺灣各個行業初步被採用。資策會 MIC 在 2023 年的 200 家製造業調查中，結果顯示 29%企業已經初步採用 AI、30 家醫療業則有 40.1%採用 AI。儘管目前投資金額並不高，均將持續加大

採用，調查顯示製造業投資金額成長 6%、醫療照護業則成長 97.1%。其中，製造業主要以設備應用、商業智慧與策略、物料管理、生產方法成長較高；醫療照護則在住院照護、手術照護服務流程等領域有較高的投資成長。

生成式 AI 對於產業的 AI 轉型有兩個主要方向：第一種是提供自然語言生成、圖片生成的技術基礎，包括對話式機器人、行銷文件自動產生、產品設計圖像生成；第二種生成式 AI 的應用則針對傳統智慧製造、智慧醫療的資料蒐集、訓練過程中的資料模擬生成，以產生大量資料、彌補傳統機器學習上的不足，加快企業導入相關應用。事實上，如同前述的行業導入狀況，運用傳統機器學習、深度學習技術已經初步運用在各行業上，然而所需資料量、訓練成本等較高，使得許多企業望而卻步或者不容易擴散到規模較小的企業。生成式 AI 將有助於降低資料訓練成本，並容易擴散與複製到中小型企業、跨行業別的應用。

此外，由於生成式 AI 仰賴大型語言模型，需要雲端運算能力的進行計算，OpenAI 或 Microsoft、Google 均提供介接的 API，運用訂閱服務或依使用量計價（如 OpenAI 依據生成的 Tokens 數進行計價），將使得 AI 的應用發展更仰賴雲端服務的推動；或者，衍生系統整合業者的服務商機、軟體服務業者基於大型語言模型發展的行業應用等，意味著雲端服務將持續具有成長空間，因而也對伺服器、資料中心等 IT 基礎架構產生需求。

（四）數位韌性形成新 IT 架構議題

數位韌性或資安治理已經成為公司治理不可或缺的一環。我國金管會、證交所持續要求上市櫃公司設置資安長、資安組織乃至於資安治理評鑑的規範。此外，隨著設備聯網、雲端服務、機器學習／生成式 AI 的服務運用愈來愈多，公司亦意識到 IT 架構的資安防護以防止資料外洩、災難應變架構以減低災後的影響等。這將使得資訊安全軟硬體、資料災難備援的需求持續地增加，而要求購置的產品服務上對於資安的保護亦更加重視，以防止產品服務的資安漏洞造成的供應鏈資安問題。以此，數位韌性相關的議題將持續影響，衍生供應

鏈資安檢測、零信任架構、相關資安認證服務的商機及產品服務合規問題。

　　產品服務合規的問題不僅是企業單方面要求資訊服務業產品服務符合資安規則，亦衍生軟體服務供應鏈信任的問題。所謂「軟體物料清單（Software Bill of Materials, SBOM）」的概念正在形成，SBOM的思考主要來自於現在應用程式是由許多開源軟體、套件、微服務及其他軟體服務組成、串聯，若其中的元件造成資安漏洞，均可能會威脅相關軟體服務信心。因此，應用程式應清楚揭露使用的相關軟體、版本等，並提出產品生命週期的資安檢測狀況。此外，國際大型軟體公司亦希望能建立清楚的信任軟體供應鏈聯盟，避免有問題的軟體元件進入軟體供應鏈中，造成資安漏洞。例如：Microsoft、Google、Cisco、Intel 將組成跨軟硬體業的 SBOM 資安生態系統，使用共同標準與共享資訊。以此，資訊服務業者乃至於資通訊硬體業者將持續進行資安揭露與合作，以發展信任生態系統，並接軌國際信任軟體生態系統。

（五）教育訓練成為商機驅動

　　ESG、生成式 AI、資訊安全等持續成為企業 IT 人才的訓練需求，亦衍生資訊服務業者人才訓練服務、諮詢服務、委外服務等商機。ESG、資訊安全衍生的合規、技術訓練需求，仰賴資訊服務業者與認證業者、顧問服務業者進行合作，以協助企業人才訓練。數位韌性、資安治理則衍生新的顧問諮詢服務，有賴資訊服務業者輔導企業的資安檢測、治理乃至於 IT 架構的發展。ESG 相關的組織碳盤查、產品碳足跡、能源管理等驗證需求，資訊服務業者亦能與 ESG 顧問公司、查驗公司等進行人才訓練合作，進一步協助企業導入碳盤查工具乃至於減碳服務等。生成式 AI 則更需要從教育訓練著手，讓企業理解實際應用場景與效益，才能更容易說服企業採用。

　　此外，企業界的人才缺乏也愈加嚴重，人工智慧人才更是缺乏。根據國發會《111-113 年重點產業人才供需調查及推估》中顯示，國內欠缺人才主要為在欠缺人才所需科系，集中於「工程及工程業」及「資訊通訊科技」學門，前者包含電機與電子工程、機械工程、化學

工程及製程、機動車輛、船舶及飛機、電力及能源等；後者包含軟體及應用的開發與分析、資料庫、網路設計及管理、其他資訊通訊科技等學類。除了相關畢業生不足外，跨領域人才更難以培養。例如「精準健康」產業亦注重跨域能力，如資通訊、資料分析跨及生醫領域；「智慧機械」需要機械工程領域與資通訊、數位技術領域的結合。

因此，企業進行 ESG 數位轉型、AI 轉型的最大問題仍是人才問題。由於少子化、學生畢業人數不足及跨領域的招募困難等問題，許多教育訓練服務仰賴在職員工各種升級訓練，諸如 AI 人工智慧基礎訓練、ESG 訓練、數位行銷訓練等，將衍生相關教育訓練服務商機；訓練永遠趕不上企業升級轉型的需求，亦衍生相關人力委外服務的商機。資訊委外服務商應思索教育訓練商機，並補充企業、其他資服業的相關人力委外服務。

二、資訊服務產業轉型

儘管資服業產值仍維持在 5% 以上的成長，企業加快數位轉型、AI、資安議題等諸多樂觀因素帶動企業投資，並帶領資服產業成長。然而，快速的技術更迭、企業採用部門的轉變、人才問題等，均挑戰既有資訊服務業的運營，形成資服業轉型的壓力。臺灣資訊服務業者規模相較於國際業者或國內資通訊產業均較小，亦使得產業轉型上形成更大的挑戰。以下分析臺灣資訊服務業產業轉型的挑戰與方向：

（一）數位技術的顛覆

儘管資訊服務業者擅用資訊技術協助企業進行數位轉型，然而快速更迭的技術變化也使得相對資本規模、人數較少的臺灣資訊服務業者面臨挑戰。

首先，COVID-19 使企業更加習慣線上的溝通取代了面對面的接觸。資訊服務業者過去運用直接實地業務拜訪、研討會活動的行銷方式，轉而變成線上展示、線上的研討會活動等。資訊服務業者減少實體研討會、實機展示的成本，但也影響顧客行銷、銷售的機會。資訊服務業者必須擺脫傳統的行銷、業務拜訪方式，強化網路媒體、線上研討會、部落格等數位行銷方法，以不同的通路接觸企業。

此外，新興的技術，諸如人工智慧、生成式 AI、物聯網、Web 3.0 乃至於 ESG、數位韌性等，資訊服務業者都必須快速應對，並推出相應的產品服務、解決方案或合作策略，使得學習必須更快、產品服務發展要更快，對於既有資訊服務業者形成莫大的挑戰。

（二）不同競合的業態

隨著軟體服務化、AI 發展及軟體深入到硬體設備上，資訊服務業者面臨到新的競爭對手與合作夥伴。

首先，網際網路、雲端服務帶來數位行銷、電子商務的軟體服務需求，也帶來許多新興的數位行銷服務競爭者。這些數位行銷服務競爭者是原生的網路服務業者，擅用 Line、Facebook 等社群媒體行銷平臺及對於資料分析、AI 人工智慧的熟悉，正在搶奪這一塊市場。發展銷售自動化軟體、CRM、ERP 或相關系統整合等傳統資訊服務業者必須試著進入這一塊市場或與這些新興數位行銷服務公司進行合作。

此外，軟體深入到硬體設備商，形成物聯網商機、智慧化機臺等 OT 領域智慧化發展，形成新的智慧化軟硬體結合機會。傳統資訊服務業者必須快速熟悉設備、OT 領域知識，或者積極與設備商、設備系統整合商進行合作以搶攻市場。

進一步，由於智慧化、數位轉型的發展，臺灣大型的製造業者在進行內部的數位轉型後，亦開始將經驗包裝成解決方案銷售給上下游夥伴，亦形成傳統資訊服務業者新的競爭對手。傳統資訊服務業者要試著與這些規模相對大、領域經驗更深以及曾是客戶的新興資訊服務者進行合作。

最後，電信服務業者基於 5G 的推廣或發展新的雲端服務需求，亦推出各項智慧解決方案，與傳統資訊服務業者發展競合關係。

（三）客戶對象的轉變

軟體或雲端工具的容易使用、企業數位經驗的成熟或者軟體深入到設備、製造現場等諸多因素，乃至於 ESG、資安等合規需求等，

均使得資訊服務業者面對的企業部門從單純的 IT 部門，擴展到工程、製造現場、行銷部門等業務部門的溝通與決策。資訊服務業者必須更熟悉企業客戶業務部門的需求重點、領域知識，以更有利於解決方案的銷售。資訊服務業者必須善用更多的溝通工具、不同的行銷管道以及熟悉不同業務部門知識的業務進行銷售。

（四）商業模式的混合

資訊服務業者的營收方式也在轉變，雲端服務的發展帶來訂閱服務模式、依使用量服務或產品服務方式，正改變資訊服務業者傳統的軟體授權費用、專案實施費用、維護費用的方式。以軟體授權費用來看，由於 App、微服務的發展，使得愈來愈多企業不願意一次性的支付昂貴的軟體授權費，資訊服務業者必須思考利用軟硬體商品組合、訂閱式服務費用的方式來混合，以減低企業一次性的軟體授權費用。

此外，資訊服務業者與前述的數位行銷服務業者、AI 模型服務業者、設備業者等合作提供解決方案給予企業客戶，也面臨到更多更複雜的分潤與營收模式。另外，許多軟體服務的維護費用改變為雲端服務代管、資訊安全代管的委外服務形式，亦使得資訊服務業者的商業模式更加複雜。

最後，由於許多新興的人工智慧、數位行銷等新創資訊服務業不斷發展，資訊服務業者無法多面向的進行代理或承擔業務風險，因此開始嘗試運用資金、新創投資的方式輔導新創業者進入市場競爭。臺灣大型資訊服務業者開始發展生態系結盟，運用資金、創投輔導、合作推薦的方式，鼓勵新創業者發展。

（五）監管因素的增添

ESG、數位韌性、資訊安全、資料隱私、SBOM 軟體供應鏈、生成式 AI 等政府監管因素增加，使得企業面臨新興的挑戰，也為資訊服務業者帶來新的市場機會。積極的資訊服務業者藉由監管的機會，發展 ESG、資訊安全等解決方案（不論是自行發展或是經銷代理），均為業務帶來的新的增長。2023 年，ESG 議題即帶動許多具備 ESG

碳排管理、能源管理的上市櫃資訊服務業者的股價亮眼的表現以及業績的挹注。

除了資訊服務業者積極應對監管因素對企業帶來的挑戰而提出解決方案外，亦意味著資訊服務業者需要加強與政府、企業跨部門單位及管理顧問公司、查證公司進行合作，以擴大監管因素帶來的商機。

此外，SBOM 軟體供應鏈持續發展，資訊服務業者亦要積極檢視與控管自行發展或代理的軟硬體設備的資訊安全合規狀況，避免受到監管要求或發生資安事件而遭到求償。

（六）人才的短缺

如同企業的挑戰，資訊服務業者同樣面對人才的短缺問題。特別是面對臺灣大型製造業、零售業的人才競爭，規模相對小型的資訊服務業者更面臨徵才上的挑戰。此外，許多人工智慧、物聯網的高端人才，更傾向於微型的新創發展，使得資訊服務業者雇用新興技術人才更加困難。許多中大型資訊服務業者開始透過內部創業的方式，提供人才轉戰衍生新創公司的機會或者透過新創服務業者的合作，以滿足技術人才缺乏的問題。中大型資訊服務業者並積極開始教育訓練服務、創意提案、工作實習等機會，以網羅正在學校就讀的人才。資訊服務業者必須更強化與學界的合作並與其他資服務業夥伴共同合作，以培育相關人才。

三、資訊服務發展策略

ESG、AI、元宇宙、Web 3.0、超級自動化的科技議題持續發展，資訊服務業亦面臨轉型的壓力，資訊服務業者應如何發展，運用 BCG 矩陣可初步分析發展方向。

第五章　未來展望

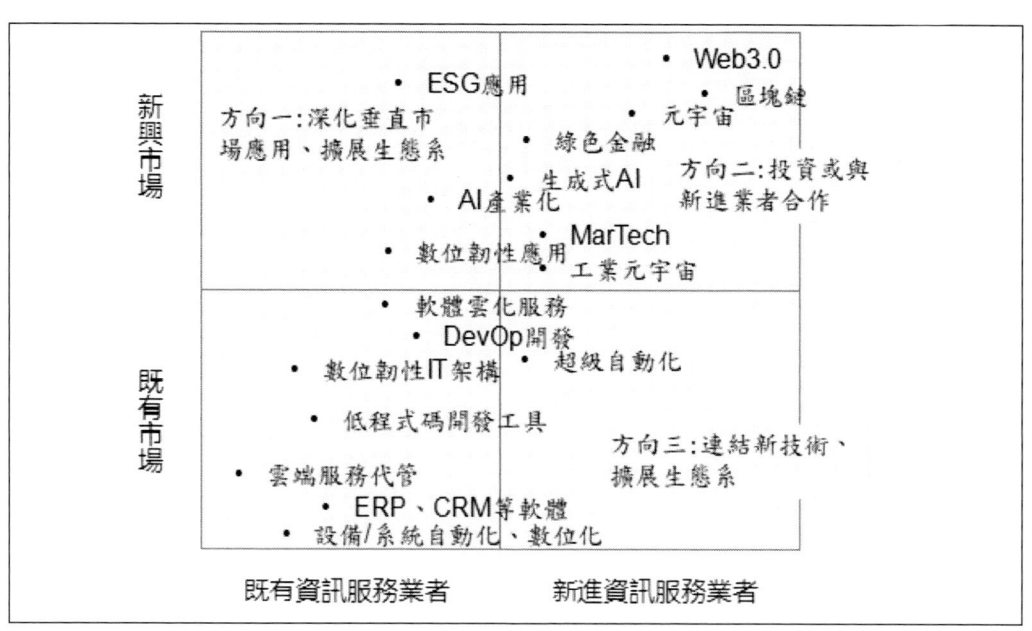

```
                                    • Web3.0
                 • ESG應用          
新興              方向一:深化垂直   • 元宇宙
市               市場應用、擴展生態系   綠色金融
場                          • 生成式AI    方向二:投資或與
                 • AI產業化              新進業者合作
                          MarTech
                 • 數位韌性應用 工業元宇宙
─────────────────────────────────────────────
                          • 軟體雲化服務
                          • DevOp開發
既               • 數位韌性IT架構    超級自動化
有
市               • 低程式碼開發工具
場                                    方向三:連結新技術、
                 • 雲端服務代管         擴展生態系
                 • ERP、CRM等軟體
                 • 設備/系統自動化、數位化

                既有資訊服務業者    新進資訊服務業者
```

資料來源：資策會 MIC 經濟部 ITIS 研究團隊，2023 年 9 月

圖 5-1　資服業發展策略分析

（一）新興市場發展

對於資訊服務業者來說，新產品、新通路、新客戶群等新市場均面臨變動與發展。

ESG、數位韌性等議題代表資訊服務業者不僅要協助企業符合趨勢、法規，更要積極面對政府、金融業者及管理顧問公司的合作。傳統中大型的資訊服務業者亦要積極向法規、政策對齊，以協助企業滿足法規需求；資訊服務業者需面對不同的企業採購部門與使用部門的新客戶群，業務、行銷手段有所轉變。ESG、數位韌性有可能產生新興綠色金融、AI 資安防護等機會，資服業者也應積極地與新創公司合作，以探詢新市場機會。

在 AI 轉型或生成式 AI 發展上，資訊服務業者已經意識到需要更深入與企業合作以獲得更多的資料，建立更完整的 AI 模型協助企業 AI 產業化。資訊服務業者需要將 AI 產品化，降低投入在企業的專案成本過高。或者，中大型資訊服務業者與新創 AI 資訊服務商合作、投資新創 AI 業者，降低專案投入成本。生成式 AI 能夠協助產製更多資料，以加快專案發展，減低資服業者在 AI 產業化上投入成

本並提高專案成功率。

Web 3.0、元宇宙、MarTech 等在網路資料分析、虛實整合等科技，傳統資訊服務業者應更積極地與新創服務業者合作，以試驗新產品服務、新市場的發展。有一些中大型資訊服務業者透過投資、育成、結盟的方式，協助新創業者試驗產品服務以發展新商業模式。

（二）既有市場發展

自從雲端服務發展後，傳統資訊服務業的套裝軟體發展、軟硬設備整合等既有市場亦逐漸的轉變。但由於資料隱私、機密的問題，許多製造業、金融業的關鍵系統仍保留 ERP、CRM、核心系統等安裝在自家機房的伺服器上。因此，對於既有資訊服務業者而言，仍是穩定的成長的市場。

不過，新興的 ESG、AI 轉型、生成式 AI 等應用發展，儘管不會取代這些應用，但會連接或逐漸轉移，既有資訊服務業者要嘗試連結新的技術並與新創業者、技術供應商的合作，以拓展新市場。

其中，超級自動化技術就是一個銜接傳統軟體與新興軟體服務的橋樑。超級自動化技術除了傳統的商業流程管理技術外，介接電腦視覺辨識、自然語言技術的 AI 技術；或者可以藉接生成式 AI 的內容生成、智慧助理；亦可以成為一個雲端中介平臺連結設備硬體、傳統軟體與雲端服務等。以此，資訊服務業者應留意相關技術，延伸發展既有產品或與新創業者合作，將既有產品服務連結新技術、擴展新生態系等。

此外，工業元宇宙亦是可以從既有產品進行連結 AR／VR 技術乃至於元宇宙虛擬世界、Web 3.0、區塊鏈乃至於 NFT 的新應用平臺，亦可以是資訊服務業者嘗試連結新技術、新生態的發展起點。

最後，數位韌性應用（包含結合資訊安全的身分辨識、零信任架構或者災害復原、快速回應等概念）可以進行產品服務延伸、整合的數位韌性架構或企業韌性系統，以發展更完整的企業解決方案。即使非資訊安全領域的資訊服務業者亦要思考產品服務如何滿足數位韌性架構的發展並拓展新 IT 架構、數位信任的領域。

四、資訊服務展望

綜合資訊服務市場趨勢、資訊服務業轉型挑戰與策略、氣候科技、綠色金融、AI 轉型、生成式 AI、數位韌性、超級自動化、Web 3.0、工業元宇宙等議題，資訊軟體、系統整合、資訊委外、雲端運算、資訊安全等具備多種商機與發展機會，以下總結各資訊服務業的展望。

（一）系統整合

系統整合業者應持續具備許多發展機會。生成式 AI 將帶來更多 AI 轉型的產業化專案機會；ESG 氣候科技、綠色金融、超級自動化等會帶來更多軟體與雲端服務、軟體與硬體、流程與系統等整合機會，產生更多的商機。系統整合業者應進一步強化技術的垂直領域深化並與更多資訊軟體、金融業、政府、設備業等進行生態系合作。

（二）資訊安全

在 ESG 數位治理、數位韌性及政府對於資訊安全的重視下，數位韌性、資訊安全將持續成為臺灣市場最為熱門的議題之一。除了少數中大型資訊安全廠商外，臺灣本土資訊安全業者大多較為小型，應趁著數位韌性、資訊安全議題下，結合中大型系統整合商深入企業資訊安全的發展。特別是數位韌性帶來的是企業 IT 架構、資訊安全政策、災難回復策略的企業韌性營運概念，應跟熟悉企業 IT 架構的系統整合業者合作，布局不同領域的企業資安防護、資料外洩防止、物聯設備資安、災難復原等領域。資訊安全業者也可以積極與臺灣設備業、電子供應鏈業者合作，搶攻設備物聯網資安發展議題。

（三）雲端運算

在 ESG、氣候科技走向更即時、更全面的監控能源、供應鏈碳排狀況、生成式 AI 與 AI 轉型的機會下，雲端運算將持續成長。雲端運算業者或相關電信服務商，將積極與系統整合商、綠色金融業、AI 新創服務業者合作，提高企業客戶進入雲端服務的機會。雲端運算業者亦可與工業設備、智慧電錶等業者合作，搶進智慧監控、永續綠色監控等機會。此外，不論 ESG、生成式 AI、超級自動化均有潛在的平臺生態系機會，雲端運算服務業者可以與相關顧問服務業、系

統整合業、金融服務或新創服務業者合作，建構生態系平臺服務。

（四）套裝軟體

　　新興應用轉移到雲端服務是持續發展的趨勢，傳統套裝軟體業者應積極地思考將可能的非關鍵軟體進行雲端服務化、App化，以因應ESG、生成式AI等新興應用的需求。套裝軟體業者應思考既有軟體接入生成式AI、超級自動化產品服務等，以布局雲端訂閱服務的發展。ESG議題已經為臺灣許多積極發展相關應用的資訊軟體業帶來營收與知名度，進一步深化擴大對於碳排監控、減排管理、碳交易市場等方向，以持續擴大ESG布局。此外，數位韌性、資訊安全議題一方面是商機，一方面也可能是資訊軟體業者產品的危機。資訊軟體業者必須針對產品研發過程、產品服務整合、產品使用階段等進行資訊安全的漏洞檢測，以確保企業客戶使用軟體產品安全。

（五）資訊委外

　　在人力短缺的議題及AI等新興科技持續地發展下，企業或其他資訊服務業缺乏相關科技人才是長期的趨勢。資訊委外業者可以積極掌握人才訓練及外派等商機。此外，ESG、生成式AI、超級自動化等新技術帶來自動化處理、智慧客戶服務互動等，亦可以適時引進流程資訊委外的服務環節，以提高委外服務的客戶滿意、效率等，或與業主、新創業者合作，引進新的委外服務，協助企業面對新的挑戰，如生成式AI客戶服務中心、自動化保險理賠作業委外服務、企業ESG績效評估服務。

附錄

一、中英文專有名詞對照表

英文縮寫	英文全名	中文名稱
ADLM	Application Development Life Cycle Management	程式開發週期管理
AI	Artificial Intelligence	人工智慧
AO	Application Outsourcing	應用軟體委外
API	Application Programing Interface	應用程式介面
APS	Advanced Planning & Scheduling System	先進規劃排程
APT	Advanced Persistent Threat	進階持續性威脅
ATM	Automatic Teller Machine	自動存提款機
AR	Augmented Reality	擴增實境
BI	Business Intelligence	商業情報系統／商業智慧
BPM	Business Process Management	商業流程管理
BPO	Business Process Outsourcing	企業流程委外
BYOD	Bring Your Own Device	自攜裝置
CDN	Content Delivey Network	內容遞送服務
CRM	Customer Relationship Management	顧客關係管理
CT	Communication Technology	通訊科技
DDoS Attack	Distributed Denial of Service Attack	分散式阻斷服務攻擊
DLP	Data Loss Prevention	資料外洩防護
EDR	Endpoint Detection and Response	端點偵測與回應
ERP	Enterprise Resource Planning	企業資源規劃
HPA	High Performance Analytics	高效能運算分析
IaaS	Infrastructure-as-a-Service	基礎建設即服務

英文縮寫	英文全名	中文名稱
ICS	Industrial Control Systems	工業控制系統
IDS	Intrusion Detection System	入侵偵測系統
IO	Infrastructure Outsourcing	基礎建設委外
IoT	Internet of Things	物聯網
IPS	Intrusion Prevention System	入侵預防系統
IT	Information Technology	資訊科技
ITO	IT Outsourcing	資訊科技委外
MDM	Mobile Device Management	行動裝置管理
MES	Manufacturing Execution System	製造執行系統
MOM	Message-Oriented Middleware	訊息導向中介服務
NTA	Network Traffic Analysis	網路流量分析
NFC	Near Field Communications	近距離無線通訊
NGFW	Next-Generation Firewall	次世代防火牆
NRI	Networked Readiness Index	網路整備度
O2O	Offline-to-Online	線上線下虛實整合
OLAP	Online Analytical Processing	線上分析處理
OT	Operational Technology	營運科技
PaaS	Platform-as-a-Service	平臺即服務
PLM	Product Lifecycle Management	產品生命週期管理
POS	Point of Sales	終端銷售系統
RDBMS	Relational DataBase Management System	關聯式資料庫
SaaS	Software-as-a-Service	軟體即服務
SCM	Supply Chain Management	供應鏈管理
SCP	Supply Chain Planning	供應鏈規劃系統
SDN	Software-Defined Network	軟體定義網路

附錄

英文縮寫	英文全名	中文名稱
SDS	Software-Defined Storage	軟體定義儲存
SFA	Sales Force Automation	銷售人員自動化
SOAR	Security Orchestration／Automation／Response	資安協調、自動化與回應
SOC	Security Operation Center	資安監控／維護／營運中心
TMS	Transporation Management System	運輸管理系統
UAP	Unified Analytics Platform	統一分析平臺
UEBA	User and Entity Behavior Analytics	使用者與實體設備行為分析
UTM	Unified Threat Management	整合式威脅管理
VA	Vulnerability Assessment	弱點掃描
VAR	Value Added Reseller	加值經銷商
VPN	Virtual Private Network	虛擬私人網路
VR	Virtual Reality	虛擬實境
WAF	Web Application Firewall	網路應用防火牆
WMS	Warehouse Management System	倉儲管理系統

二、近年資訊軟體暨服務產業重要政策與計畫觀測

（一）歐洲

1. 歐盟

人工智慧規則（AI regulation）草案

項目	內容
願景或目標	於 2021 年 4 月 21 日提出，成為第一個結合人工智慧法律架構及「歐盟人工智慧協調計畫」（Coordinated Plan on AI）的法律規範。規範主要係延續其 2020 年提出的「人工智慧白皮書」（White Paper on Artificial Intelligence）及「歐盟資料策略」（European Data Strategy），達到為避免人工智慧科技對人民基本權產生侵害，而提出此保護規範
主要內容	● 「人工智慧規則」依原白皮書中所設的風險程度判斷法（risk-based approach）為標準，將科技運用依風險程度區分為：不可被接受風險（Unacceptable risk）、高風險（High-risk）、有限風險（Limited risk）及最小風險（Minimal risk） ● 「不可被接受的風險」中全面禁止科技運用在任何違反歐盟價值及基本人權，或對歐盟人民有造成明顯隱私風險侵害 ● 在「高風險」運用上，除了作為安全設備的系統及附件中所提出型態外，另將所有的「遠端生物辨識系統」（remote biometric identification systems）列入其中 ● 「有限風險」則是指部分人工智慧應有透明度之義務，例如當用戶在與該人工智慧系統交流時，需要告知並使用戶意識到其正與人工智慧系統交流 ● 「最小風險」應為大部分人工智慧所屬，因對公民造成很小或零風險，各草案並未規範此類人工智慧 ● 協調將加強歐洲在以人為本、可持續、安全、包容和可信賴的 AI 方面領先地位。為了保持全球競爭力，委員會致力於在所有成員國的所有行業中促進 AI 技術開發和使用方面的創新\ ● AI 法規將解決 AI 系統的安全風險，但新的機械法規（The Machinery Directive）將確保 AI 系統安全地集成到整個機械中

資料來源：歐盟執委會，資策會 MIC 經濟部 ITIS 研究團隊整理，2023 年 9 月

歐盟人工智慧法案（The Artificial Intelligence Act）

項目	內容
願景或目標	- 建立一個由人類監督、技術中立、統一的人工智慧（AI）系統規範，確保歐盟使用的 AI 系統具備安全、透明、可追蹤、非歧視性和環境友好的特性 - 保護個人和社會免受 AI 系統可能帶來的潛在風險，統一規範有助於確定 AI 技術的範圍和適用性，為相關政策和監管提供引導。
主要內容	歐盟議會於 **2023 年 6 月 14** 實施人工智慧法案，將 AI 應用類別區分為以下四種： **一、無法接受的風險（Unacceptable risk）**：對人們或特定弱勢群體進行認知行為操控。 例如：導致兒童做出危險行為的聲控玩具；根據行為、社會經濟地位或個人特徵進行社會評分；即時、遠程生物識別系統。 **二、高風險（High-risk）**：對安全或基本權利產生負面影響的 AI 系統， 此風險又細分為以下兩項規範： 1.於歐盟產品安全法規範下使用的產品中使用的 AI 系統 2.八個特定用途之 AI 系統須於歐盟資料庫中進行登記： 　(1) 生物識別與自然人分類 　(2) 關鍵基礎設施之管理、營運 　(3) 教育和職能培訓 　(4) 就業、工人管理和自僱機會 　(5) 獲得和享受基本私人服務、公共服務和福利 　(6) 執法 　(7) 移民、庇護和邊境管理 　(8) 法律解釋和法律應用的協助 **三、具特定透明化義務 AI、生成式 AI（Generative AI）**：如 ChatGPT，必須遵守透明化要求 1.揭露 AI 生成內容，如 Deepfake。 2.設計模型以防止生成非法內容 3.公開發布用於訓練、受版權保護的資料摘要 **四、最小或無風險（Minimal or no risk）**：基本上不受監管。 1.確保歐盟市場使用的 AI 系統是安全的，並尊重現行法律和歐盟價值觀 2.確保法律明確，以促進 AI 領域的投資和創新 3.加強對現行法律中關於基本權利和安全 4.促進合法、安全和值得信賴的 AI 應用與發展

資料來源：歐盟執委會，資策會 MIC 經濟部 ITIS 研究團隊整理，2023 年 9 月

歐洲雲端基礎建設計畫（Gaia-X）

項目	內容
願景或目標	● 數位物理平臺逐漸轉為經濟、政治和社會生態系統的數位孿生體。Gaia-X 計畫是為確保平臺尊重基本原則或歐盟價值觀而制定，此計畫也將決定歐洲公民社會的未來發展 ● 計畫目的為創建一個開放、透明且安全的聯合式數位化生態系統，共同訂定資料服務通用規則，使參與者能夠安全地構建、整理和共享資料
主要內容	2020 年 6 月 4 日宣布啟動 Gaia-X 計畫，Gaia-X 規範內容： 一、資料使用面 1. 資料可移植性：確保資料在不同系統間的流動與移轉 2. 資料處理的同意：確保處理資料之前獲得合法同意 3. 資料交易的可追蹤性：追蹤和紀錄資料交易的過程和細節 二、資料管理面 1. 憑證管理：管理和驗證資料使用者的身分和權限 2. 策略協商：協商和制定資料使用的策略條件 4. 身分管理：驗證使用者身分資訊 5. 聯邦式目錄：建立聯邦式資料目錄，使不同系統能夠共享、同步資料 6. 同步目錄：確保資料的一致性 7. 協助代理、錢包支付功能：方便用戶管理和控制資料的訪問和交易 三、資料開發面 1. 實體關係模型：定義與管理資料實體之間的關係 2. 合規模式模型：建立合規性規範與模型，確保資料處理符合相應法規和標準 獲得 Gaia-X 資助，已於 2022 年實施計畫之聯盟會員： 1. AW4.0：汽車維修 4.0 2. COOPERANTS：航太協作流程和服務 3. EuroDaT：為 Gaia-X 的資料託管機構 4. HEALTH-X dataLOFT：為 Gaia-X 中合法、開放和聯邦化的健康資料空間 5. iECO：負責建築業的智能賦能 6. Marispace-X：提供智慧化海事感測資料 7. MERLOT：為終身教育資料、智慧服務供應的市場 8. OpenGPT-X：為大型 AI 語言模型和創新語言應用服務建構 Gaia-X 節點 9. POSSIBLE：針對資料空間中的互操作性所建立的 Phoenix 開放軟體 10. TEAM-X：醫療資料交換的可信任生態系統 11. TELLUS：打造跨領域聯邦和網路基礎設施

資料來源：Gaia-X，資策會 MIC 經濟部 ITIS 研究團隊整理，2023 年 9 月

歐盟雲端政策（Cloud for Europe）

項目	內容
願景或目標	建立歐盟雲端運算信任度，定義公部門對雲端運算的需求和案例，以促進公部門對雲端服務的採用
主要內容	<ul><li>補助經費達 980 萬歐元，來自 12 個國家共同參與，將以公部門與業界協同合作的方式來支援公部門雲端運算服務導入</li><li>確保雲端運算用戶之間實現服務的互通性以及數據的可移植性</li><li>為提高雲端運算的可信度，支持在歐盟範圍內發展雲端運算服務供應商的認證計畫</li><li>開發保證服務質量的雲端運算服務包含在內的安全且公正的條款</li></ul>

資料來源：Homeland Security，資策會 MIC 經濟部 ITIS 研究團隊整理，2023 年 9 月

歐盟 PSD 2（Second Payment Services Directive）

項目	內容
願景或目標	允許第三方服務供應商(TPSP)直接存取消費者銀行的交易帳戶資料庫，更全面掌握消費者行為，提供更有效率、便宜的電子支付方案
主要內容	<ul><li>第三方服務供應商（TPSP）可做為支付供應商（PISP）或帳戶訊息提供商（AISP）</li><li>帳戶訊息提供商（AISP）：藉由取得客戶銀行資料分析用戶支出與行為</li><li>支付供應商（PISP）：連結消費者各銀行帳戶，進行快速有效付款</li><li>過往銀行可以拒絕 TPSP 的訪問請求。在 2015 年後，第三方服務供應商（TPSP）與銀行的互動受到監管，例如須拿到業務牌照、建立新型架構、異常事件報告、風管與內控</li><li>而銀行必須調整原先對客戶的資料封閉心態，因銀行將失去與客戶直接互動的優勢，須重新定其營運模型</li><li>從 2020 年 12 月 31 日起，PSD2 要求使用嚴格的用戶認證機制（SCA），並且所有歐洲電子商務交易都需要 SCA</li></ul>

資料來源：歐盟執委會，資策會 MIC 經濟部 ITIS 研究團隊整理，2023 年 9 月

歐盟資料治理法（Data Governance Act）

項目	內容
願景或目標	DGA 是 2020 年歐洲資料戰略中宣布的一系列措施中的第一個，為了促進整個歐盟內部以及部門之間的資料共享，該法規草案旨在加強機制，以提高資料可用性並增強對中介機構的信任
主要內容	<ul><li>設置引入條件，在這些條件下，公共部門機構可以允許重用其持有的某些資料，特別是基於商業機密，統計機密性，第三方智慧財產權保護或個人保護而受到保護的資料</li><li>服務提供商應在資料持有人和該資料用戶之間交換的數據方面保持中立</li><li>建立「公認的資料利他主義組織的登記冊」，以增加對註冊組織的運作的信任</li><li>建立一個正式的專家組，即「歐洲資料創新委員會」。該委員會將由成員國當局、歐洲資料保護委員會和其他各種代表組成</li></ul>

資料來源：歐盟執委會，資策會 MIC 經濟部 ITIS 研究團隊整理，2023 年 9 月

資料治理法（Data Goverence Act）

項目	內容
願景或目標	於2022年5月4日正式通過，預計於2023年8月正式生效。DGA是歐盟2020年2月發布歐盟資料戰略（European Data Strategy）後的第一個立法，歐盟希望透過本法建立一套能提升資料可利用性和促進公私部門間資料共享的機制，以創造歐盟數位經濟的更高價值
主要內容	• 針對資料中介服務（data intermediation）、資料利他主義（data altruism）、歐盟資料創新委員會（European Data Innovation Board）等機制建立的規定 • 針對公部門所持有之特定類別資料的再利用（reuse）進行規定，當公部門持有的資料涉及第三方受特定法律保護的權利時，公部門只要符合特定條件下可將此類資料提供外界申請利用 • 若為提供符合歐盟整體利益的服務且具有正當理由和必要性的例外情況下，得授予申請對象專有權（exclusive rights），但授權期間不得超過12個月 • 歐盟應以相關技術確保所提供資料之隱私和機密性

資料來源：歐盟執委會，資策會MIC經濟部ITIS研究團隊整理，2023年9月

跨大西洋資料保護框架（Trans-Atlantic Data Privacy Framework）

項目	內容
願景或目標	促進美國與歐洲之間的資料流通，並解決歐盟法院在2020年宣布隱私盾協議（EU-U.S. Privacy Shield framework）無效時所提出的疑慮與問題
主要內容	美國在下列三個方面做出了「重大承諾」： • 加強控管美國的情報活動，以確保所追求國家安全目的適法，且所採取的手段係在必要範圍內，而未過度侵犯公民的隱私與自由 • 建立具有約束力且獨立的多層次救濟機制，其中包含一個由非政府人員所組成的「個人資料保護審查法院」，並賦予該組織完全的審判權 • 針對情報活動強化分層且嚴格的行政監督機制，以確保其合乎隱私與自由的新標準

資料來源：歐盟執委會，資策會MIC經濟部ITIS研究團隊整理，2023年9月

歐盟數位十年網路安全戰略
(The EU's Cybersecurity Strategy for the Digital Decade)

項目	內容
願景或目標	2020年12月16日，歐盟委員會和外交與安全政策聯盟高級代表提出了新的歐盟網路安全戰略。目的是增強歐洲抵抗網路威脅的集體應變能力，並確保所有公民和企業都能從可信賴和可靠的服務及數位工具中充分受益
主要內容	● 確保在有安全隱患和歐洲人民基本權利的地方，建立有力的保障措施，以確保全球開放的網際網路 ● 為重要服務和關鍵基礎設施的世界級解決方案和網路安全標準制定規範，並推動新技術的開發和應用 ● 韌性、技術主權和領導（Resilience, Technological Sovereignty and Leadership）：根據網路與資訊系統安全指令（Directive on Security of Network and Information Systems, NIS Directive）修訂更嚴格的監管措施，改善網路和資訊系統的安全。並建立由AI推動的資安監控中心（AI-enabled Security Operation Centres），及時避免網路攻擊 ● 建立防禦、嚇阻和應變能力（Building Operational Capacity to Prevent, Deter and Respond）：逐步建立歐盟聯合網路安全部門，加強歐盟各成員國之間的合作，以提高面對跨境網路攻擊時的應變能力 ● 透過加強合作促進全球開放網路空間（Advancing a Global and Open Cyberspace）：希望與聯合國等國際組織合作，透過外部力量共同建立全球網路安全政策，維護全球網路空間的穩定及安全

資料來源：歐盟執委會，資策會MIC經濟部ITIS研究團隊整理，2023年9月

歐盟網路安全法（The EU Cybersecurity Act）

項目	內容
願景或目標	● 進行《歐盟網路安全法》修訂，強化歐盟網路安全機構（ENISA） ● 提供發展全歐洲資通訊（ICT）服務、產品和流程一個網路安全認證計畫架構 ● 第526／2013號（EU）法規應予廢除
主要內容	● 依據「非個人資料自由流通規則（Free Flow of Non-personal Data Regulation）」的目標，值得信任且安全的雲端基礎設施和服務，是實現歐洲資料可移動性的基本要求 ● 確保企業、公共管理部門和公民的資料，無論在歐洲何處處理或儲存，都同樣安全 ● ENISA將開發針對雲端基礎設施和服務的網路安全認證計畫，並提案供EC採用 ● 確保ICT產品、ICT服務或ICT流程滿足網路安全認證計畫的安全要求基礎 ● 網路安全威脅是一個全球性問題，需要進行更緊密的國際合作以改善網路安全標準，包括定義共同的行為規範、國際標準及訊息共享

資料來源：歐盟執委會，資策會MIC經濟部ITIS研究團隊整理，2023年9月

IPv6 最佳實踐、優勢、過渡挑戰及未來展望白皮書
(IPv6 Best Practices, Benefits, Transition Challenges and the Way Forward)

項目	內容
願景或目標	講述 IPv6 最佳實踐、用例、優勢和部署挑戰中汲取的經驗教訓，探討純 IPv6 部署的實踐案例並全面闡述 4G／5G、IoT 和雲時代對網路的新需求
主要內容	● 各界應於未來逐漸採用 IPv6（Internet Protocal Version 6），以因應 IPv4 位址耗盡之問題 ● 得益於重定端到端模式（End-to-End Model），產業界採用 IPv6 將可大規模布建物聯網、4G／5G、物聯網雲端運算（IoT Cloud Computing）等

資料來源：ETSI，資策會 MIC 經濟部 ITIS 研究團隊整理，2023 年 9 月

非 IP 相關網路連接產業規範小組

項目	內容
願景或目標	非 IP 相關網路連接產業規範小組，即 ISG NIN（Industry Specification Group Addressing Non-IP Networking）解決非 IP 網路 5G 新服務相關問題，並定義技術標準，透過設計確保安全性，並提供直播媒體較低延遲的服務
主要內容	● 2023 年 9 月 7 日，ETSI 改革 ISG NGP 成立新小組 ISG NIN，以提供新 5G 應用之最適服務，並以較低投資成本（CapEx）與維運成本（OpEx）有效管理組織 ● ISG NIN 將成果應用於專用行動網路、核心網路之公共系統以及端對端 ● ISG NIN 與產業組織之合作成果，將提供行動通訊業者一套尖端協定以增加業者的服務組合 ● 專注於可替代 TCP／IP 的候選網路協議技術，這些協議可以持續到 2030 年以後

資料來源：ETSI，資策會 MIC 經濟部 ITIS 研究團隊整理，2023 年 9 月

物聯網安全準則－安全的物聯網供應鏈
(Guidelines for Securing the IoT - Secure Supply Chain for IoT)

項目	內容
願景或目標	解決 IoT 供應鏈安全性的相關資安挑戰，幫助 IoT 設備供應鏈中的所有利害關係人，在構建或評估 IoT 技術時作出更好的安全決策
主要內容	● 分析 IoT 供應鏈各個不同階段的重要資安議題，包括概念構想階段、開發階段、生產製造階段、使用階段及退場階段等 ● 構想階段對於建立基本安全基礎非常重要，應兼顧實體安全和網路安全 ● 開發階段包含軟體和硬體 ● 生產階段涉及複雜的上下游供應鏈 ● 使用階段，開發人員應與使用者緊密合作，持續監督 IoT 設備使用安全 ● 退場階段則需要安全地處理 IoT 設備所蒐集的資料，並考慮電子設備回收可能造成大量污染的問題

資料來源：歐盟資通安全局，資策會 MIC 經濟部 ITIS 研究團隊整理，2023 年 9 月

2. 英國

全球人工智慧合作組織創始成員的聯合聲明
(Joint Statement from founding members of the Global Partnership on Artificial Intelligence)

項目	內容
願景或目標	• GPAI是一項多方利益相關者的國際性倡議,旨在基於人權、包容性、多樣性、創新和經濟增長來指導負責任的AI開發及使用 • 透過支持AI相關優先事項的前沿研究和應用活動,尋求在AI理論與實踐之間架起橋樑
主要內容	• 澳大利亞、加拿大、法國、德國、印度、義大利、日本、墨西哥、紐西蘭、南韓、新加坡、斯洛維尼亞、英國、美國和歐盟共同加入,建立全球人工智慧合作夥伴關係(GPAI或Gee-Pay) • GPAI將與合作夥伴及國際組織合作,召集來自企業、社會、政府和學術界的領先專家,就四個工作組主題進行合作:(1)負責任的人工智慧(2)資料治理(3)工作的未來(4)創新與商業化 • 至關重要的是,短期內GPAI的專家將研究如何利用AI更好地因應COVID-19並從中恢復

資料來源:英國政府法規,資策會MIC經濟部ITIS研究團隊整理,2023年9月

國家資料戰略(National Data Strategy)

項目	內容
願景或目標	活用相關知識與經驗,透過資料的開放、流通與運用,讓英國經濟自COVID-19疫情中復甦,提高生產力與創造新型業態,改善公共服務,並使之成為推動創新的樞紐
主要內容	• 資料基礎(data foundation):資料應以標準化格式,且符合可發現(findable)、可取用(accessible)、相容性(interoperable)與可再利用(reusable)的條件下記載 • 資料技能(data skills):應藉由教育體系等培養一般人運用資料的技能 • 提升資料可取得性(data availability):鼓勵於公共、私人與第三部門加強協調、取用與共享具備適切品質的資料,並為國際間的資料流通提供適當的保護 • 負責任的資料(responsible):確保各方以合法、安全、公平、道德、可持續、和可課責(accountable)的方式使用資料,並支援創新與研究 • 釋出資料的整體經濟價值,建構具發展性且可信賴的資料機制,與建立資料基礎設施的安全性與彈性 • 改變政府運用資料的方式,提升效率及改善公共服務 • 推動國際資料流(international flow of data)

資料來源:英國數位、文化、媒體暨體育部,資策會MIC經濟部ITIS研究團隊整理,2023年9月

英國科技業的未來貿易戰略（future trade strategy for UK tech industry）

項目	內容
願景或目標	<ul><li>促進數位貿易並幫助英國成為全球科技強國</li><li>吸引來自世界各地的更多投資，以支持英國技術</li><li>在全球推廣英國的技術，並與全球合作夥伴共同促進發展</li></ul>
主要內容	<ul><li>對快速成長的國際市場（包括亞太地區）增加技術出口，加強規模擴大的市場準備出口，並吸引投資以推動創新並創造就業機會</li><li>由於新冠病毒的影響，許多數位技術行業的需求不斷成長，包括 EdTech、MedTech、金融科技和網路安全等，從而帶來更多的出口機會</li><li>為 DIT-DCMS 聯合網啟動亞太地區數位貿易網（DTN），推動英國高科技產業於亞太地區的發展，為英國吸引資金與人才，並加強英國在國際上的數位經濟合作</li><li>成立新的技術出口學院，為高潛力的中小企業提供專業建議，以支持其向優先市場的發展</li><li>高科技技術將是「準備好交易」運動的核心，其中包括 EdTech、MedTech、網路、VR、遊戲和動畫</li><li>擴大對 DIT 高潛力機會（HPOs）技術計畫的支持，以推動外國直接投資（FDI）進入新興子行業，包括 5G、工業 4.0、光子學和沉浸式技術，確保英國仍是歐洲最有吸引力的技術投資目的地</li></ul>

資料來源：英國政府法規，資策會 MIC 經濟部 ITIS 研究團隊整理，2023 年 9 月

（二）北美與俄羅斯

1. 美國

監管數位資產的行政命令
（Executive Order on Ensuring Responsible Development of Digital Assets）

項目	內容
願景或目標	為使美國政府有整體性的政策以應對加密貨幣市場的風險與數位資產及其基礎技術的潛在利益，該行政命令以消費者與投資者保護、金融穩定、打擊非法融資、增進美國競爭力、普惠金融、負責任的創新為六大關鍵優先事項
主要內容	● 政府機關應合作來保護美國消費者與企業，以因應不斷成長的數位資產產業與金融市場變化 ● 鼓勵金融監管機構識別與降低數位資產可能帶來的系統性金融風險，制定適當的政策建議以解決監管漏洞 ● 與盟友合作打擊非法金融與國安風險，減輕非法使用數位資產所帶來非法金融與國家安全風險 ● 運用數位資產技術，促進美國在技術與經濟競爭力上保持領先地位 ● 支持技術創新並確保負責任地開發與使用，同時優先考慮隱私、安全、打擊非法利用等面向 ● 鼓勵聯準會研究CBDC，評估所需的技術基礎設施與容量需求

資料來源：美國政府，資策會MIC經濟部ITIS研究團隊整理，2023年9月

基礎建設法案（Infrastructure Investment and Jobs Act）

項目	內容
願景或目標	旨在提供工作機會，改善港口與運輸之供應鏈，及其他關於美國基礎建設的投資等
主要內容	● 基建法案與加密貨幣產業有關者，分別將交易標的現金之定義新增數位資產（Digital Asset）、新增經紀商（Broker）之申報義務 ● 所謂數位資產係以數位方式表彰一定價值，並透過加密保全的分散式帳本或其他類似技術所紀錄之資產 ● 經紀商認定範圍新增包括「關於任何為獲得報酬，而負責定期提供任何服務，代表他人實現數位資產轉移者」 ● 任何價值超過10,000美元之交易訊息（諸如交易者姓名、社會安全號碼等資訊）應申報至美國國家稅務局（IRS） ● 經紀商亦被要求申報其所經手交易至美國國家稅務局 ● 新規範適用於2023年12月31日後所應依法申報之文件

資料來源：美國政府，資策會MIC經濟部ITIS研究團隊整理，2023年9月

聯邦衛生 IT 計畫：2020-2025 年（草案）
(Federal Health IT Strategic Plan)

項目	內容
願景或目標	● 美國衛生與公共服務部（HHS）發布此計畫草案，期望利用 IT 的力量來改善美國的醫療保健狀況 ● IT 技術應改善患者的健康狀況、尋求護理的經驗 ● 以機器學習等資料分析技術來促進更具個性化的護理，改善醫療保健研究和管理 ● 促進醫療保健提供者和研究人員之間共享電子健康紀錄（EHR）
主要內容	● 增加患者對資料的訪問，改善健康資料的可移植性，以便患者尋求最佳護理 ● 促進健康行為和自我管理，將更多的社會因素納入電子健康紀錄（EHR）中，並利用個人和社區級別的資料來解決流行病和其他公共衛生問題 ● 利用機器學習來開發針對性的療法 ● 鼓勵「對資料共享的期望」，加強不同利益相關者之間的協作，並提高患者對個人資料的理解

資料來源：美國 OSTP，資策會 MIC 經濟部 ITIS 研究團隊整理，2023 年 9 月

物聯網網路安全法（IoT Cybersecurity Improvement Act of 2020）

項目	內容
願景或目標	針對美國聯邦政府採購物聯網設備（IoT Devices）制定標準與架構
主要內容	● 要求美國國家標準技術研究院（National Institute of Standards and Technology, NIST）應依據 NIST 先前的物聯網指引中關於辨識、管理物聯網設備安全弱點（Security Vulnerabilities）、物聯網科技發展、身分管理（Identity Management）、遠端軟體修補（Remote Software Patching）、組態管理（Configuration Management）等項目，為聯邦政府建立最低安全標準及相關指引 ● 美國行政管理和預算局（Office of Management and Budget）應就各政府機關的資訊安全政策對 NIST 標準的遵守情況進行審查，NIST 每五年亦應對其標準進行必要的更新或修訂 ● 為促進第三方辨識並通報政府資安環境弱點，該法要求 NIST 針對聯邦政府擁有或使用資訊設備的安全性弱點制定通報、整合、發布與接收的聯邦指引

資料來源：美國政府，資策會 MIC 經濟部 ITIS 研究團隊整理，2023 年 9 月

自駕車全面性計畫（Automated Vehicles Comprehensive Plan, AVCP）

項目	內容
願景或目標	於 2021 年 1 月 11 日發布，建立交通部促進合作、透明性與管制環境現代化，並將自動駕駛系統（Automated Driving Systems）安全整合入交通系統之策略
主要內容	<ul><li>基於過去「自駕車政策 4.0」建立之原則上</li><li>促進合作與透明性：交通部將會促進其合作單位與利益相關人可取得清楚且可靠之資訊，包含自駕系統的能力與限制</li><li>使管制環境現代化：交通部將會現代化相關規範並移除對創新車輛設計、特性與運作模組之不必要障礙，並發展專注於安全性之框架與工作以評估自駕車技術的安全表現</li><li>運輸系統之整備：交通部將會與利害相關人合作實施安全的評估與整合自駕系統於運輸系統之基礎研究與行動，並促進安全性、效率與可取得性</li></ul>

資料來源：美國交通部，資策會 MIC 經濟部 ITIS 研究團隊整理，2023 年 9 月

太空政策第 5 號指令（Space Policy Directive-5, SPD-5）

項目	內容
願景或目標	為避免太空系統受到網路威脅，白宮於 2020 年 9 月 4 日發布 SPD-5，該指令主要關注太空系統的網路安全，將現有地面使用的網路安全政策應用在太空系統中，旨在提高美國太空設施網路安全
主要內容	<ul><li>太空系統及相關軟硬體設施，應使用以風險等級為基礎的方式，進行開發運作並建構其網路安全系統</li><li>太空系統營運商應制定太空系統網路安全計畫（應包含防止未經授權的存取行為、防止通訊干擾、確保地面接收系統免受網路威脅、供應鏈的風險管理等功能），以確保能掌握對太空系統的控制權</li><li>監管機構應訂定規則或監管指南來實施 SPD-5 指令的原則</li><li>太空系統的營運商及其合作對象應共同推動 SPD-5 指令，並盡力減少網路威脅的發生</li><li>太空系統營運商在執行太空系統網路安全的保護措施時，應管理其風險承擔能力</li></ul>

資料來源：美國政府，資策會 MIC 經濟部 ITIS 研究團隊整理，2023 年 9 月

2. 加拿大

服務與數位政策（Policy on Service and Digital）

項目	內容
願景或目標	於 2023 年 9 月 1 日生效，取代過去舊有政策，希望透過數位技術改善客戶服務體驗和政府運營，提供更好的數位政府服務
主要內容	● 管理內、外部企業服務、訊息、資料、IT 和網路安全的戰略方向，並定期審查 ● 優先考慮加拿大政府對 IT 共享服務和資產的需求 ● 推動現代化政策，並提高創新技術和解決方案的能力，如 AI 和區塊鏈，提供該國人民更好、更快、更便利的政府服務 ● 政府服務都改為一站式線上窗口、簡化稅務申報及改善就業保險程序等 ● 促進服務設計和交付、訊息、資料、IT 和網路安全方面的創新和試驗

資料來源：加拿大政府政策，資策會 MIC 經濟部 ITIS 研究團隊整理，2023 年 9 月

自駕系統測試指引 2.0

項目	內容
願景或目標	建立全國一致的最佳實務準則，以指導配有自動駕駛系統（Automated driving systems, ADS）之車輛能安全地進行實驗
主要內容	● 實驗前的安全考量：探討在開始實驗之前應考量的安全注意事項，包括（1）評估實驗車輛安全性、（2）選擇適當的實驗路線、（3）制定安全管理計畫等 ● 實驗中的安全管理：討論在實驗過程中應重新檢視的安全考量，包括（1）使用分級方法進行測試、（2）調整安全管理策略、（3）制定事件和緊急應變計畫與步驟、（4）安全駕駛員的角色及職責、（5）遠端駕駛員和其他遠端支援活動的安全考量等 ● 實驗後注意事項：在結束其測試活動後應考量的因素，包括報告實驗結果、測試車輛及其零組件的出口或處置

資料來源：資策會科法所，資策會 MIC 經濟部 ITIS 研究團隊整理，2023 年 9 月

2025 無人機方案（Drone Strategy to 2025）

項目	內容
願景或目標	概述其對無人機的願景及方案，並提出其至 2025 年前所應優先關注之項目，以確保無人機安全地整合進現代化航空系統並進入空域中
主要內容	● 透過安全規範支持創新 ● 建立無人機交通管理系統 ● 無人機的安全風險：與利益相關人合作釐清機場保安的角色與職責、通訊傳輸協定及突發事件回應期間的工作協調、評估機場威脅及漏洞以了解風險等 ● 創新推動經濟發展：促進短、中期研發計畫、對先進無人機研發活動尋求合作機會等 ● 建立民眾對無人機的信任

資料來源：資策會科法所，資策會 MIC 經濟部 ITIS 研究團隊整理，2023 年 9 月

3. 俄羅斯

2030 年前國家人工智慧發展戰略

項目	內容
願景或目標	● 在經濟、社會領域優先發展和使用人工智慧，確定人工智慧發展的七項基本原則，即保護人權與自由、降低安全風險、保持工作透明性、確保技術獨立自主、加強創新協作、推行合理節約資源、支持市場競爭 ● 使俄羅斯在人工智慧領域居於世界領先地位，以提高人民福祉和生活質量，確保國家安全和法治，增強經濟可持續發展競爭力
主要內容	● 支持人工智慧領域基礎和應用科學研究：合理增加科研人員編制數量；鼓勵企業和個人投入研發；開展跨學科研究等 ● 開發和推廣採用人工智慧的軟體：支持創建國內外開源人工智慧程式庫；制定統一的質量標準等 ● 提高人工智慧發展所需資料的可訪問性和質量：開發統一的資訊描述、採集和標記方法；創建和升級各類資料公共訪問平臺，並保障政府優先訪問權等 ● 提高人工智慧發展所需硬體的可用性：開展神經計算系統架構基礎研究；建立高性能資料處理中心等 ● 提高人工智慧人才供應水平及民眾對人工智慧的認知水平：在各級教育計畫中引入編程、資料分析、機器學習等教育模組；普及人工智慧知識等 ● 建立協調人工智慧與社會各方關係的綜合體系：簡化人工智慧解決方案的測試和引入程序；完善公私合作機制；制定與人工智慧互動的道德倫理規範等

資料來源：中國大陸商務部駐俄羅斯處，資策會 MIC 經濟部 ITIS 研究團隊整理，2023 年 9 月

草擬新 5G 網路發展戰略

項目	內容
願景或目標	為加速 5G 網路布建而草擬新 5G 網路發展戰略，提出合資公司、股份交換 5G 執照等新概念，並規劃 5G 可用之新頻段
主要內容	● 要求四大行動通訊業者（MTS、MegaFon、Beeline 與 Rostelecom／Tele2）設立合資公司（Joint Venture），前述業者將被指派至特定區域進行專有（Exclusive）5G 網路佈建 ● 初期某一特定區域的「主要業者（Anchor Operator）」須與其他 3 家合資業者共用網路接取，而後者需要承擔部分營運成本；但當該特定區域有足夠的 5G 頻譜資源可使用時，則允許每家業者布建自有的 5G 網路 ● 不進行競價拍賣即核發 5G 執照，而俄羅斯政府則獲得合資公司的股份作為回報；此外，該草案亦提及推動釋出電視服務使用之 700MHz 頻段（694-790MHz）供 5G 使用

資料來源：俄羅斯數位發展、電信和大眾傳播部，資策會 MIC 經濟部 ITIS 研究團隊整理，2023 年 9 月

（三）紐澳

1. 澳洲

資料可用性及透明度法案（Data Availability and Transparency Bill 2020）

項目	內容
願景或目標	2020 年 12 月 9 日提交至澳大利亞國會，並已完成一讀及二讀。該法案旨在建立一個新的公部門資料共享方案，將原先未開放的公部門資料，透過本法案所設計的共享公部門資料相關管理制度，以促進公部門資料的可存取性及保障措施的一致性，藉此提高公部門資料透明度和大眾利用公部門資料的信心
主要內容	1. 資料共享機制由作為「資料保管者」（Data custodians）的各聯邦部門和州政府，自行或透過「被認證的資料服務提供者」（Accredited data service provider，下稱 ADSP）共享其所保管的政府資料，使「被認證的利用者」（Accredited user，下稱利用者）得以利用之 2. 授權獨立監管機構「國家資料委員」（National Data Commissioner），負責認證 ADSP 及可利用共享資料之利用者，並監管所有的資料共享計畫，提供諮詢、指導和倡導資料共享計畫的最佳方案 3. 該法案要求資料保管者必須在符合資料共享要件的情況下，才能共享資料，要件包含： (1) 資料共享目的：係指該法案只允許資料保管者基於「提供政府服務」、「通知政府政策和計畫」、「研究與開發」等三個目的分享資料，倘涉及國家安全及犯罪調查等需要特殊監督利用機制的政府資料，則不包含在內 (2) 資料共享原則：包含符合公共利益或道德評估之計畫、具備適合共享資格的人員、安全環境、資料最小化、合目的產出等五個原則 (3) 資料共享協議：資料保管者與利用者之間，必須簽定「資料共享協議」，該法案有規定資料共享協議的應記載條款

資料來源：資策會科法所，資策會 MIC 經濟部 ITIS 研究團隊整理，2023 年 9 月

（四）東南亞

1. 越南

國家數位化轉型計畫

項目	內容
願景或目標	● 計畫近期至 2025 年，遠期展望至 2030 年 ● 在發展數位政府、數位經濟、數位社會的同時，還關注建設具有全球競爭力的數位企業
主要內容	● 發展數位化政府，提高政府運作效率和效力 ● 進一步完善國家資料庫，包含住宅、土地、商業登記、金融、保險等領域，實現全國範圍內資訊共用，為建設電子政務打下基礎 ● 到 2030 年，透過包括移動設備在內的各種工具提供 100%四級線上公共服務 ● 普及光纖寬頻互聯網服務和 5G 移動網路服務 ● 加強推廣，使擁有電子支付帳戶的人口超過 80%

資料來源：越南政府門戶網，資策會 MIC 經濟部 ITIS 研究團隊整理，2023 年 9 月

2. 馬來西亞

馬來西亞 MyDigital 計畫

項目	內容
願景或目標	MyDigital 藍圖代表過去提出過的各種重新審視的計畫，以及旨在推動馬來西亞數位經濟的新計畫
主要內容	● 第一階段為 2021 至 2022 年，目標為增進數位應用接受程度 ● 第二階段為 2023 至 2025 年，目標為推動數位轉型 ● 第三階段為 2026 至 2030 年，目標成為地區數位與資安領域的領導者 ● 未來十年內將投入 150 億馬幣（約新臺幣 1,110 億元）於 5G 科技基礎建設 ● 將雲服務作為重要重點，增加本地資料中心以提供高端雲端運算服務，並在聯邦和本地推動「雲優先」戰略 ● 未來五年內培養超過 20,000 名網路安全人才

資料來源：IDC，資策會 MIC 經濟部 ITIS 研究團隊整理，2023 年 9 月

3. 新加坡

研究、創新與企業 2025 計畫（RIE2025）

項目	內容
願景或目標	全球數位格局繼續快速發展，COVID-19 加速跨部門的數位化，對數位平臺、軟體、硬體和服務的需求增加。在 RIE2025 中，智慧國家和數位經濟（SNDE）領域將繼續支持戰略性和新興技術的發展，加強產業數位轉型。目標是實現新加坡的智慧國家雄心，並利用數位經濟加速成長
主要內容	● 未來 5 年將投入 250 億星元，持續強化星國的創新與研發能力，經費比過去同期高出 3 成，每年的投資金額占星國國內生產總值的 1% ● 預算的四分之一將用於擴大現有的四個重點研究領域，即製造業、健康、永續發展和數位經濟，以因應星國的新發展需求 ● 三分之一預算將用以支持基礎科學研究，包括量子科技研究等領域，並吸引更多國際頂尖人才加入 ● 預算中的 37.5 億星元留給「白色空間」（white space），其用途不定，讓政府能配合科學和科技發展，隨時進行必要投資 ● 擴大平臺推動技術轉化，增強企業創新能力，豐富科學技術基礎

資料來源：新加坡政府，資策會 MIC 經濟部 ITIS 研究團隊整理，2023 年 9 月

服務與數位經濟技術藍圖

項目	內容
願景或目標	在新加坡資訊通訊媒體發展局（Info-communications Media Development Authority, IMDA）於 2019 年 1 月 28 日提出，希望藉由此藍圖帶動各產業領域的創新與轉型
主要內容	● 檢視未來 3 至 5 年的數位技術環境，並提出 AI、自然技術介面（Natural Technological Interfaces）、無代碼開發工具（Codeless Development Tools）、人為合作、混合雲與多雲的雲端發展、API 經濟及區塊鏈等九大關鍵技術趨勢 ● 推行服務 4.0：整合 AI、巨量資料、沉浸式體驗及物聯網等新興技術並應用於未來服務，以達到點對點、平順，且透過自主預測滿足客戶需求的智慧服務（服務 4.0）

資料來源：IMDA，資策會 MIC 經濟部 ITIS 研究團隊整理，2023 年 9 月

Stay Healthy Go Digital 計畫

項目	內容
願景或目標	為因應 COVID-19，於 2020 年 3 月底推出，加寬母計畫 SMEs Go Digital 補助範圍
主要內容	● 積極協助受疫情影響較大的零售餐飲業者數位轉型 ● 加大補助金額：將線上工作協作系統、虛擬會議與聯繫系統等加入補助範圍，也將原訂 70%的生產力提升補助拉高至 80% ● 開創完整數位轉型解決方案總目錄，不僅供中小企業參照，亦讓各輔導中心順勢推廣數位轉型意識，政府除邀請銀行業者協力評估中小企業合適的方案，也歡迎業者從總目錄中自行選擇欲合作的對象 ● 在疫情影響下，協助企業能更清楚並加快採用滿足其需求的解決方案，加深和增強數位能力，以便實現最終營運復原

資料來源：新加坡政府，資策會 MIC 經濟部 ITIS 研究團隊整理，2023 年 9 月

Start Digital Pack 數位轉型方案

項目	內容
願景或目標	針對新成立的中小企業，2019 年開始推出數位啟程計畫（Start Digital），並提供 Start Digital Pack 數位轉型方案，以達快速轉型成功目標
主要內容	● Start Digital Pack 的產業合作夥伴，包括 DBS Bank、Maybank、OCBC Bank、Singtel、StarHub 和 UOB 等 6 家銀行或電信公司 ● 提供的解決方案，包括會計和財務、人力資源管理系統和薪資、數位行銷、數位交易、網路安全等五大類數位工具 ● 主要目的為降低新創企業邁入數位化的門檻，加速企業轉型

資料來源：新加坡政府，資策會 MIC 經濟部 ITIS 研究團隊整理，2023 年 9 月

（五）東亞

1. 日本

基礎建設之數位轉型政策

項目	內容
願景或目標	COVID-19 疫情凸顯日本 ICT 基礎建設不足和急需數位轉型之問題，為此於 2021 年 2 月 9 日公布該法，國土交通省積極促進各省基礎設施領域的數位轉型，以提高非接觸／遠程工作方式之便利性與安全性
主要內容	● 第一部分強調透過行政程序數位化及網路化，藉以提升效率並加強管理效能，並且提供運用數位生活中各項服務，以增加生活之便利與安全 ● 第二部分說明為實現安全與舒適之勞動環境，減少人工作業之負擔，未來欲活用 AI 與機器人，使施工作業與技術建設達到無人化，並透過數位化提高專業技術學習效率以培育相關人才 ● 第三部分聚焦於調查、監督檢查領域，如公路、鐵路、河川及機場之檢修，利用資料分析與自動化機械提升日常管理及檢修效率 ● 為順利推行以上數位轉型政策，必須建構能支援數位化的社會。因此，未來除須結合智慧城市等數位創新政策，利用資料以具體化社會課題之解決方針外，亦須針對作為數位轉型基礎之 3D 資料進行環境整備，以利數位轉型之推動

資料來源：日本交通省，資策會 MIC 經濟部 ITIS 研究團隊整理，2023 年 9 月

數位社會形成基本法草案

項目	內容
願景或目標	於 2021 年 2 月 9 日正式提出，目的為提升國家競爭力、國民生活便利性，以建置一個「數位社會」，基本原則為降低數位落差
主要內容	● 確認政府為建立數位社會應迅速且集中實施的措施及基本政策 ● 促進世界上最高水平的先進資訊和電信網路的形成，確保各種行為者順利分發訊息 ● 政府應在使用先進的訊息和通訊網路及確保使用訊息和通訊技術利用訊息的機會方面迅速採取集中措施 ● 政府應在教育和學習促進、人力資源開發、促進經濟活動、企業管理效率，業務複雜性和生產力提高方面迅速採取的措施 ● 透過使用先技術提高人們整個生活中各種服務的價值 ● 振興當地經濟，在該地區創造有吸引力和多樣化的就業機會 ● 中央政府和地方政府應相互合作，以便迅速、優先地實施形成數位社會的措施 ● 製定數位社會形成措施時，可以快速、安全地交換資訊（各實體安裝的數位系統，以交換和共享資訊），維護資訊系統和標準化資料

資料來源：日本國會，資策會 MIC 經濟部 ITIS 研究團隊整理，2023 年 9 月

網路安全戰略

項目	內容
願景或目標	2023年9月28日閣議決定最新3年期《網路安全戰略》（サイバーセキュリティ戰略），根據網路安全基本法（サイバーセキュリティ基本法），針對日本應實施之網路安全措施進行中長期規劃
主要內容	● 提升經濟社會活力，並推動數位轉型與網路安全 ● 實現國民得安全安心生活之數位社會：所有組織應確保完成任務，並加強風險管理措施 ● 促進國際社會和平安定，並保障日本安全：為確保全球規模「自由、公正且安全之網路空間」，日本須制定展現該理念之國際規範，並加強國際合作 ● 推動橫向措施：在橫向措施方面，將進行中長期規劃，推動實踐性研究開發，並促進網路安全人才培育

資料來源：日本國會，資策會MIC經濟部ITIS研究團隊整理，2023年9月

ICT基礎設施區域發展總體計畫3.0

項目	內容
願景或目標	為迎向Society5.0時代，藉由活用ICT基礎設施解決地方課題的重要性日益提高，啟動5G和ICT基礎設施整備及促進5G運用的策略，以加速在全國範圍啟動ICT基礎設施布建工作
主要內容	● 條件較差地區的覆蓋範圍整備（基地台布建） ● 5G等先進服務普及化 ● 鐵路／道路隧道的電波遮蔽對策 ● 光纖整備 ● 以期在2023年底（Reiwa 5）啟動，以整合和有效利用ICT基礎設施，並儘快在全國範圍內進行擴展

資料來源：日本總務省，資策會MIC經濟部ITIS研究團隊整理，2023年9月

教育資訊安全政策指引

項目	內容
願景或目標	2022年3月發布「教育資訊安全政策指引」（教育情報セキュリティポリシーに するガイドライン）修訂版本，本次修訂希望能具體、明確化之前的指引內容
主要內容	● 增加校務用裝置安全措施的詳細說明：充實「以風險為基礎的認證、異常活動檢測、惡意軟體之措施、加密、單一登入的有效性」等校務用裝置安全措施內容敘述 ● 明確敘述如何實施網路隔離與控制存取權的相關措施： 　1. 對於校務用裝置實施網路隔離措施，並將網路分成校務系統或學習系統等不同系統 　2. 針對校務用裝置攜入、攜出管理執行紀錄，並依實務運作調整控制存取權措施

資料來源：日本文部科學省，資策會MIC經濟部ITIS研究團隊整理，2023年9月

2. 韓國

南韓智慧電網主要發展重點

項目	內容
願景或目標	● 藉由建置充電基礎建設與發展商業模式，帶動發展南韓電動車產業 ● 知識經濟部提出智慧電網之國家發展藍圖，智慧電網試驗與運行計畫於2020年完成，到2030年達到全國普及
主要內容	● 智慧電網示範地點為濟州島，示範內容包括電動車相關基礎建設、節能住宅與再生能源等。政府與民間共同出資，計畫預定於2011年先設置200處電動車充電所 ● 知識經濟部預計要在2030年前增設27,000處電動車充電服務場所，屆時南韓國內電動車將達240萬台。此外政策上則是提升再生能源供電比例，並提高其輸入大電網之穩定性。發展儲能裝置，以建構新的電力交易系統 ● 使供電端與用電端之電力供需資訊能雙向溝通，以及電力系統具備即時監控與自動修復能力；並促進用戶進行用電管理、新電價機制的建構與賦予用戶多樣化供電來源之選擇權等

資料來源：韓國知識經濟部，資策會MIC經濟部ITIS研究團隊整理，2023年9月

人工智慧（AI）國家戰略

項目	內容
願景或目標	● 該戰略旨在推動韓國從「IT強國」發展為「AI強國」，制定包括產業推動、教育、行政、工作革新等政府層面的「AI國家戰略」，計畫在2030年將韓國在人工智慧領域的競爭力提升至世界前列 ● 達成數位競爭力世界前3名，透過AI創造高達455兆韓元的智慧經濟產值、世界前10名的生活品質等三大目標
主要內容	● 構建引領世界的人工智慧生態系統，成為人工智慧應用領先的國家，實現以人為本的人工智慧技術 ● 在人工智慧生態系統構建和技術研發領域，韓國政府將爭取至2021年全面開放公共資料，到2024年建立光州人工智慧園區，到2029年為新一代存算一體人工智慧晶片研發投入約1萬億韓元 ● 集中培育人工智慧創業公司，並為人工智慧初創企業發展提供管制放寬、完善法律服務等各方面的支持 ● 為建構AI生態系統，政府將擴展AI基礎設施及確保AI半導體技術安全，並預計於2020年為AI領域的創新制定《綜合監理藍圖》以整頓法律制度 ● 為鼓勵AI創業，將籌募「AI投資基金」，並舉辦全球AI創業交流的「AI奧運會」 ● 教育方面，政府將建立適用所有年齡及職業、專門培養AI基本能力的教育系統，擴大AI研究課程，將AI編入小學至高中的基礎課程，並允許AI相關學科之學校教授在公司任職 ● 政府還針對AI可能引發的道德問題研擬「AI道德規範」，並計畫建立跨部會合作及品質管理機制，以解決各種新型問題並驗證AI的安全性

資料來源：韓聯社，資策會MIC經濟部ITIS研究團隊整理，2023年9月

2028年6G服務商業化

項目	內容
願景或目標	為迎接即將來臨之6G行動通訊時代，韓國政府與民間共同推進6G技術發展，以2028年實現6G服務商業化為目標
主要內容	● LG與韓國科學技術院（Korea Advanced Institute of Science and Technology, KAIST）於2019年1月成立LG Electronics-KAIST 6G研究中心，為第六代（6G）無線網路開發核心技術 ● 韓國科學與訊息通訊技術部已選定的14個戰略課題中把用於6G的100GHz以上超高頻段無線器件之研發列為「首要」 ● 三星電子公司與SK電訊在2019年6月中旬宣布合作開發6G核心技術並探索6G商業模式，並且把區塊鏈、6G、AI作為未來發力方向 ● 2019年7月，韓國科學技術情報通訊部（Ministry of Science and ICT, MSIT）舉辦中長期6G研究計畫之公聽會，與通訊業者、大學等機構討論6G基礎設施和新技術開發業務之目標與方向，預計2021年至2028年展開6G核心技術研發並投入約9,700億韓元資金，目標使韓國於2028年成為首個實現6G服務商業化國家

資料來源：韓聯社，資策會MIC經濟部ITIS研究團隊整理，2023年9月

韓國半導體戰略（K-Semiconductor Strategy）

項目	內容
願景或目標	未來十年計劃投入約510兆韓元（4,500億美元），在南韓打造全球最大的晶片製造基地，成為全球的記憶體與非記憶體晶片巨擘
主要內容	● 政府將研擬規模1.5兆韓元的預算，支持業者開發下一代半導體與人工智慧（AI）晶片，包括指定半導體為「國家創新戰略科技」，提高大公司的半導體研發投資額可抵稅比重，從目前的30%拉高到40%，最高更可抵扣50%，其他相關設施支出可扣抵10%-20%的稅 ● 政府和國營的韓國電力公司（KEPCO）將負擔打造晶片產線所需電力基建的多達50%成本 ● 響應這項計畫的「半導體國家隊」共153家廠商。以三星電子與SK海力士為首的晶片商承諾，未來十年將共投資約510兆韓元，包括三星未來十年支出額將提高30%至1,510億美元，SK海力士也承諾將投入970億美元擴建現有設施 ● 政府也將提供1兆韓元的低利貸款，鼓勵當地晶片製造商擴大設備投資，包括8奈米晶片產線業者，目標是到2030年時晶片年出口額能提高至2,000億美元，較2020年的992億美元增加一倍多 ● 希望能在2022至2031年之間訓練出3.6萬名晶片專家

資料來源：韓國科學技術情報通信部，資策會MIC經濟部ITIS研究團隊整理，2023年9月

加強保護國家高科技戰略產業競爭力特別措施法（半導體特別法）

項目	內容
願景或目標	在《產業技術保護法》之「國家核心技術」外，額外定義「國家高科技戰略技術」，除出口、併購應依現行《產業技術保護法》事先取得產業通商資源部許可。對於不法侵害國家高科技戰略技術，訂定更嚴厲的罰則；同時針對相關產業提供系統性支援措施
主要內容	<ul><li>成立由韓國總理主導的「國家高科技戰略產業委員會」，制定5年戰略產業培育及保護的基本計畫</li><li>「國家高科技戰略技術」由「國家高科技戰略產業委員會」指定</li><li>加重不法侵害國家高科技戰略技術的罰則：意圖在境外使用或使技術在外國使用，而不法侵害國家高科技戰略技術者，處15年以下有期徒刑、15億韓元以下罰金；未取得許可出口、投資併購而不法侵害國家高科技戰略技術者，處15年以下有期徒刑、15億韓元以下罰金</li><li>中央及地方政府應制定培育、保護國家高科技戰略產業必要的政策</li><li>為支持國家高科技戰略產業，提供加速辦理許可、迅速處理環安或職安民事投訴、投入政府預算、減免稅金、培育專業人才等方案</li><li>為穩定國家高科技戰略產業供應鏈，政府因自然災害或國際貿易形勢導致相關技術供需穩定有疑慮時，經營者、進出口、運輸、倉儲業者或國營事業，應依據總統令，以六個月為期限，於期間內辦理生產計畫、國內優惠供應方案或設施擴建等事項</li></ul>

資料來源：韓國政府，資策會MIC經濟部ITIS研究團隊整理，2023年9月

延展實境（XR）經濟發展策略

項目	內容
願景或目標	為成為全球延展實境經濟的領先國家，韓國科學技術情報通信部（Ministry of Science and ICT, MSIT）於2020年12月10日發布「延展實境（XR）經濟發展策略」，旨在2025年之前創造30兆韓元的經濟產值，並躋身世界前五大XR經濟體
主要內容	<ul><li>隨著XR技術擴展至製造、醫療、教育、物流等各領域，預估至2025年將為全球創造約520兆韓元（4,764億美元）的經濟產值</li><li>制定三大推動策略，並先以製造、建築、醫療、教育、物流和國防等六大產業作為推動XR技術之核心產業 1. 策略1：在經濟和社會領域廣泛使用XR技術解決問題 2. 策略2：擴展XR必要基礎設施和相關制度整備 3. 策略3：支持XR技術相關企業，以確保全球競爭力</li></ul>

資料來源：韓國科學技術情報通信部，資策會MIC經濟部ITIS研究團隊整理，2023年9月

南韓未來學校發展計畫（Future School 2030 Project）

項目	內容
願景或目標	● 預計在 2030 年之前，於世宗特別自治市完成 150 間智慧校園聚落，總計共有 66 所幼稚園、41 所小學、21 所國中、20 所高中、2 所特殊學校 ● 主要驅動政府成立資訊策略計畫 ISP 和專家小組，建置智慧教育平臺。建立雲端智慧學習環境，搭載平臺承載雲端運算，提供全國所有學校智慧服務
主要內容	● 政府預計花費 23 億美元，目標 2030 年實現智慧校園導入建置 ● 補貼 5 億美元發展數位教科書，幼稚園、小學、國中、高中之總建築成本為 6,900 萬美元 ● 超過 60 個國家參訪該計畫

資料來源：韓國未來創造科學部，資策會 MIC 經濟部 ITIS 研究團隊整理，2023 年 9 月

3. 中國大陸

十四五規劃（2021-2025）和2035年遠景目標（2021-2035）綱要草案

項目	內容
願景或目標	● 通過「十四五規劃」與「2035遠景目標」建議，為未來5年乃至15年大陸發展擘畫藍圖 ● 著眼於搶占未來產業發展先機，培育先導性和支柱性產業，推動戰略性新興產業融合化、集群化、生態化發展，戰略性新興產業增加值佔GDP比重超過17%
推動主軸	● 將中國大陸建設成製造強國，加強關鍵核心技術攻關力度，新一代訊息技術、新能源車、生物技術、新材料、新能源、航太、高端裝備、綠色環保、海洋裝備、智慧醫療、人工智慧、量子訊息、集成電路等產業發展 ● 強調在關鍵核心技術實現重大突破，經濟實力、科技實力大幅躍升，讓中國大陸進入創新型國家前列，參與國際經濟合作和競爭優勢明顯增強 ● 歷經長達三年的美中貿易戰及COVID-19全球大流行，由半導體產業自主性強化，進行政策規劃重點，目前，已有北京、上海、廣東等13個省都公布重點推進未來5年積體電路產業規劃 ● 人工智慧（Artificial intelligence, AI）：中國大陸計畫將重點放在開發AI應用程式的專用晶片和開源演演算法 ● 量子資訊：涉及量子運算的技術類別與目前使用的電腦概念完全不同，借助量子運算技術有望實現新的壯舉，如新藥的發明 ● 積體電路或半導體：半導體對中國大陸而言至關重要，過去幾年其已投入大量資金，努力追趕美國、臺灣和韓國。在其5年計畫中，將專注於積體電路設計工具、關鍵設備和關鍵材料之研發 ● 基因學與生物技術：隨著2020年新冠病毒（COVID-19）疫情的爆發，生物技術的重要性日益提高，未來將專注於創新疫苗和生物安全性研究 ● 太空、深層地球、深海和極地研究：太空探索是中國大陸近年的發展重點，其將專注於宇宙起源與演化研究、對火星的探索，以及深海和極地研究

資料來源：北京市經濟和信息化局，資策會MIC經濟部ITIS研究團隊整理，2023年9月

上海市關於進一步加快智慧城市建設的若干意見

項目	內容
願景或目標	<ul><li>到 2022 年,將上海建設成為全球新型智慧城市的排頭兵,國際數位經濟網路的重要樞紐;引領全國智慧社會、智慧政府發展的先行者,智慧美好生活的創新城市</li><li>堅持全市「一盤棋、一體化」建設,更多運用網際網路、大資料、人工智慧等資訊技術手段,推進城市治理制度創新、模式創新、手段創新,提高城市科學化、精細化、智慧化管理水準</li><li>科學集約的「城市大腦」基本建成;政務服務「一網通辦」持續深化;城市運行「一網統管」加快推進;數位經濟活力迸發,新模式新業態創新發展;新一代資訊基礎設施全面優化;城市綜合服務能力顯著增強,成為輻射長三角城市群、打造世界影響力的重要引領</li></ul>
推動主軸	<ul><li>深化資料匯聚及系統集成共用,支援應用生態開放</li><li>推動政務流程革命性再造,不斷優化「互聯網+政務服務」,著力提供智慧便捷的公共服務</li><li>加強各類城市運行系統的互聯互通,提升快速回應和高效聯動處置能力水準</li><li>深化建設「智慧公安」,優化城市智慧生態環境,積極發展「互聯網+回收平臺」</li><li>提升基層社區治理水準,創新社區治理 O2O 模式</li><li>聚焦雲服務、數位內容、跨境電子商務等特色領域,建設「數字貿易國際樞紐港」,形成與國際接軌的高水準數字貿易開放體系</li><li>發展智慧綠色農業,促進農產品安全和品質提升</li><li>推進工業互聯網創新發展,聚焦個性化訂製、網路化協同、智慧化生產、服務化延伸</li><li>推動 5G 先導、4G 優化,打造「雙千兆寬頻城市」</li><li>率先部署北斗時空網路,深化 IPv6 應用</li><li>推動資訊樞紐增能、智慧計算增效</li><li>確實保障網路空間安全與增強智慧城市工作合力</li></ul>

資料來源:上海市人民政府,資策會 MIC 經濟部 ITIS 研究團隊整理,2023 年 9 月

北京市加快新型基礎設施建設行動方案（2020-2022年）

項目	內容
願景或目標	<ul><li>聚焦「新網路、新要素、新生態、新平臺、新應用、新安全」六大方向</li><li>到2022年，基本建成具備網路基礎穩固、資料智慧融合、產業生態完善、平臺創新活躍、應用智慧豐富、安全可信可控等特徵</li><li>具有國際領先水準的新型基礎設施，對提高城市科技創新活力、經濟發展品質、公共服務水準、社會治理能力形成強有力支撐</li></ul>
推動主軸	<ul><li>建設新型網路基礎設施，包含5G網路、千兆固網、衛星互聯網、車聯網、工業互聯網及政務專網</li><li>建設資料智慧基礎設施，如新型資料中心、巨量資料平臺、人工智慧基礎設施、區塊鏈服務平臺及資料交易設施</li><li>推進資料中心從「雲+端」集中式架構向「雲+邊+端」分散式架構演變</li><li>建設生態系統基礎設施，打造高可用、高性能作業系統，聚焦分析儀器、環境監測儀器、物性測試儀器等領域</li><li>發揮產業集群的空間集聚優勢和產業生態優勢，在生物醫藥、電子資訊、智慧裝備、新材料等中試依賴度高的領域推動科技成果系統化、配套化和工程化研究開發，鼓勵聚焦主導產業，建設共用產線等新型中試服務平臺，構建共用製造業態</li><li>以國家實驗室、懷柔綜合性國家科學中心建設為牽引，打造多領域、多類型、協同聯動的重大科技基礎設施</li><li>支援一批創業孵化、技術研發、中試試驗、轉移轉化、檢驗檢測等公共支撐服務平臺建設</li><li>建設智慧應用基礎設施，包括智慧政務、智慧城市、智慧民生、智慧產業應用，並為傳統基礎設施及中小企業賦能</li><li>建設可信安全基礎設施及行業應用安全設施，支持開展5G、物聯網、工業互聯網、雲化巨量資料等場景應用的安全設施改造提升</li><li>綜合利用人工智慧、巨量資料、雲端運算、IoT智慧感知、區塊鏈、軟體定義安全、安全虛擬化等新技術，推進新型基礎設施安全態勢感知和風險評估體系建設，整合形成統一的新型安全服務平臺</li></ul>

資料來源：北京市人民政府，資策會MIC經濟部ITIS研究團隊整理，2023年9月

北京市 5G 產業發展行動方案（2019 年-2022 年）

項目	內容
願景或目標	● 網路建設目標：到 2022 年，運營商 5G 網路投資累計超過 300 億元，實現首都功能核心區、城市副中心、重要功能區、重要場所的 5G 網路覆蓋 ● 技術發展目標：科研單位和企業在 5G 國際標準中的基本專利擁有量占比 5%以上，成為 5G 技術標準重要貢獻者，重點突破 6GHz 以上中高頻元器件規模生產關鍵技術和工藝 ● 產業發展目標：5G 產業實現收入約 2,000 億元，拉動資訊服務業及新業態產業規模超過 1 萬億元
推動主軸	● 實施「一五五一」工程： 1. 「一」，即一個突破——突破中高頻核心器件技術等關鍵環節 2. 「五五」，即五大場景的五類應用——圍繞北京城市副中心、北京新機場、2019 年北京世園會、2022 年北京冬奧會、長安街沿線升級改造等「五」個重大工程、重大活動場所需要，開展 5G 自動駕駛、健康醫療、工業互聯網、智慧城市、超高清視頻應用等「五」大類典型場景的示範應用 3. 最終培育「一」批 5G 產業新業態，帶動一批 5G 軟硬體產品產業化應用

資料來源：北京市經濟和信息化局，資策會 MIC 經濟部 ITIS 研究團隊整理，2023 年 9 月

「5G+工業互聯網」512 工程推進方案

項目	內容
願景或目標	● 到 2022 年，突破一批面向工業互聯網特定需求的 5G 關鍵技術，「5G+工業互聯網」產業支撐能力顯著提升 ● 培育形成 5G 與工業互聯網融合疊加、互促共進、倍增發展的創新態勢，促進製造業數位化、網路化、智慧化升級，推動經濟高質量發展
推動主軸	● 提升「5G+工業互聯網」網路關鍵技術產業能力：加強技術標準、加快融合產品研發和商業化、加快網路技術和產品部署實施 ● 提升「5G+工業互聯網」創新應用能力：打造 5 個內網建設改造公共服務平臺、遴選 10 個「5G+工業互聯網」重點行業、挖掘 20 個「5G+工業互聯網」典型應用場景 ● 提升「5G+工業互聯網」資源供給能力：打造資料庫、培育解決方案之供應商、建立供給資源池

資料來源：工信部，資策會 MIC 經濟部 ITIS 研究團隊整理，2023 年 9 月

關於推動工業互聯網加快發展的通知

項目	內容
願景或目標	為落實中央關於推動工業互聯網加快發展的決策部署，統籌發展與安全，推動工業互聯網在更廣泛、程度更深、更高水準上融合創新，培植壯大經濟發展新動能，支撐實現高品質發展，故加快新型基礎設施建設、拓展融合創新應用、健全安全保障體系、壯大創新發展動能及完善產業生態布局
推動主軸	● 改造升級工業互聯網內外網路、完善工業互聯網標識體系、提升工業互聯網平臺核心能力、建設工業互聯網巨量資料中心 ● 積極利用工業互聯網促進復工復產、深化工業互聯網行業應用、促進企業上雲端平臺、加快工業互聯網試點示範的推廣普及 ● 建立企業分級安全管理制度、完善安全技術監測體系、健全安全工作機制、加強安全技術產品創新 ● 加快工業互聯網創新發展工程建設、深入實施「5G+工業互聯網」512工程、增強關鍵技術產品供給能力 ● 促進工業互聯網區域協同發展、增強工業互聯網產業集群能力、統籌協調各地差異化開展工業互聯網相關活動

資料來源：工信部，資策會MIC經濟部ITIS研究團隊整理，2023年9月

北京市關於促進北斗技術創新和產業發展的實施方案（2020年-2022年）

項目	內容
願景或目標	● 加強全國科技創新中心建設，推動北京市北斗技術創新和產業發展，特制定本實施方案 ● 到2022年，北斗導航與位置服務產業總體產值超過1,000億元，建設一個具有全球影響力的北斗產業創新中心，形成一套北斗產業融合應用的標準體系 ● 打造一個國際領先的新一代時空資訊技術應用示範區，實現北斗系統在關係國家安全與國計民生的關鍵行業領域全面應用
推動主軸	● 提升「高精度+室內外」定位服務能力，建設高精度訊號服務網及重點區域室內定位網 ● 發揮「服務+資料」公共平臺價值，完善北斗導航與位置服務產業公共平臺與空間資料運營服務雲平臺 ● 授時定位、地圖服務、個性化位置服務、智慧城市、智慧物流、安防監控、智慧農業、資產監管、環境監測、智慧網聯汽車、無人機和小型機器人 ● 研發面向5G手機的多感測器融合定位軟體IP核及雲端性能增強技術，構建高精度室內外無縫導航新型商業模式 ● 結合物聯網、巨量資料、AR／VR等技術實現智慧巡檢、作業管理、設施普查、應急救援、災害預警等環節的全面應用 ● 推動北斗高精度時間同步技術在軌道交通運營管理的普及化應用 ● 建設城市資訊模型網資料平臺與全過程動態監測預警資訊化網路 ● 城市生態環境保護、智慧出行服務、高效物流提升、智慧冬奧

資料來源：北京市經濟和信息化局，資策會MIC經濟部ITIS研究團隊整理，2023年9月

4. 臺灣

服務型智慧政府 2.0

項目	內容
願景或目標	為運用開放資料強化智慧政府治理能量，並鼓勵民間多元應用，創造資料經濟，推升我國數位競爭能力，政府自 2021 年起執行「服務型智慧政府 2.0 推動計畫」（2021-2025），將以民眾需求為出發點，深化智慧政府各項作為，同時厚植數位經濟基礎及加強數位治理效能，打造精準可信賴的智慧政府
主要內容	● 針對民生領域強化數位服務，簡化民眾申辦程序，透過智慧應用加強為民服務模式，提供民眾更好的服務與體驗 ● 利用新興科技強化民眾對政府的信任，善用多元身分識別技術，建構跨機關全程線上服務，以資料為基礎，提供個人精準服務 ● 建立政府資料申請、授權、收費等原則性規定及開放資料諮詢、輔導機制，並擴大釋出高價資料集、資料再利用程序化、跨領域資料互通使用 ● 優先推動民生相關的資料集，例如大眾運輸、金融商品等，並導引政府善用資料及樹立資料應用典範 ● 以解決民生關切議題出發，從過往的資料輔助決策，進展到利用資料分析找出決策缺口，釐清政策推動瓶頸或民意輿論焦點，透過串聯跨機關、跨業務之資料，運用分析模式與演算法，提供決策輔助，循證式訂定政府施政作為

資料來源：行政院新聞，資策會 MIC 經濟部 ITIS 研究團隊整理，2023 年 9 月

臺灣顯示科技與應用行動計畫

項目	內容
願景或目標	2020 至 2025 年，5 年預計投入新臺幣 177 億元，聚焦智慧零售、交通、醫療和育樂等四大應用領域，以實現「Beyond Display—透過新興顯示科技與應用建構 2030 智慧生活」為願景，讓臺灣的先進科技產業，繼續居於國際領先地位
推動主軸	● 將推動國產化落地內需，建置最佳解決方案展示櫥窗，並協助產業加強國際行銷能力，提升臺灣國際品牌形象 ● 擴展自造基地培育新創公司，提升國內顯示器領域創新能力 ● 發展先進顯示技術與應用系統（如智慧感測、虛實融合及資訊安全等新興科技），並推動跨領域合作發展新技術，實現既有產線轉型並再創新價值 ● 開發差異化材料與綠色製程技術，推動產業發展循環經濟模式 ● 建構產業發展環境，除建立智慧零售、智慧交通、智慧醫療及智慧育樂等四大生活實驗平臺及溝通機制，促進產官學研合作，還要培育前瞻顯示科技跨領域整合研究創新應用及國際合作之人才，並引進國際人才 ● 以政策性資源，如推動智慧顯示應用主題輔導計畫，促進智慧顯示跨域系統整合發展

資料來源：行政院科技會報，資策會 MIC 經濟部 ITIS 研究團隊整理，2023 年 9 月

臺灣 AI 行動計畫 2.0

項目	內容
願景或目標	臺灣 AI 行動計畫 2.0 以帶動產業轉型升級及增進社會福祉為核心價值，以發展 AI 實證方案解決社會重大挑戰為訴求，厚植我國 AI 國力，普惠 AI 智慧應用，成為國際信賴的 AI 合作夥伴。全程（2023-2026）預期可達成帶動 AI 產業化及規模化、以 AI 協助因應社會議題及促成 AI 國力躍進等目標
主要內容	● 人才優化與擴增：包括高等教育、國民教育及在職／就業培訓三個面向，由產業需求出發，優化高等教育，擴大在職／就業培訓，厚植人力資本。不僅著重於培養具備 AI 專業技能的人才，更以培養整體 AI 國力的角度，重視基礎教育，提升全體國民之 AI 素養 ● 技術深耕與產業發展：深耕 AI 軟體與晶片核心技術，加速 AI 相關之軟硬體產業發展。持續推動優勢產業應用 AI，並強化中小企業導入 AI 轉型升級。運用既有資通訊產業競爭優勢與產業群聚的能量，讓臺灣成為 AI 技術與產業應用發展的先驅者與領航者，擠身 AI 領先國家 ● 完善運作環境：藉由推動資料治理，促進資料流通、並針對通用領域及如醫療、交通、金融等特定應用領域推動 AI 法制，以驅動 AI 應用創造價值。並透過成立 AI 產品／系統評測中心，推動與國際介接的 AI 規範與標準。此外，持續建置高效能運算資源，成為 AI 前瞻研究或技術研發的後盾 ● 提升國際影響力：積極參與國際 AI 相關組織、推動國際 AI 標竿企業或研發機構與臺灣實質合作，協助臺灣 AI 產業及應用的國際化與規模化，深化臺灣 AI 科研能量及拓展 AI 之營運疆域，並藉強化國際合作及聯盟關係，將臺灣 AI 能量貢獻國際社會 ● 回應人文社會議題：AI 可促成產業轉型升級，同時也將導致工作變遷、對勞工造成衝擊而帶來社會問題，應研析 AI 對社會的負面影響以利研擬因應對策。此外，應善用 AI 方案協助解決如勞動力短缺、超高齡社會、淨零排放等社會面臨重大挑戰，讓全民受益於 AI

資料來源：國科會，資策會 MIC 經濟部 ITIS 研究團隊整理，2023 年 9 月

AI on chip 研發補助計畫

項目	內容
願景或目標	「發展核心技術、產出自主利基智慧運算軟體及 AI on Device 系統整合晶片」政策指導方向，以「AI on chip 示範計畫籌備小組」整合跨部會及產學研團隊能量，並以政策工具鼓勵業界領軍投入 AI 晶片前瞻技術與產品發展，產出具有國際競爭力的產品、系統應用與服務，協助我國廠商在邊緣裝置端 AI 取得市場地位
主要內容	● 補助具有關鍵指標意義的 AI 晶片研發，藉此刺激臺灣 AI 晶片發展，協助臺灣半導體產業延續以往優勢，在 AI 仍能居於全球領先群 ● 在行政院指導下，攜手臺灣半導體協會成立臺灣人工智慧晶片聯盟 AITA ● AITA 邀請廠商和學界加入，並成立 AI 系統應用、異質 AI 晶片整合、新興運算架構 AI 晶片、AI 系統軟體等四大關鍵技術委員會 ● 全力協助產業降低 AI 晶片研發成本 10 倍、縮短晶片軟體開發時程 6 個月以上、提升 AI 晶片運算效能 2 倍、建立自主專利，讓臺灣成為 AI 產業晶片的輸出國

資料來源：經濟部產業技術司，資策會 MIC 經濟部 ITIS 研究團隊整理，2023 年 9 月

金融資安行動方案 2.0

項目	內容
願景或目標	考量期間歷經新冠疫情驅動數位轉型、資安情勢加劇、重大災害及地緣政治等風險，推升金融資安韌性的重要性，爰滾動檢討金融資安行動方案，擴大及精進各項推動措施，以於賡續推動金融機構數位轉型、發展及運用金融科技、創新與開放金融服務的同時，能確保提供民眾安心便利、穩定不中斷的金融服務，金融資安行動方案 2.0 版以擴大適用、落實與深化、鼓勵前瞻為持續精進方向。
主要內容	● 公私協力：透過公部門、金融周邊單位及各業別公會等，訂定相關管理規範標準、辦理資安人才培育、協力資安監控及應變，以協助金融機構提升資安防護能力 ● 差異化管理：針對各業別屬性、機構規模及業務風險等，分級規範適當的資安水準，兼顧金融機構實際資安防護業務需求及可執行性 ● 資源共享：續推動資安情資分享與合作、建立金融資安事件應變及監控體系，發揮資安聯防功能，並鼓勵金控或周邊單位（公會）建立資安事件應變小組，透過資源共享及合作，強化金融資安防禦能力 ● 激勵誘因：透過主管機關監理機制，如將資安風險因子納為業務准駁、資本計提、存款保險費率、保險安定基金費率之參考因子，引導金融機構主動積極執行資安措施 ● 國際合作：藉由加強與其他國家金融資安機構交流合作或簽訂 MOU，掌握國際金融資安情勢，結合國際資安組織，共同強化資安防禦

資料來源：金管會，資策會 MIC 經濟部 ITIS 研究團隊整理，2023 年 9 月

加速半導體前瞻科研及人才布局

項目	內容
願景或目標	透過產業、國家、全球三層級由內而外布局，推動四大重點工作，從製造、人才、技術與資源等方向突圍，對內強化人才質量、科技研發、綠電供應等軟實力，促進我國整體半導體產業鏈之共榮互惠
主要內容	● 確保半導體人才供應：提出《國家重點領域產學合作及人才培育創新條例》，鬆綁法規，讓高教更具彈性，將遴選1~2所大學新設國家重點領域研究學院，與企業共同培育產業所需人才 ● 強化半導體前瞻科研：矽基半導體領域、化合物半導體領域、量子領域 ● 推動南部半導體材料聚落：建立南部半導體材料S形廊帶，以掌握關鍵化學品自主、確保材料優化參數不外流、建立在地戰略供應鏈 ● 增加產業空間、擴大吸引投資

資料來源：行政院新聞，資策會MIC經濟部ITIS研究團隊整理，2023年9月

發展5G加值應用服務

項目	內容
願景或目標	2021年至2025年將透過前瞻基礎建設計畫預算投入490億元，協助業者加速、加大力道推動5G普及建設，並藉由《產業創新條例》修法，鼓勵業者投入，期望善用臺灣半導體和資通訊產業的既有優勢，以5G強化資訊及數位相關產業發展，讓臺灣成為下一個世代資訊科技的重要基地
主要內容	● 引導產業升級轉型：布局5G前瞻技術、加速5G科技運用與擴散 ● 催生5G先進示範：推動場域實證，如在高雄亞洲新灣區打造全臺最大的5G研發創新試驗場域，鼓勵業者參與實證，探索商業模式，建立完整產業生態系 ● 加速國際鏈結：營造5G共通驗測環境，打造5G開放網路驗測平臺；擴大國際合作 ● 厚植5G產業人才：推動5G人才研發實戰，採「產業出題、人才實戰」模式，引導產業就商用化5G產品研發出題，搭配大專院校推薦大三以上及碩博生到公司實習參與

資料來源：行政院新聞，資策會MIC經濟部ITIS研究團隊整理，2023年9月

臺灣 5G 行動計畫（2019 年至 2022 年）

項目	內容
願景或目標	<ul><li>打造智慧醫療、智慧製造、智慧交通等 5G 應用國際標竿場域</li><li>建構 5G 技術自主與資安能力，打造全球信賴的 5G 產業供應鏈</li><li>以 5G 企業網路深化產業創新，驅動數位轉型</li><li>實現隨手可得 5G 智慧好生活，均衡發展幸福城鄉</li></ul>
推動主軸	<ul><li>推動 5G 垂直應用場域實證，於各地廣設 5G 多元應用實驗場域（如臺北流行音樂中心、林口新創園區、沙崙創新園區），並帶動國內廠商參與，建立 5G 驗證實績，加速 5G 商轉普及</li><li>營造 5G 跨業合作平臺，扶植 5G 新創業者並降低技術、資金、法規等門檻，廣納各領域業者進入市場，健全 5G 產業生態系</li><li>透過各種管道培育 5G 技術與應用人才，滿足 5G 產業發展需求；同時結合國內廠商力量，建構民生公共物聯網、文化科技、智慧醫療等 5G 創新應用標竿實例，帶動 5G 產業茁壯發展</li><li>完備 5G 技術核心及資安防護能量，制訂 5G 資安國家整體政策，推動國內廠商進入國際 5G 可信賴供應鏈</li><li>依產業需求、市場發展趨勢、及國際脈動，分階段逐步進行 5G 頻譜釋照</li><li>與日本、德國、英國等國家同步規劃 5G 專網發展機制，鼓勵創新應用，例如遠距醫療照護偏鄉長輩健康、智慧安全守護鄰里安全及智慧製造提升工業安全等領域</li><li>調整法規創造有利發展 5G 環境，精進 5G 電信管理法規，放寬電信市場創新應用及跨業合作彈性，促進 5G 網路基礎設施共建共用</li></ul>

資料來源：行政院科技會報，資策會 MIC 經濟部 ITIS 研究團隊整理，2023 年 9 月

太空發展法草案

項目	內容
願景或目標	為促進我國太空產業的健全發展，希望結合我國既有半導體、資通訊、精密機械等產業，開拓太空新藍海商機
主要內容	<ul><li>預計 10 年投入 250 億元國家太空計畫，用來扶植衛星產業、培養太空科技人才</li><li>第三期太空計畫規劃衛星，是國產元件飛試平臺，通過驗證後就能進軍國際市場，增加臺灣廠商的技術與產品附加價值</li><li>將投入 B5G（Beyond 5G）低軌通訊衛星產業，政府 2021 至 2024 年投入 40 億元，開發國內第一顆實驗型低軌衛星通訊技術開發與系統建置</li></ul>

資料來源：行政院新聞，資策會 MIC 經濟部 ITIS 研究團隊整理，2023 年 9 月

三、資服業大廠動態

（一）Amazon

1. Amazon

企業動向

年／月	事件
2023／6	● 擴大災害救濟中心，備有 240 萬項捐贈物資以應對颶風季節的來臨，於全球捐贈超過 2,300 萬個救援物資
2023／4	● 公布 2023 年第一季度財務業績
2023／2	● 公布 2022 年第四季度財務業績
2022／10	● 公布 2022 年第三季度財務業績
2022／9	● 宣布啟動 71 個新的可再生能源全球計畫，包含於巴西、印度和波蘭等國家首次啟動再生能源計畫
2022／8	● 採用綠色氫氣減少營運碳排放，綠色氫氣交易將提供足夠的年度能源，是 Amazon 實現 2040 年零碳排放目標的一部分

資料來源：資策會 MIC 經濟部 ITIS 研究團隊，2023 年 9 月

收購及投資動態

年／月	事件
2022／11	● 推出由 Parafin 提供的新商家現金預付計畫，進一步擴展對中小型企業的支持
2022／10	● 將投資 1.5 億美元的資金，提供代表性不足的企業獲得資金的機會，其中包括女性、有色人種和其他少數族裔的企業家，促進多元化和包容性的承諾
2022／9	● 通過 4.5 億美元投資計畫，承諾支持送貨服務合作夥伴和司機，推出教育計畫、401(k) 退休計畫和費率提高的措施 ● 透過近 10 億美元的新投資，擴大對前線員工的薪酬和福利
2022／8	● 與 iRobot 簽署協議，將收購 iRobot
2022／7	● 與 One Medical 簽署協議，將收購 One Medical

資料來源：資策會 MIC 經濟部 ITIS 研究團隊，2023 年 9 月

合作案

年／月	事件
2022／11	• 與美國國際開發署（USAID）合作推出計畫，增加氣候變化領域中婦女獲得資金的機會和支持
2022／9	• 與 Water.org 合作，將捐贈 1,000 萬美元，支持 Water.org 努力，提供至 2025 年 100 萬人的清潔飲用水 • 與 Lendistry 合作，透過擴大 Amazon 社區貸款計畫，推動小型企業的增長
2022／7	• Amazon 向 Rivian 合作訂製的電動交付車輛，將於美國各地上路
2022／4	• 與波音聯手實現航空航天設計和製造轉型
2022／3	• 與德克薩斯州的大學、學院合作，以全額資助當地小時工的學費
2022／1	• 與 Stellantis 合作，在汽車中引入以客戶為中心的互聯體驗

資料來源：資策會 MIC 經濟部 ITIS 研究團隊，2023 年 9 月

新發布之產品與服務

年／月	事件
2023／5	• 推出四款全新的 Echo 設備：（1）Echo Pop、（2）Echo Show 5、（3）Echo Show 5 Kids、（4）全新的 Echo Buds • 推出全新 Fire Max 11
2023／4	推出反偽造交流平臺 Anti-Counterfeiting Exchange（ACX），協助消除零售業中的偽造品問題
2023／1	推出 RxPass 方案，為 Prime 會員提供每月僅需 5 美元的免運費無限處方藥物
2022／10	提供新的付款方式 Venmo
2022／9	• 推出免費的電子郵件行銷功能，提供賣家顧客的重複購買、最近購買和高消費的資料與紀錄 • 推出 Veeqo，提供所有賣家無論多少訂單量皆能使用 UPS、美國郵政、DHL 和聯邦快遞等公司的免折扣運輸費率 • 推出 Manage Your Experiments 新功能，幫助賣家開發能提高轉化率的內容 • 推出新的戶外無線監控攝影機 Blink Mini Pan Tilt • 推出全球首款床邊睡眠追蹤器 Halo Rise
2022／07	• 發布 Amazon EMR 無伺服器、Amazon MSK Serverless 及具有 Amazon Redshift Serverless 的無伺服器資料倉庫
2022／06	• Amazon.com 推出 Virtual Try-On for Shoes，可對鞋子進行虛擬試穿
2022／05	• 推出下一代 Fire 7 和 Fire 7 Kids
2022／04	• 推出 AWS Impact Accelerator • 推出「使用 Prime 購買」，將 Prime 購物優惠擴展到 Amazon.com
2022／03	• Luna 雲遊戲服務已為美國居民提供，且 Prime 會員有獨特優惠 • eero 推出其最快的 Mesh Wi-Fi 系統—eero Pro 6E 及 eero 6+

資料來源：資策會 MIC 經濟部 ITIS 研究團隊，2023 年 9 月

2. AWS

企業動向

年／月	事件
2023／3	宣布於瑞士建立雲端基礎設施並於2022年10月啟用
2023／1	宣布於澳洲建立第二座雲端基礎設施
2022／11	• 宣布於瑞士建立新的雲端基礎設施 • 宣布於西班牙建立新的雲端基礎設施 • 宣布於印度建立第二座雲端基礎設施 • AWS承諾至2030年返還社區更多其企業所使用的水資源，實現水資源的正向平衡
2022／10	宣布將於泰國建立新的雲端基礎設施
2022／8	在阿拉伯聯合大公國推出區域服務

資料來源：資策會MIC經濟部ITIS研究團隊，2023年9月

收購及投資動態

年／月	事件
2023／6	宣布投資1億美元，成立生成式人工智慧創新中心（Generative AI Innovation Center）

資料來源：資策會MIC經濟部ITIS研究團隊，2023年9月

合作案

年／月	事件
2023／6	• 與Veriff合作，幫助Veriff預防身分詐騙，實現高效的身分驗證服務 • 全球最大的金融機構之一BBVA，選擇AWS加速其資料轉換，利用AWS分析與人工智慧能力，為客戶提供安全創新的解決方案，提高業務運營效率 • 與泛非洲金融服務集團（Old Mutual）合作，將雲端資料全面遷移至AWS，於AWS（Amazon Web Services）上建立數位轉型基礎
2023／5	Halodoc透過AWS為超過2,000萬印尼用戶提供全方位的醫療保健服務，降地其20% IT建置成本
2023／4	• 阿爾拉吉馬來西亞銀行的數位銀行Rize全面採用AWS雲端系統 • 與Experian合作，協助Experian推動雲端計畫、規模化的產品創新
2023／3	• 與南西航空（Southwest Airlines）合作，南西航空利用AWS優化運營、簡化基礎設施成本，提升數位化客戶體驗 • 與NVIDIA合作開發下一代雲端基礎設施，在EC2 UltraClusters部署新的Amazon EC2 P5實例，優化NVIDIA Hopper GPU大規模加速生成式AI的訓練和推理過程
2023／1	與Zurich合作，協助Zurich數位轉型

附錄

年／月	事件
2022／12	• 與 Atos 加強合作，建立新的戰略夥伴關係，協助 Atos 客戶的雲端資料轉移，加速企業數位轉型 • Stability AI 選擇 AWS 作為雲端供應商 • 與 Slalom 擴大合作夥伴關係，向更多共同客戶提供創新技術和特定行業解決方案 • Yahoo 選擇 AWS 作為廣告技術業務的公共雲供應商 • 與美國家庭保險公司（American Family Insurance）合作，推動公司的 IT 轉型
2022／11	• 與杜克能源（Duke Energy）合作開發智慧電網解決方案 • 與 Descartes Labs 合作，運用地理空間資料和人工智慧技術，應對永續、食品安全和氣候變化等重要議題 • 與 Wallbox 合作，全面採用 AWS 作為智慧車載充電系統 • 與 Brookfield 資產管理公司合作，利用 AWS 雲端服務獲得業務洞察、提高職場安全性，將水力、風力和太陽能營運自動化。Brookfield Renewable 同意供應 Amazon 於三大洲的電力潔淨能源
2022／10	與 BMW 集團合作，開發全新車輛資料雲端平臺
2022／9	• 與 SK 電信（SK Telecom）合作，共同開發電腦視覺化人工智慧服務 • 與德國足球聯賽（DFL）合作，利用 AWS 和 DFL 的資料分析能力，提供關於球隊進攻時的資料
2022／8	• 與 Veritone 合作，提供人工智慧為基礎的解決方案 • Pick n Pay 選擇 AWS 作為其雲端服務供應商
2022／7	AWS 被達美航空選為的首選雲端服務供應商

資料來源：資策會 MIC 經濟部 ITIS 研究團隊，2023 年 9 月

新發布之產品與服務

年／月	事件
2023／5	● 推出 Amazon Aurora I／O-Optimized ● 發布 Amazon Security Lake，幫助客戶和合作夥伴能夠更全面了解安全狀態
2023／4	● 發布 Amazon GuardDuty 的三個創新功能，這些功能將擴展到超過五億個 Amazon EC2 實例和數百萬個 Amazon S3 儲存桶。這樣做是為了更有效地協助客戶維護其數據集、資料庫以及無伺服器環境下的工作負載的安全。
2023／2	推出 AWS 電信網路建構師服務，
2022／12	● 推出五項新資料庫與分析能力：Amazon DocumentDB Elastic Clusters、Amazon OpenSearch Serverless、Amazon Athena for Apache Spark、AWS Glue Data Quality、Amazon Redshift ● 宣布 Amazon SageMaker 新功能：Amazon SageMaker 角色管理器、Amazon SageMaker 模型卡、Amazon SageMaker 模型儀表板、Amazon SageMaker Studio 筆記本中的新資料準備功能
2022／11	● 宣布推出兩項新功能，Amazon S3 Select + SQL 與 Amazon Glue DataBrew 增強版 ● 推出 Amazon DataZone 集中式雲端平臺 ● 推出 Amazon QuickSight 五項新功能：自動化資料準備功能、分頁報告功能、Amazon QuickSight 內部引擎、透過編程創建 Amazon QuickSight 儀表板和報告、預測資料問題 ● 推出 AWS SimSpace Weaver ● 推出 Amazon Security Lake，專為安全目的而建立的資料湖 ● 推出三款新的 Amazon EC2 產品：Amazon EC2 R6g、Amazon EC2 C6g、Amazon EC2 D4a ● 推出 AWS 供應鏈服務 ● 推出 AWS Clean Rooms
2022／10	宣布推出 Amazon Neptune Serverless 全新無伺服器服務
2022／9	宣布推出 AWS IoT FleetWise
2022／07	● 發布 AWS Cloud WAN ● 發布 Amazon Kinesis Analytics V、Amazon CloudFront Logs Insights、AWS Glue DataBrew 則是一個用於數據準備和清洗的無伺服器服務
2022／06	正式發布 AWS 大型機現代化
2022／05	正式發布由 AWS 設計的 Graviton3 處理器提供支援的 Amazon EC2 C7G 實例
2022／04	● 正式發布 AWS IoT TwinMaker ● 正式發布 AWS Amplify Studio ● 正式發布 Amazon Aurora Serverless v2
2022／02	宣布在全球範圍內擴展 AWS Local Zones
2022／01	全面推出 Amazon EC2 Hpc6a 實例

資料來源：資策會 MIC 經濟部 ITIS 研究團隊，2023 年 9 月

（二）Apple

企業動向

年／月	事件
2023／7	Apple 獲艾美獎 54 項提名，Apple TV+娛樂內容獲得肯定
2023／5	• 宣布從 2020 年至 2022 年，App Store 上的小型開發者的收入增長 71% • 宣布於 2022 年 App Store 成功阻止超過 20 億美元的欺詐交易 • 宣布 2022 年開發者在 App Store 生態系統中共創造 1.1 萬億美元的收入
2023／4	• 宣布將於 2025 年前在電池中使用 100%回收的鈷原料 • 宣布在孟買位於 BKC（孟買商業區）開設新店 • 宣布永續目標是實現 2025 年達到零廢棄，將資源再循環使用，減少對自然資源的消耗 • 宣布在新德里的 Saket 地區開設新零售店
2023／3	Apple 江南店於韓國正式營業
2023／2	公布 2023 年第一季業績報告
2022／11	• 宣布於溫哥華開設全新的蘋果太平洋中心（旗艦店） • 舉辦 Today at Apple 工作坊和課程，提供學生、教育者和任何對編程感興趣的人們有關編程和程式設計的知識和技能
2022／10	• 呼籲全球供應鏈夥伴在 2030 年之前實現脫碳 • 宣布將「蘋果學習教練」（Apple Learning Coach）計畫開放給美國更多的教師 • 公布 2022 年第四季財報結果
2022／8	• Apple 卡和發卡銀行高盛再次在年度 J.D. Power 美國信用卡滿意度研究中獲得第一 • 慶祝 Shazam（音樂識別應用程式）成立 20 週年 • 擴大自助維修服務，用戶可以使用一系列自助維修工具和資源，自行修理 Mac 筆記型電腦 • 透過第二期 Impact Accelerator 計畫，推動環境和商業解決方案的發展
2022／7	• 加強對開發者的審查和審核，確保 App Store 中的 App 符合嚴格的安全和隱私標準，防止用戶下載間諜軟體 • 宣布 7 月 28 日將於倫敦 Brompton Road 百老匯購物區開設全新旗艦店 • 公布 2022 年第三季度業績結果
2022／5	• 與 Google、Microsoft 共同承諾擴大對 FIDO 標準的支持 • 推出新的專業培訓以支持不斷增長的 IT 員工隊伍
2022／4	• Apple Myeongdong 現已在韓國開業 • 在其產品中擴大可回收材料的使用範圍
2022／3	暫停在俄羅斯的所有產品銷售

資料來源：資策會 MIC 經濟部 ITIS 研究團隊，2023 年 9 月

收購及投資動態

年／月	事件
2022／11	宣布投資全球衛星服務提供商 Globalstar 4.5 億美元，以實現透過衛星進行緊急求助的功能

資料來源：資策會 MIC 經濟部 ITIS 研究團隊整理，2023 年 9 月

合作案

年／月	事件
2023／5	● 宣布與 Google 合作開發一項行業標準，解決網路上不受歡迎的追蹤行為，保護用戶的隱私和資料安全，並提供更好的網路體驗 ● 宣布在 Apple Maps 和 Apple Music 上推出全新的音樂會發現功能
2023／4	宣布與其全球供應商合作，將可再生能源的使用量擴大至 13.7 千兆瓦
2022／10	Apple Music 與 Mercedes-Benz 賓士合作，為賓士車主提供沉浸式空間音樂體驗

資料來源：資策會 MIC 經濟部 ITIS 研究團隊，2023 年 9 月

新發布之產品與服務

年／月	事件
2023／6	● 推出 M2 Ultra，M2 Ultra 具備更快速的 CPU 和 GPU，支援更大的統一記憶體 ● 推出 15.3 吋 Liquid Retina 顯示器、15 吋 MacBook Air ● 宣布推出 iPadOS 17 系統
2023／4	● 推出全新的「蘋果小型企業工具包」，其中包含一系列的教育資源、行銷、資料分析工具、商店和支付解決方案、線上培訓課程等業務支援
2023／3	推出全新支付服務 Apple Pay Later，用戶可以在購物時享受分期付款
2023／1	● 推出 Apple Business Connect 新平臺，幫助企業建立更強大的數位化工作流程和更有效的合作方式 ● 推出全新 MacBook Pro，搭載 M2 Pro 和 M2 Max 晶片 ● 推出全新 Mac mini，搭載 M2 和 M2 Pro 晶片 ● 推出全新 M2 Pro 和 M2 Max 晶片，採用先進的製程技術和創新設計架構，提供更快的處理速度和更高的計算能力 ● 推出全新 HomePod ● 將推出一項新功能「App 跟蹤警告」，告知用戶哪些應用程式正在追蹤用戶資料
2022／12	● 在歐洲推出自助維修服務，讓用戶可以自行修復其蘋果設備 ● 推出 Freeform 的新應用程式，用戶可以自由創建、編輯和共享內容，並與他人即時協作
2022／11	● 宣布緊急 SOS 通過衛星功能將在 12 月在 iPhone 14 系列正式推出 ● 推出全新的 Replay 功能，用戶可以回顧和重新發現他們在 Apple Music 上的音樂收聽歷史

年／月	事件
2022／10	- 宣布推出「Ask Apple」，開發人員能夠向 Apple 專家團隊提問和獲取支援 - 宣布推出下一代搭載 M2 晶片的 iPad Pro - 宣布推出下一代 Apple TV 4K - 宣布推出 iPadOS 16 系統 - 宣布推出最新的作業系統 macOS Ventura
2022／9	- 推出 iPhone 14、iPhone 14 Plus、iPhone 14 Pro 和 iPhone 14 Pro Max，搭載 A16 仿生晶片 - 宣布推出下一代 AirPods Pro - 宣布健身服務 Apple Fitness+ 將在今年秋季 21 個國家和地區提供 iPhone 用戶使用 - 發表 Apple Watch Series 8 和全新的 Apple Watch SE - 宣布 watchOS 9 系統正式上線
2022／6	- macOS Ventura 添加強大的生產力工具和新的 Continuity 功能 - Apple TV App 將成為從 2023 年開始觀看每場 MLS 現場比賽的獨家目的地 - 發布 iOS 16，用戶可以個性化自己的鎖定螢幕，將家庭照片保存在 iCloud 共享照片庫中，撤回已發送的訊息，安排郵件，並利用即時文字和視覺查詢功能 - 推出全新的 M2 晶片，搭載先進的處理器和圖形處理器，提供卓越的計算和圖形處理性能 - 推出全新搭載 M2 晶片的 MacBook Air - 推出 13 吋 MacBook Pro 將配備全新的 M2 晶片
2022／4	推出新版 iMovie，包含 Storyboards 和 Magic Movie
2022／3	- 在亞利桑那州的 Wallet 中推出首個駕照和州身分證 - 宣布面向教育工作者的全新輔導計畫和功能 - Impact Accelerator 為美國企業開啟加速環境進步的新機遇，其第二個 Impact Accelerator 類的應用程式已開放 - Apple Business Essentials 現可用於小型企業
2022／2	透過 iPhone 上的 Tap to Pay 推出非接觸式支付

資料來源：資策會 MIC 經濟部 ITIS 研究團隊，2023 年 9 月

（三）Google

企業動向

年／月	事件
2022／6	俄烏戰爭爆發，Google 正在擴大中歐和東歐地區的合作夥伴關係，投資於網路安全領域，提供可信賴的資訊、促進網路安全
2022／5	宣布擴大對數位健康的研究，了解和應對科技對人們心理和情緒健康產生的影響
2022／03	將 K8s 無伺服器層專案 Knative 移交給 CNCF
2022／02	Alphabet 財報出爐，Google Cloud 營收成長 45%

資料來源：資策會 MIC 經濟部 ITIS 研究團隊，2023 年 9 月

收購及投資動態

年／月	事件
2022／4	投資 95 億美元於美國資料中心、實體辦公室
2022／3	斥資 45 億美元收購 Mandiant，創下歷年收購金額第二高的紀錄

資料來源：資策會 MIC 經濟部 ITIS 研究團隊，2023 年 9 月

合作案

年／月	事件
2022／5	● 與三星合作推出名為 Health Connect 的健康資訊平臺及 API，讓不同 App 的健康與健身資訊可以跨 Android 裝置互通 ● Google Workspace 的 Google 文件與試算表整合進 S／4HANA Cloud，讓企業員工可以存取 SAP 的資料，遠端協作商業文件及試算表

資料來源：資策會 MIC 經濟部 ITIS 研究團隊，2023 年 9 月

新發布之產品與服務

年／月	事件
2022／5	● Google 翻譯學習 24 種新語言 ● 新款 Google AR 眼鏡具即時雙向翻譯功能 ● 打造元宇宙的沉浸式 3D 實景地圖 ● 發表新的搜尋工具「Results about you」，幫助使用者更容易掌控自己的線上狀態與設置 ● 於 I／O 大會宣布 100 項產品與功能消息 ● 成立開源維護團隊，由 Google 工程師組成的專業團隊，將與上游維護人員密切合作，改善開源軟體關鍵項目的安全性 ● 推出 Mental Health Awareness Month，藉由 AI 模型 MUM 自動且準確地檢測個人危機
2022／4	釋出 Google Meet 新功能，可從文件、簡報和試算表直接進行通話協作

年／月	事件
2022／3	<ul><li>啟動強制追蹤 Workspace 搜尋的設定</li><li>宣布 Second Generation Cloud Functions</li><li>推出「封存行動應用程式」功能，可透過其臨時回收一個 App 約 60% 的儲存空間</li><li>Google Cloud 發布社群安全分析（Community Security Analytics, CSA）專案，持續檢測及回應工作流程中偵測常見的威脅</li><li>針對遊戲開發商推出整合 Google Cloud 的「沉浸式遊戲串流」（Immersive Stream for Games）B2B 服務</li></ul>
2022／2	<ul><li>Google Cloud 增加新的加密威脅檢測功能 Virtual Machine Threat Detection（VMTD）</li><li>Google Cloud 釋出架構圖繪製工具 Architecture Diagramming Tool</li></ul>

資料來源：資策會 MIC 經濟部 ITIS 研究團隊，2023 年 9 月

（四）IBM

企業動向

年／月	事件
2022／5	為全球公立學校提供 500 萬美元的實物資助，以更好應對不斷增長的勒索軟體威脅
2022／2	推出為期 2 年的全球非營利組織公益環境計畫
2022／1	加入 CISA 的聯合網路防禦合作，以增強美國的網路彈性

資料來源：資策會 MIC 經濟部 ITIS 研究團隊，2023 年 9 月

收購及投資動態

年／月	事件
2022／7	收購 Databand.ai，加強在資料、AI 和自動化方面的軟體組合
2022／6	收購 Randori 來應對不斷增長的攻擊面風險
2022／2	● 收購 Sentaca 以進入 5G 時代 ● 收購 Microsoft Azure Consulting 的 Neudesic
2022／1	收購 Envizi 以幫助組織加速可持續發展計畫並實現環境目標

資料來源：資策會 MIC 經濟部 ITIS 研究團隊，2023 年 9 月

合作案

年／月	事件
2022／7	與 DMEA 簽訂合約，提供安全服務，旨在增強國防部（DoD）關鍵任務平臺的微電子供應鏈
2022／6	為 2022 年溫布爾登網球公開賽推出全新的 AI 和雲風扇體驗
2022／5	● 與 Amazon Web Services 簽署協作協定，在 AWS 上交付 IBM SaaS ● 透過 RISE with SAP 解決方案，實現業務運營轉型，並與 SAP 擴展合作夥伴關係 ● 與 MBZUAI 聯手，透過新的卓越中心推進 AI 研究 ● 與紅帽技術合作推出 EnduroSat 向太空的共用衛星服務
2022／3	圍繞 AI 驅動的天氣資料和 Adobe 體驗平臺，擴展與 Adobe 的合作夥伴關係
2022／2	與 SAP 加強合作夥伴關係，幫助客戶將工作負載從 SAP®解決方案遷移到雲端

資料來源：資策會 MIC 經濟部 ITIS 研究團隊，2023 年 9 月

新發布之產品與服務

年／月	事件
2022／4	● 推出 IBM z16，用於大規模事務處理的即時 AI，同時為業界首個量子安全系統 ● 旗下公司 The Weather Company 擴展 Max 平臺產品
2022／3	推出實現軟體許可證合規性自動化的全新 AIOps 解決方案

資料來源：資策會 MIC 經濟部 ITIS 研究團隊，2023 年 9 月

（五）Meta

企業動向

年／月	事件
2023／3	發布四季度財報，展示業績降幅接近觸底。完成裁員縮減支出後，meta的業績降幅有縮窄觸底的趨勢。對於 2023 年，公司有望重回增長趨勢
2022／6	Sheryl Sandberg 將辭去 Meta 的營運長一職，Javier Olivan 將成為下一任營運長

資料來源：資策會 MIC 經濟部 ITIS 研究團隊，2023 年 9 月

收購及投資動態

年／月	事件
2022／2	Meta 完成 10 億美元收購 Kustomer

資料來源：資策會 MIC 經濟部 ITIS 研究團隊，2023 年 9 月

合作案

年／月	事件
2022／5	Meta Elevate 和 Adobe 啟動全球合作夥伴關係，支援多元化的小型企業
2022／4	宣布長期的 AI 研究計畫，與神經成像中心 Neurospin（CEA）和 Inria 的合作，以更好地了解人類大腦如何處理語音和文本

資料來源：資策會 MIC 經濟部 ITIS 研究團隊，2023 年 9 月

新發布之產品與服務

年／月	事件
2022／7	● 新的 AI 模型 NLLB-200 可翻譯 200 種語言 ● 推出用於 VR 的 Meta Accounts 和 Meta Horizon Profiles
2022／6	● 構建了三種新的人工智慧（AI）模型－視覺－聲學匹配，視覺告知 Dereverberation 和 VisualVoice ● 將在 Instagram 上發布 AMBER Alerts，供使用者查看和分享他們所在地區失蹤兒童的通知 ● 在 Quest 上推出家長儀錶板，並在 Instagram 上引入新的監督工具 ● 用 Oculus 移動應用程式或 Apple Health 跟蹤 VR 健身統計資料
2022／5	● Meta Store（第一個實體零售空間）於 5 月 9 日在加利福尼亞州伯林蓋姆的校園開業 ● Mark Zuckerberg 宣布將在 WhatsApp Business Platform 上使用基於雲的新 API，向所有企業開放 WhatsApp ● 發布 MyoSuite，將機器學習（ML）應用於生物力學控制問題
2022／4	Meta 計畫 2024 年發布首款 AR 眼鏡
2022／3	● 在 Messenger 上向使用 iOS 或 Android 手機的美國使用者推出 Split Payments ● 在 Instagram 上引入七項新的消息傳遞功能
2022／1	● 推出 data2vec，是第一個高性能的自我監督演算法， ● 推出首款用於語音、視覺和文本的自監督演算法 AI Research SuperCluster（RSC）

資料來源：資策會 MIC 經濟部 ITIS 研究團隊，2023 年 9 月

（六）Microsoft

企業動向

年／月	事件
2023／1	● 舉辦「企業轉型 乘勝追擊」新型態營運永續高峰會，探討如何運用數位轉型落實企業營運永續發展
2022／3	● 宣布停止在俄羅斯所有產品和服務的新銷售活動 ● 宣布在印度設立第四座資料中心
2022／2	宣布舊版本的 Windows 10 將在 5 月正式停止支援
2022／1	● 組建「Vortex」工作團隊，擴大元宇宙應用布局 ● 停產 Xbox One，以專注新世代 Xbox Series X／S ● 斥資逾 13 億發展低碳技術

資料來源：資策會 MIC 經濟部 ITIS 研究團隊，2023 年 9 月

收購及投資動態

年／月	事件
2023／1	● 投資 OpenAI 數十億美元，擴大合作夥伴關係
2022／3	● 完成對 Nuance 的收購
2022／1	● 以 687 億美元（約新臺幣 1.9 兆）收購遊戲大廠 Activision Blizzard，是遊戲業最大規模的收購案，因而成為世界第三大的遊戲公司

資料來源：資策會 MIC 經濟部 ITIS 研究團隊，2023 年 9 月

合作案

年／月	事件
2022／6	● 與寶潔共同創新，共建數位製造的未來 ● 與埃森哲和埃維諾擴大合作夥伴關係，幫助組織應對最大的可持續發展挑戰
2022／4	● 與卡夫亨氏聯手加速供應鏈創新 ● 與萬事達卡合作推出下一代身分識別技術，讓消費者更安全地線上購物
2022／1	● 與高通合作開發 AR 眼鏡專用晶片

資料來源：資策會 MIC 經濟部 ITIS 研究團隊，2023 年 9 月

新發布之產品與服務

年／月	事件
2022／6	● 宣布 Viva Sales 重新定義賣家體驗並提高生產力
2022／5	● 發布 Microsoft Defender for Business，旨在提高中小型企業（SMB）的安全性
2022／4	● 推出專為 Windows 設備打造的 Microsoft Journal 筆記新應用
2022／3	● 資料控管服務 Azure Purview 提供 Azure SQL 動態資料處理歷程
2022／2	● SIEM 平臺 Sentinel 整合 GitHub，可持續監控企業儲存庫安全
2022／1	● 全面推出 Microsoft Cloud for Retail ● 發布 Azure Arc 伺服器登陸區域加速器

資料來源：資策會 MIC 經濟部 ITIS 研究團隊，2023 年 9 月

(七) Oracle

企業動向

年／月	事件
2023／9	• 舉辦 Oracle CloudWorld 2023 活動，此活動專為 Oracle 的客戶和合作夥伴設計，將涵蓋 Oracle 解決方案，包括基礎設施和資料庫等
2022／6	• 被 Ventana Research 評為整體數位創新獎得主 • 宣布在墨西哥開設第一個 OCI 區域
2022／4	• 擴展全球行業創新實驗室網路，在芝加哥郊外開設新的 30,000 平方英尺的工廠
2022／2	• 美國國防部（DoD）已授權 OCI 託管絕密／敏感分區資訊（TS／SCI）和特殊訪問計畫（SAP）任務 • Oracle Aconex 獲得英國標準機構建築資訊建模軟體認證
2022／1	• 在非洲開設第一個雲區域

資料來源：資策會 MIC 經濟部 ITIS 研究團隊，2023 年 9 月

收購及投資動態

年／月	事件
2022／6	完成收購電子病歷公司 Cerner
2021／12	將收購領先的數位資訊系統供應商 Cerner

資料來源：資策會 MIC 經濟部 ITIS 研究團隊，2023 年 9 月

合作案

年／月	事件
2023／1	• 擴大與 NVIDIA 合作，在全新的 Oracle Cloud Infrastructure (OCI) SuperclusterTM 上執行 NVIDIA AI 應用程式
2022／10	• 與 NVIDIA 攜手合作加速推動企業採用人工智慧
2022／7	• 與 Claro 合作在哥倫比亞擴展全球雲服務
2022／6	• NRI 部署第二個 OCI 專用區域，在高度可用、安全的雲平臺上運行關鍵金融服務 • 與 Commvaul 合作，在 OCI 提供 DMaaS，加速企業混合雲的採用
2022／5	• Unia 選擇 Oracle 融合雲應用來提高工作效率並推動創新 • TriHealth 選擇 Oracle Fusion Cloud HCM 來集中化 HR 流程 • 和 NIH 網路合作幫助終結愛滋病毒，Oracle 擴展最初為抗擊 COVID-19 而構建的技術，加快將安全有效的 HIV 疫苗推向市場

資料來源：資策會 MIC 經濟部 ITIS 研究團隊，2023 年 9 月

新發布之產品與服務

年／月	事件
2022／6	以 OCI 專用區域擴展分散式雲服務，並預覽計算 Cloud@Customer
2022／3	• OCI 實現 FedRAMP+ 授權，並擴展 11 項新的計算、網路和儲存服務和功能 • 宣布推出 Java 18

年／月	事件
	● 推出 MySQL HeatWave ML，完全自動化模型訓練、推理和解釋
2022／2	● NetSuite 透過新的加速器計畫，促進創業的多樣性和包容性 ● 推出新的物流功能，幫助客戶提高供應鏈效率和價值 ● 推出供應商返利管理，幫助醫療保健組織實現盈利能力最大化並推動業務增長 ● 推出 Oracle Advanced HCM Controls，是一種由 AI 提供支援的監控解決方案
2022／1	● Oracle NetSuite 宣布推出 Oracle NetSuite Cash 360，幫助組織有效管理現金流 ● NetSuite Project 360 使專案經理能夠在預算範圍內按時交付專案

資料來源：資策會 MIC 經濟部 ITIS 研究團隊，2023 年 9 月

（八）HPE

企業動向

年／月	事件
2023／6	● 舉辦 HPE Discover 2023，會議涵蓋混合雲數據治理、可持續性和安全連接等主題
2022／5	● 於加拿大開設新總部，為團隊成員實現全新的工作場所體驗 ● 於捷克共和國開設新工廠，加強歐洲的超級電腦供應鏈
2022／4	● 於西班牙開設人工智慧及資料全球卓越中心，幫助客戶利用其資料力量

資料來源：資策會 MIC 經濟部 ITIS 研究團隊，2023 年 9 月

合作案

年／月	事件
2023／7	● 擴大與 AWS 合作提供更多混和雲下的資料保護及防詐服務
2022／7	● Catharina 醫院選擇 HPE Ezmeral 來支持資料優先的現代化，並提高準確性 ● 法國雲服務提供者 AntemetA 選擇 HPE GreenLake 推出新的自動化災難恢復服務
2022／6	● Iliane 選擇 HPE GreenLake 來擴展高性能雲產品 ● Taeknizon 選擇 HPE GreenLake 來擴展其在阿聯酋完全託管雲產品 ● Eclit 選擇與 GreenLake 推出新的雲產品並擴展其託管服務組合
2022／5	● SiPearl 的 Rhea 與 HPE 的超級計算解決方案結合，HPE 和 SiPearl 將利用即將推出的歐洲處理器提供廣泛的高級 HPC 和 AI 技術
2022／2	● 與 Ayar Labs 合作，為 HPE Slingshot 互聯和高級分解伺服器設計未來的矽光子學解決方案

資料來源：資策會 MIC 經濟部 ITIS 研究團隊，2023 年 9 月

新發布之產品與服務

年／月	事件
2023／7	● 推出了 HPE GreenLake for Aruba 網路服務套件的兩個新功能,使合作夥伴能夠擴展其業務至數據中心網路,並將其設計和交付服務與 NaaS(網路即服務)技術捆綁在每月訂閱中
2023／6	● 推出 HPE GreenLake AI Cloud for Language Model Machines (LLMs),此 AI 雲服務可以按需提供給各種規模的企業,提供多租戶超級計算雲服務,結合機器學習和人工智慧 ● 推出了一項新的文件、區塊、災難恢復和備份還原數據服務,名為 GreenLake。此服務使用一個平臺進行數據雲服務、管理和運營,消除了數據孤島,並降低了企業的成本
2022／11	● 推出了支持混合環境和數字轉型的新一代計算產品。HPE ProLiant Gen11 伺服器為企業提供了直觀、可靠和優化的運算體驗
2022／6	● HPE GreenLake 透過現代私有雲和新雲服務提升混合雲體驗 ● 透過基於雲原生晶元的新伺服器擴展計算產品群組 ● Hewlett Packard Enterprise 為 Evil Geniuses 行業領先的資料和分析程式,增添更多的 Genius
2022／5	● 為美國能源部橡樹嶺國家實驗室推出全球首台也是最快的百億億次級超級電腦 Frontier
2022／4	● 透過自動化和簡化的開放和傳統網路管理加速 RAN 部署 ● 透過專為邊緣和分散式網站構建的 Swarm Learning 解決方案,開創 AI 創新的下一個時代 ● 透過新的大規模 AI 開發和培訓解決方案,加速從 POC 到生產的 AI 之旅
2022／3	● 透過 Microsoft Azure Stack HCI 集成系統擴展 HPE GreenLake 雲服務產品群組,實現混合雲和資料

資料來源:資策會 MIC 經濟部 ITIS 研究團隊,2023 年 9 月

（九）Accenture

企業動向

年／月	事件
2023／03	預計全球裁減約 19,000 人，占員工總數 2.5%，創下業界單次裁員人數之最，亦推出一個名為「企業 AI 導航」的工具，將有助於指導企業如何更適當地利用該技術
2022／07	任命 Leo Framil 為增長市場執行長
2022／06	● 任命 Jack Azagury 為集團執行長 ● 於印度印多爾開設先進技術中心
2022／05	贏得 1.75 億美元的 NASA 合約，為其執行群眾外包和其他基於群眾外包的解決方案交付計畫
2022／04	被 IDC MarketScape 定位為生命科學銷售和行銷 IT 外包服務領導者
2022／03	停止在俄羅斯的業務

資料來源：資策會 MIC 經濟部 ITIS 研究團隊，2023 年 9 月

收購及投資動態

年／月	事件
2023／3	投資 30 億美元強化其生成式 AI 工具
2022／7	完成對 Trancom ITS 能力的收購
2022／6	● 完成對 Greenfish 的收購 ● 收購 Advocate Networks ● 完成對 XtremeEDA 的收購，以擴大於加拿大和美國的矽設計能力
2022／5	收購 akzente 加強可持續發展能力
2022／4	● 完成對 Avieco 的收購 ● 投資 Strivr，在元宇宙連續時代推進沉浸式學習 ● 收購 Ergo 擴展資料和 AI 能力，並加速雲上以資料為主導的轉型
2022／3	● 收購阿爾法諮詢，拓展資本密集型產業的供應鏈能力 ● 投資資料技術公司 Inrupt
2022／2	對 Talespin 進行戰略投資，Talespin 是一家專注於勞動力人才發展和技能流動的空間計算公司
2022／1	對基於雲的現實資料解決方案提供商 Cintoo 進行戰略投資

資料來源：資策會 MIC 經濟部 ITIS 研究團隊，2023 年 9 月

合作案

年／月	事件
2022／7	獲得美國國土安全部運輸安全管理局（TSA）的 10 年期 1.99 億美元合約，以提供廣泛的 IT 服務支援 TSA 的安全飛行系統
2022／6	● 與 HDFC Ltd.合作加速數位轉型 ● 與 Microsoft 和埃維諾擴大合作夥伴關係，幫助組織應對最大的可持續發展挑戰
2022／5	● 與 SAP 聯合推出產品，將 RISE 與 SAP 解決方案、SOAR 與埃森哲服務產品相結合

年／月	事件
	● 與紅帽擴大聯盟,以加速混合雲創新
2022／1	與 Celonis 結成戰略聯盟,幫助客戶在業務流程中釋放新價值

資料來源:資策會 MIC 經濟部 ITIS 研究團隊,2023 年 9 月

(十) Salesforce

企業動向

年／月	事件
2023／3	● 舉辦 Tableau 大會,是業界領先的數據分析大會
2022／5	● 連續第 9 年被評為排名第一的 CRM 提供者 ● 承諾投資 1 億美元來擴展和商業化碳去除技術
2022／2	將可持續發展確立為公司的核心價值

資料來源:資策會 MIC 經濟部 ITIS 研究團隊,2023 年 9 月

收購及投資動態

年／月	事件
2023／3	Salesforce Venture 宣布推出 2.5 億美元基金,專注投資於生成式 AI 的新創,該基金已經投資四家新創,包括搜尋引擎 You.com、研發 AI 系統的 Anthropic、自然語言處理(NLP)Cohere 以及仍在祕密模式的(Stealth Mode)的 Hearth.AI。
2022／5	簽署最終協定,收購 Troops.ai
2022／4	完成對 Phenecs 的收購

資料來源:資策會 MIC 經濟部 ITIS 研究團隊,2023 年 9 月

合作案

年／月	事件
2022／7	富士通與 Salesforce Japan 合作開發個人化醫療保健解決方案
2022／6	支援 GoHenry 解決兒童金融知識差距
2022／5	宣布建立新的合作夥伴關係,以在世界領先的企業雲市場 Salesforce AppExchange 上擴展其客戶資料平臺和商業生態系統

資料來源:資策會 MIC 經濟部 ITIS 研究團隊整理,2023 年 9 月

新發布之產品與服務

年／月	事件
2023／9	推出 Slack AI、Slack List 和新的自動化功能
2023／1	推出 Account Discovery
2022／6	推出 Catalyst Fund 以擴大包容性慈善活動
2022／5	下一代 Tableau 雲帶來高級分析和自動化洞察
2022／4	<ul><li>推出 CRM Analytics</li><li>推出無代碼工具，幫助實現政府計畫交付自動化</li><li>推出面向教育功能的新 Customer 360，為未來的學習提供動力</li><li>推出低代碼開發人員工具，將 Salesforce 應用程式和自動化引入 Slack</li></ul>
2022／3	<ul><li>推出智慧 AppExchange 首頁體驗，使客戶能夠比以往更輕鬆發現相關應用、專家和內容</li><li>推出 Customer 360 for Health 的創新，包括對 Patient Data Platform* 和 Patient Commerce Portal** 的更新</li><li>推出行銷和商務雲功能，旨在提供安全、個人化的數位健康體驗</li></ul>
2022／2	<ul><li>推出 Safety Cloud 以幫助企業和社區安全聚集在一起</li><li>推出製造雲創新以自動化服務流程</li><li>在全球推出淨零雲 2.0</li></ul>
2022／1	發布數位智慧解決方案，使用自動化來幫助連接品牌的商業和行銷資料，提供優化關係、投資回報率和收入的見解和分析

資料來源：資策會 MIC 經濟部 ITIS 研究團隊，2023 年 9 月

四、參考資料

（一）參考文獻

1. 2023年十大策略性科技趨勢, Gartner, 2023年
2. 2023年臺灣ICT市場十大趨勢, IDC, 2023年
3. The World Economic Forum's Top 10 Emerging Tech Trends, WEF, 2023年
4. 2022年十大策略性科技趨勢, Gartner, 2022年
5. 2022年全球公有雲服務市場的調查報告, Gartner, 2022年

（二）其他相關網址

6. IMF，https://www.imf.org/external/index.htm
7. HPE，https://en.wikipedia.org/wiki/Hewlett_Packard_Enterprise
8. Microsoft，https://en.wikipedia.org/wiki/Microsoft
9. IBM，https://en.wikipedia.org/wiki/IBM
10. Oracle，https://en.wikipedia.org/wiki/Oracle_Corporation
11. Accenture，https://en.wikipedia.org/wiki/Accenture
12. SAP，https://en.wikipedia.org/wiki/SAP
13. Symantec，https://en.wikipedia.org/wiki/Symantec
14. Amazon,https://en.wikipedia.org/wiki/Amazon_(company)
15. CSC，https://en.wikipedia.org/wiki/DXC_Technology
16. NTT DATA，https://en.wikipedia.org/wiki/NTT_Data
17. Dell，https://en.wikipedia.org/wiki/Dell
18. DevOps，https://en.wikipedia.org/wiki/DevOps
19. RPA，https://en.wikipedia.org/wiki/RPA
20. TCS，https://en.wikipedia.org/wiki/Tata_Consultancy_Services
21. GDPR，https://en.wikipedia.org/wiki/General_Data_Protection_Regulation
22. Coincheck，https://en.wikipedia.org/wiki/Coincheck
23. Binance，https://en.wikipedia.org/wiki/Binance
24. McAfee，https://en.wikipedia.org/wiki/McAfee
25. Skyhigh Networks，https://www.skyhighnetworks.com/
26. VeriSign，https://en.wikipedia.org/wiki/Verisign
27. Blue Coat，https://en.wikipedia.org/wiki/Blue_Coat_Systems

28. Lifelock，https://en.wikipedia.org/wiki/LifeLock
29. 5G，https://en.wikipedia.org/wiki/5G
30. AIOT，https://en.wikipedia.org/wiki/Internet_of_things
31. ICS，https://en.wikipedia.org/wiki/Industrial_control_system
32. APT，https://en.wikipedia.org/wiki/Advanced_persistent_threat
33. Uber，https://en.wikipedia.org/wiki/Uber
34. Airbnb，https://en.wikipedia.org/wiki/Airbnb
35. CNN，https://en.wikipedia.org/wiki/Convolutional_neural_network
36. GAN，https://en.wikipedia.org/wiki/Generative_adversarial_network
37. DeepFake，https://en.wikipedia.org/wiki/Deepfake
38. Style2paints，https://golden.com/wiki/Style2Paints
39. MLPerf，https://mlperf.org/
40. WEF，https://en.wikipedia.org/wiki/World_Economic_Forum
41. Trend Micro，https://en.wikipedia.org/wiki/Trend_Micro
42. Forcepoint，https://www.forcepoint.com/zh-hant
43. RSA，https://en.wikipedia.org/wiki/RSA_(cryptosystem)
44. Radware，https://en.wikipedia.org/wiki/Radware
45. Cisco，https://en.wikipedia.org/wiki/Cisco_Systems
46. Palo Alto Network，https://en.wikipedia.org/wiki/Palo_Alto_Networks
47. LendingClub，https://en.wikipedia.org/wiki/LendingClub
48. Venmo，https://en.wikipedia.org/wiki/Venmo
49. RPA，https://en.wikipedia.org/wiki/Robotic_process_automation

國家圖書館出版品預行編目（CIP）資料

資訊軟體暨服務產業年鑑. 2023/朱師右、朱南勳、張真瑜、張家維、韓揚銘、楊淳安、童啟晟作. -- 初版. -- 臺北市：財團法人資訊工業策進會產業情報研究所, 民 112.09

　　面；　公分

ISBN 978-957-581-913-2(平裝)

1.CST: 電腦資訊業　2.CST: 年鑑

484.67058　　　　　　　　　　　　　　　　　　　112013742

書　　　名	2023 資訊軟體暨服務產業年鑑
發行單位	經濟部產業技術司 / https://www.moea.gov.tw / 02-2321-2200 / 臺北市中正區福州街 15 號
出版單位	財團法人資訊工業策進會產業情報研究所（MIC） / https://mic.iii.org.tw / (02)2735-6070 / 臺北市大安區敦化南路二段 216 號 19 樓
編　　者	2023 資訊軟體暨服務年鑑編纂小組
作　　者	朱師右、朱南勳、張真瑜、張家維、韓揚銘、楊淳安、童啟晟
其他類型版本說明	本書同時登載於 ITIS 智網網站，網址為 https://www.itis.org.tw/
出版日期	中華民國 112 年 9 月
版　　次	初版
售　　價	電子書－新臺幣 6,000 元整；實體書－新臺幣 6,000 元
展售處	臺北市電腦商業同業公會 ITIS 出版品銷售中心 / 臺北市八德路三段 2 號 3 樓 / 02-2576-2008 / http://books.tca.org.tw
ISBN	978-957-581-914-9（電子書）；978-957-581-913-2（實體書）
著作權利管理資訊	財團法人資訊工業策進會產業情報研究所（MIC）保有所有權利。欲利用本書全部或部分內容者，須徵求出版單位同意或書面授權。
聯絡資訊	ITIS 智網會員服務專線 (02)2732-6517

著作權所有，請勿翻印，轉載或引用需經本單位同意

ICT Software and Service Industry Yearbook 2023

Published in September 2023 by the Market Intelligence & Consulting Institute.（MIC）, Institute for Information Industry

Address：19F., No.216, Sec. 2, Dunhua S. Rd., Taipei City 106, Taiwan, R.O.C.

Web Site：https：//www.itis.org.tw

Tel：(02) 2735-6070

Account No.：0167711-2（Institute for Information Industry）

Price： hard copy NT$6,000、electronic copy NT$6,000

Retail Center：Taipei Computer Association

Web Site：https：//books.tca.org.tw

Address：5F., No. 2, Sec. 3, Bade Rd., Taipei City 105,Taiwan, R.O.C.

Tel：(02) 2576-2008

Publication authorized by the Department of Industrial Technology, Ministry of Economic Affairs

All rights reserved. Reproduction of this publication without prior written permission is forbidden.

ISBN： 978-957-581-914-9（eBook）；
978-957-581-913-2（Physical Book）